Texte intégral

Couverture : E. Kohlmann (détail)

Titre original : *Nice Work*

ISBN : 2-86930-456-0
ISBN 1re publication : 2-86930-297-5
ISSN : 1140-1591
© David Lodge, 1988
© Editions Rivages, 1990 pour la traduction française
© Editions Rivages, 1991 pour l'édition de poche
106, bd Saint-Germain, 75006 Paris

Jeu de société

Qu'y a-t-il de commun entre Vic Wilcox, directeur général de Pringle and Sons, une entreprise de métallurgie anglaise en pleine restructuration et Robyn Penrose, une jeune universitaire spécialiste des jeux de déconstruction littéraire et plus particulièrement de l'étude sémiologique des « romans industriels » victoriens ? Pas grand-chose, en apparence. Vic Wilcox est un pragmatique bourru attaché aux privilèges de sa classe. Robyn Penrose a beau se qualifier de « sémiologue matérialiste », elle n'en a pas moins les certitudes arrogantes d'une théoricienne entêtée. Mais tout est remis en jeu lorsque Robyn Penrose doit suivre un stage chez Pringle and Sons et devenir « l'ombre » de son directeur dans le cadre de « l'année de l'industrie ». Cette confrontation brutale – et cocasse – est un peu celle de la thèse et de l'antithèse, au cœur de Rummidge, cette variante fictive de Birmingham soumise de plein fouet aux nouvelles rationalisations.

Sur cet arrière-plan de réalisme et de colère des romans de Dickens ou d'Elizabeth Gaskell, David Lodge a imaginé une version satirique où le comique, parfois irrésistible naît de la juxtaposition des situations conflictuelles de la société anglaise. Et, de fait, ce livre a toutes les configurations d'un roman victorien détourné et privé de sa morale qui interroge une société obsédée – comme nulle autre au monde – par le culte des différences de classe, de culture, de style, de langage ou d'esprit. Cette vieille préoccupation anglaise, sans doute à l'origine du ressort comique, est ici pour David Lodge l'occasion d'une comédie de la différence, et d'un brio de sensibilité et de bouffonnerie cruelle.

Salué unanimement en Grande-Bretagne et aux Etats-Unis, ce livre, qui a obtenu le Sunday Express Book of the

Year Award en 1988, est sans doute l'un des romans les plus « anglais » parus ces dernières années. Ce qui a fait dire à Anthony Burgess que David Lodge était « l'un des meilleurs auteurs de sa génération ».

David Lodge est né à Londres en 1935. Après des études à University College, il a enseigné la littérature anglaise jusqu'en 1987 à l'université de Birmingham et donné des conférences dans le monde entier, notamment à Berkeley. Auteur d'une œuvre importante qui comprend des essais critiques et huit romans, David Lodge a reçu de nombreuses distinctions. Il a été lauréat du Whitbread Book of the Year en 1980 avec How far can you go ? *(Jeux de maux, 1993). Ses deux derniers romans,* Small World, 1984 *(Un tout petit monde, 1991) et* Nice Work, 1988 *(Jeu de société, 1990), ont été retenus pour la sélection du Booker Prize. David Lodge est membre de la Société Royale de Littérature. Il habite Birmingham. En 1989, il a présidé le jury du Booker Prize. Ce roman a déjà été l'objet d'un film télévisé tourné pour la B.B.C.*

David Lodge

Jeu de société

Traduit de l'anglais par Maurice
et Yvonne Couturier

Rivages

Du même auteur
chez le même éditeur

Jeu de société
Changement de décor
Un tout petit monde
La Chute du British Museum
Nouvelles du Paradis
Jeux de maux
Hors de l'abri
Thérapie
L'Art de la fiction
Les quatre vérités

En collection de poche

Changement de décor (n° 54)
Un tout petit monde (n° 69)
La Chute du British Museum (n° 93)
Nouvelles du Paradis (n° 124)
Jeux de maux (n° 154)
Hors de l'abri (n° 189)
L'homme qui ne voulait plus se lever (n° 212)
Thérapie (n° 240)

A Andy et Marie,
En témoignage d'amitié et de gratitude

Note de l'auteur

Il faut peut-être que j'explique, pour les lecteurs qui ne sont jamais venus ici auparavant, que Rummidge est une ville imaginaire, avec des universités imaginaires et des usines imaginaires, habitée par des gens imaginaires, et qui occupe, pour les besoins de la fiction, l'endroit où se situe Birmingham sur les cartes du monde prétendu réel.

J'adresse mes plus vifs remerciements à plusieurs patrons d'industrie, et à l'un d'eux en particulier, qui m'ont fait visiter leurs usines et leurs bureaux, et ont patiemment répondu à mes questions, souvent naïves, tandis que je préparais ce roman.

D. L.

Sur les Midlands la muse industrieuse s'abat soudain,
Ces comtés très justement dénommés cœur de
l'Angleterre.

Drayton : *Poly-Olbion*
(Epigraphe de *Félix Holt le Radical,* de George Eliot)

– Deux nations ; entre lesquelles il n'y a ni commerce,
ni sympathie ; qui ignorent tout des habitudes, des pensées
et des sentiments l'une de l'autre, comme si elles rési-
daient dans des zones différentes ou habitaient des pla-
nètes différentes ; qui ont été éduquées de façon différente
et nourries de nourritures différentes et qui sont régies par
des us et coutumes différents...
– Vous voulez parler de... dit Egremont, d'une voix
hésitante.

Benjamin Disraeli : *Sybil, ou les deux nations*

I

Si tu penses, lecteur... que l'on est en train de te concocter une sorte de roman sentimental, tu fais fausse route. Espères-tu trouver du sentiment, de la poésie, de la rêverie ? Rêves-tu de passion, d'émotion, ou de mélodrame ? Modère tes attentes, réduis-les à des proportions plus humbles. C'est quelque chose de réel, de froid et de consistant qui t'attend ; quelque chose d'aussi peu romantique qu'un lundi matin lorsque tous ceux qui ont du travail se réveillent avec la même préoccupation : se lever et se rendre tout de suite au travail.

Charlotte Brontë : Prélude à *Shirley*

1

Lundi 13 janvier 1986. Victor Wilcox, déjà réveillé, attend dans l'obscurité de sa chambre le bip-bip de son réveil à quartz qui est réglé pour 6 h 45. Il va devoir attendre encore combien de temps ? Il n'en sait rien. Pour le savoir, il lui suffirait de chercher le réveil à tâtons, de le soulever et de l'amener dans son champ de vision, puis d'appuyer sur le bouton qui illumine le cadran numérique. Mais il préfère ne pas savoir. Et s'il n'était que six heures ? Ou même cinq ? Il n'est peut-être que cinq heures. Mais, quelle que soit l'heure, il ne pourra plus se rendormir désormais. C'est devenu une habitude chez lui depuis quelque temps de rester éveillé dans l'obscurité, en attendant le bip-bip du réveil, et de ruminer ses soucis.

Les soucis s'abattent sur lui comme ces vaisseaux spatiaux ennemis dans un des jeux vidéo de Gary. Il recule, s'esquive, il leur règle leur compte comme par miracle, mais l'assaut n'en finit pas : le compte Avco, le compte Rawlinson, le prix de la gueuse, la valeur de la livre, la concurrence avec Foundrax, l'incompétence de son Directeur du Marketing, les pannes continuelles de la soufflerie de noyaux, le vandalisme dans les toilettes de l'atelier d'ébarbage, les exigences de son chef de secteur, les comptes du mois dernier, les prévisions trimestrielles, le bilan annuel…

Pour se soustraire à ce bombardement et prolonger un peu son sommeil, il se retourne, se met sur le côté, se blottit contre le corps chaud et douillet de sa femme et passe un bras autour de sa taille. Toujours sous l'effet du Valium, Marjorie sursaute mais sans se réveiller, puis elle se tourne et se retrouve face à lui. Ils se cognent le nez et le front l'un contre l'autre ; s'ensuit alors un ballet de bras et de jambes, un simulacre absurde de lutte. Marjorie joue des poings comme un pugiliste, grogne et le repousse. Quelque chose glisse du lit de son côté et tombe sur le plancher en faisant un bruit mat. Vic devine ce que c'est : un livre, *Bien vivre sa ménopause,* que Marjorie a emprunté à une de ses amies du club des Weight Watchers et qu'elle parcourt au lit avec si peu de conviction que, tous les soirs, depuis une semaine ou deux, elle s'endort sur sa lecture. Le dernier geste de Vic, en venant se coucher, est normalement d'enlever un livre des doigts inertes de Marjorie, de remettre ses bras sous les couvertures et d'éteindre sa lampe de chevet, mais il a dû omettre la première de ces tâches hier soir, ou peut-être que *Bien vivre sa ménopause* était dissimulé sous le couvre-lit.

Il bascule sur le côté et s'écarte de Marjorie qui, allongée sur le dos, se met à ronfler doucement. Il lui envie cette torpeur profonde, mais il s'interdit cette faveur. Un soir qu'il avait une folle envie de goûter enfin une bonne nuit de sommeil, il avait accepté le Valium qu'elle lui proposait, il l'avait avalé avec le petit verre d'alcool qu'il prenait tous les soirs, et, le lendemain matin, il déambulait comme un plongeur marchant au fond de la mer. Avant de retrouver ses esprits, il avait fait une erreur de deux points dans le prix des boîtes de direction qui étaient destinées à British Leyland. *Tu n'aurais pas dû le prendre avec du whisky,* lui dit Marjorie. *On n'a pas besoin des deux.* Alors, je m'en tiendrai au whisky, dit-il. *Le Valium dure plus longtemps,* dit-elle. Infiniment trop longtemps, si tu veux mon avis, dit-il. J'ai fait perdre cinq mille livres à la firme ce matin, grâce à toi. *Oh, ce n'est quand même pas ma faute !* dit-elle, et sa lèvre inférieure se mit à trembler. Alors, pour qu'elle ne pleurât plus – il ne supportait pas ça – il avait dû lui acheter la garniture de foyer à l'ancienne dont elle rêvait pour le salon, afin de donner une touche supplémentaire d'authenticité à la cheminée en pierres rustiques avec sa fausse bûche éclairée au gaz.

Les ronflements de Marjorie se font plus bruyants. Exaspéré, Vic lui donne une violente bourrade. Le ronflement s'arrête mais, bizarrement, elle ne se réveille pas. Dans les autres chambres, les trois enfants dorment aussi.

16

Dehors, le vent d'hiver souffle en rafales contre les murs de la maison et fouette les branches des arbres dans tous les sens. Il a le sentiment d'être le capitaine d'un bateau assoupi, seul à la barre, et de mener son équipage confiant à travers des mers dangereuses. Il a l'impression d'être le seul homme au monde à être éveillé.

Le réveil piaule.

Et aussitôt, par un effet pervers de la chimie intime de son corps ou de son système nerveux, il se sent fatigué et engourdi, et n'a pas envie de quitter la chaleur du lit. D'un doigt expert, il appuie sur le bouton d'arrêt provisoire et sombre sans effort dans le sommeil. Cinq minutes plus tard, le réveil le secoue de sa torpeur, en piaulant avec insistance comme un oiseau mécanique. Vic soupire, enfonce brutalement le bouton d'arrêt, allume sa lampe de chevet (en position veilleuse par égard pour Marjorie), sort du lit et déambule sur l'épais tapis de la chambre pour se rendre à la salle de bains contiguë, en prenant bien soin de refermer la porte de communication avant d'allumer la lampe à l'intérieur.

Vic urine, épreuve délicate qui demande beaucoup de soin et de précision car la cuvette des W.-C. est basse et étroite. Il n'aime pas particulièrement la salle de bains rouge foncé ("cramoisie", précisait la brochure de l'agent immobilier) mais c'était l'une des choses qui avaient attiré Marjorie lorsqu'ils avaient acheté la maison, il y a deux ans – la salle de bains, avec son lavabo en forme de rein, ses robinets dorés, sa baignoire au ras du sol, ses W.-C. et son bidet profilés. Mais c'était surtout le fait qu'elle était "contiguë". *J'ai toujours voulu une salle de bains contiguë,* aimait-elle à dire à ses visiteurs, à ses amis au téléphone, et même, il n'en serait pas surpris, aux démarcheurs à domicile ou aux étrangers qu'elle accostait dans la rue. On aurait dit que le mot "contigu" était le plus joli mot de toutes les langues du monde, à la façon qu'elle avait de l'introduire dans la conversation. Si on venait un jour à fabriquer un parfum nommé *Contigu,* elle l'adopterait tout de suite.

Vic secoue son pénis pour en faire tomber la dernière

goutte, prenant soin de ne pas asperger le tapis rose en peluche synthétique qui entoure le siège, et actionne la chasse d'eau. La maison possède quatre w.-c., ce qui inquiète beaucoup le père de Vic. *QUATRE W.-C. ?* avait-il dit la première fois qu'il avait visité la maison. *J'ai bien compté ?* Qu'est-ce que tu reproches à ça, Papa ? avait demandé Vic pour le taquiner. T'as peur que la nappe phréatique s'épuise si on les actionne tous en même temps ? *Non, mais si un jour on rationne l'eau, hein ? Tu seras bien attrapé.* Vic eut beau expliquer que le nombre de w.-c. n'avait aucune importance, que ce qui comptait en fait c'était combien de fois on actionnait les chasses d'eau, son père restait persuadé qu'un tel luxe de w.-c. constituait en soi un encouragement à uriner inutilement, et donc à utiliser trop les chasses d'eau.

Peut-être avait-il raison, d'ailleurs. Dans la maison de grand-mère à Easton, une maison adossée à une autre maison, les w.-c. étaient à l'extérieur, et on n'y allait qu'en cas d'extrême besoin, surtout en hiver. Quant à la maison familiale qui appartenait déjà à une catégorie sensiblement plus élevée dans l'échelle sociale que celle de la grand-mère, elle possédait des w.-c. à l'intérieur, une pièce sombre et étroite à mi-étage et qui puait toujours un peu, en dépit du Sanilav et du Dettol que maman déversait dans la cuvette. Il se souvenait encore très bien de cette cuvette en céramique jaunâtre avec dessus le nom du fabricant, "Challenger", le grand siège en bois verni qui gardait toujours les fesses bien au chaud, et la longue chaîne qui pendait du réservoir là-haut avec, au bout, une balle en éponge quelque peu décomposée. Il s'amusait à faire des têtes avec la balle, à la faire rebondir d'un mur à l'autre, tandis qu'il siégeait là, petit écolier constipé. Sa mère se plaignait des marques sur le badigeon. Maintenant il avait la fierté de posséder quatre w.-c. – cramoisi, avocat, tournesol et blanc – tous bien chauffés par le chauffage central. Un signe extérieur de richesse qui en valait bien un autre.

Il monte sur le pèse-personne. Soixante-quatre kilos. C'est bien assez pour un homme qui ne mesure qu'un mètre soixante-quatre. Certains disaient – Vic avait surpris certaines conversations – qu'il tentait de faire oublier sa petite taille en adoptant une attitude agressive. Eh bien, ils peuvent dire ce qu'ils veulent. S'il n'était pas un peu agressif, il ne serait pas où il est maintenant. Même s'il n'est pas sûr de rester très longtemps où il est. Vic fronce les sourcils dans la glace au-dessus du lavabo, en se rappelant encore les comptes du mois dernier, les prévisions trimestrielles, le bilan annuel... Il fait couler de l'eau chaude dans la cuvette rouge foncé, se badigeonne le visage de mousse à raser en bombe, et se met à racler sa mâchoire avec un rasoir mécanique muni d'une lame Wilkinson. Vic tient absolument à acheter anglais, et il se dispute fréquemment avec son fils aîné, Raymond, qui préfère son rasoir jetable fabriqué en France. Si encore c'était le seul point de friction entre eux, mais loin de là. Le facteur principal limitant le nombre de leurs contentieux c'était, en fait, la relative rareté de leurs rencontres, Raymond étant toujours au lit quand Vic partait pour le travail et toujours sorti quand il rentrait à la maison.

Vic essuie les traces de mousse sur ses joues et palpe la chair fraîchement rasée d'un air satisfait. Des yeux marron foncé le dévisagent dans le miroir. Qui suis-je ?

Il s'appuie au lavabo, se penche en avant les bras croisés, et scrute le visage carré, légèrement pâle sous une mèche de cheveux bruns et plats, un peu grisonnants, les deux traits verticaux sur le front qui, tels un clip, semblent maintenir droit le nez camus, le sillon rectiligne de la bouche et le menton en galoche. Tu sais qui tu es : tout est dans ton dossier chez le Chef de Secteur.

Wilcox : Victor Eugene. *Date de naissance :* 19 octobre 1940. *Lieu de naissance :* Easton, Rummidge, Angleterre. *Etudes :* Ecole primaire d'Endwell Road, Easton ; Lycée de Garçons d'Easton ; Ecole des Arts et Métiers de Rummidge. Diplôme national d'Ingénieur en Mécanique, 1964. *Situation de famille :* marié (à Marjorie Florence Coleman, 1964). *Enfants :* Raymond (né en 1966), Sandra (née en 1969), Gary (né en 1972). *Expérience professionnelle :* 1962-64, apprenti aux Ateliers de Mécanique Vanguard ; 1964-66, Ingénieur

Adjoint à la Production, Ateliers de Mécanique Vanguard ; 1966-70, Ingénieur en Chef, Ateliers de Mécanique Vanguard ; 1970-74, Responsable de la Production, Ateliers de Mécanique Vanguard ; 1974-78, Responsable de la Fabrication, Lewis & Arbuckle Ltd. ; 1978-80, Directeur de la Fabrication, Fonderies Rumcol ; 1980-85, Directeur Administratif, Fonderies Rumcol. *Situation actuelle :* Directeur Général, Ateliers de Fonderie et de Mécanique Générale J. Pringle and Sons.

Voilà qui je suis.

Vic adresse une grimace à son double dans le miroir, comme pour dire : arrête ton char, pas de crise d'identité, je t'en prie. Il faut bien que quelqu'un gagne sa vie dans cette famille.

Il prend sa robe de chambre accrochée à une patère derrière la porte de la salle de bains, la passe en haussant les épaules, éteint la lumière et retourne sans bruit dans la chambre faiblement éclairée. Marjorie a cependant été réveillée par les bruits de tuyauterie.

"C'est toi ? dit-elle d'une voix endormie ; puis, sans attendre de réponse, elle ajoute : Je descends dans une minute.

– Prends ton temps", dit Vic. *Laisse tomber* serait plus franc, car il préfère avoir la cuisine à lui tout seul au petit matin, préparer son petit déjeuner frugal et fumer sa première cigarette sans être dérangé. Marjorie se sent obligée malgré tout de faire une petite apparition en bas, rien que pour la forme, avant qu'il parte au travail, et, en un sens, Vic le comprend très bien, il l'approuve, même. Sa propre mère était toujours la première levée le matin pour voir partir son mari et son fils au travail ou à l'université, et elle avait gardé cette habitude presque jusqu'à sa mort.

Tandis que Vic descend l'escalier, un couinement très aigu de sonnerie électrique retentit au rez-de-chaussée. La pression de son pied sur un contacteur placé sous le tapis de l'escalier a suffi pour déclencher le signal d'alarme que Raymond s'est souvenu de brancher, curieusement, en rentrant hier soir, à Dieu sait quelle heure. Vic se rend au tableau de contrôle à côté de la porte d'entrée et compose le code numérique qui désamorce l'engin. Il n'a que quinze secondes pour le faire avant que le couinement ne se transforme en hurlement et que le signal d'alarme sur le mur extérieur ne commence à rugir. Toutes les maisons du quartier ont ce genre de système, et Vic doit reconnaître que c'est indispensable, vu les cambriolages chaque jour plus fréquents et plus audacieux, mais le système dont ils ont hérité des anciens propriétaires, avec ses déclencheurs magnétiques, ses détecteurs à infrarouge, ses contacteurs et ses boutons d'alerte, est à son goût bien trop sophistiqué. Il faut cinq bonnes minutes pour l'activer avant d'aller se coucher, et si on doit descendre pour faire quelque chose, il faut tout annuler et tout refaire de nouveau. *La misère des riches,* avait dit Raymond, en ricanant, un jour que Vic se plaignait – Raymond, qui méprise l'aisance de ses parents mais continue malgré tout de profiter du confort et des avantages qu'elle procure : un gîte gratuit avec le chauffage central, l'eau chaude à volonté, la blanchisserie gratuite, le droit d'utiliser la voiture de maman, la télévision, le magnétoscope, la stéréo, et cætera et cætera. Vic sent monter sa pression artérielle lorsqu'il pense à son fils aîné qui, ayant laissé tomber l'université il y a quatre mois, n'a rien fait d'utile depuis ; à l'heure qu'il est, il est bien au chaud dans son duvet au premier étage, tout nu, avec seulement une boucle d'oreille en or, en train de cuver ce qu'il a bu hier soir. Excédé, Vic secoue la tête pour chasser de son esprit cette image insupportable.

Il ouvre la porte d'entrée qui donne sur un porche fermé et jette un coup d'œil sur le paillasson. Rien. Le marchand de journaux est en retard, ou peut-être n'y a-t-il pas de journal aujourd'hui à cause d'une grève. L'œil enflammé d'un détecteur à infrarouge lui lance un regard narquois lorsqu'il entre dans le salon pour chercher de quoi lire. Le plancher et les meubles sont jonchés des carcasses éventrées du *Mail on Sunday* et du *Sunday Times*. Il ramasse la section économique du *Times* et l'emporte dans la cuisine. Tandis que la bouilloire se met à bouillir, il parcourt la première page. Un gros titre attire son regard : "L'ESPOIR D'UNE ÉCLAIRCIE FISCALE S'ENVOLE : LAWSON COMPTE SES PERTES."

Nigel Lawson, Ministre des Finances, s'est enfermé ce week-end avec son équipe du budget afin d'évaluer le danger que constituent pour sa stratégie économique l'augmentation des taux d'intérêts de la semaine dernière, ainsi que la brusque remontée du chômage.

A part ça, quoi de neuf ?

La bouilloire chante. Vic se prépare un thé très fort, met deux tranches de pain blanc dans le grille-pain, écarte les lattes des stores vénitiens de la cuisine et glisse un coup d'œil dans le jardin. Un matin gris et venteux, mais pas de gelée. Des écureuils traversent la pelouse en rebondissant comme des balles en peluche poussées par le vent. Des pies se pavanent d'un parterre à l'autre, dévorant avec gourmandise les petits vers qu'il a déterrés hier en jardinant. Des merles, des moineaux, des rouges-gorges et d'autres oiseaux dont Vic ignore le nom sautillent et gambadent à une distance respectable des pies. Toutes ces créatures semblent parfaitement chez elles dans le jardin de Vic, bien que le centre ville ne soit qu'à trois kilomètres. Un matin, il n'y a pas longtemps, il a vu passer un renard devant cette fenêtre. Vic a tapé sur la vitre. Le renard s'est arrêté, a tourné la tête et l'a regardé quelques instants, comme pour dire, *Quoi ?* puis il a poursuivi son chemin sans se presser, en remuant la queue paresseusement derrière lui. Vic a l'impression que les animaux sauvages commencent à s'urbaniser en Angleterre : ils quittent la campagne pour s'établir en ville où la vie est plus facile – pas de pièges, pas de pesticides ni de chasseurs ou d'amateurs de gibier, mais, en revanche, des quantités de poubelles bien garnies et des ménagères au cœur tendre comme Marjorie qui jettent leurs déchets dans le jardin, ouvrant ainsi des soupes populaires pour animaux sauvages. La nature rejoint la race humaine et s'en remet à la charité publique.

Vic a déjà mangé ses deux toasts et boit sa troisième tasse de thé en fumant sa première cigarette lorsque Marjorie, vêtue d'une robe de chambre, un foulard sur ses bigoudis, entre dans la cuisine en traînant ses pantoufles, son petit visage rond et pâle encore tout gonflé de sommeil. Elle a dans les mains le *Daily Mail* qu'on vient de distribuer.

"Tu fumes, dit-elle d'un ton à la fois critique et résigné, condensant dans ces deux petits mots un vieux débat bien connu. Vic répond par un grognement dans lequel il distille sa réplique, désormais familière. Il jette un coup d'œil à la pendule de la cuisine.

– Il ne serait pas temps que Sandra et Gary se lèvent ? Je ne vais pas m'appesantir sur le cas de Raymond, bien sûr.

– Gary n'a pas d'école aujourd'hui. Les professeurs sont en grève.

– *Quoi ?* dit-il d'un ton accusateur, utilisant en quelque sorte Marjorie comme cible de sa colère contre les professeurs.

– Une action revendicative, ou quelque chose comme cela. Il a ramené un mot vendredi soir.

– Une inaction revendicative, tu veux dire. As-tu remarqué, on ne voit jamais les professeurs dans les piquets de grève, dans la pluie et le froid ? Ils se contentent de pantoufler bien au chaud dans leurs salles de profs et de ronchonner, tandis que les gosses rentrent chez eux faire des bêtises. Ce n'est pas de l'action. Ce n'est même pas de la revendication, quand on y réfléchit bien. Voilà une profession qui ferait bien de faire preuve d'un peu plus de professionnalisme.

– Peut-être bien… répond Marjorie d'un ton conciliant.

– Et Sandra ? Est-ce que les profs de Terminale ont entrepris une action revendicative, eux aussi ?

– Non, je la conduis chez le médecin.

– Qu'est-ce qu'elle a ?"

Marjorie bâille d'un air évasif. "Oh, rien de grave.

– Alors, pourquoi n'irait-elle pas toute seule ? Une fille de dix-sept ans est quand même bien capable d'aller chez le médecin sans qu'on la prenne par la main.

– Je ne rentre pas dans le cabinet avec elle, sauf si elle me le demande. Je reste seulement avec elle dans la salle d'attente."

Vic regarde sa femme d'un air soupçonneux. "Tu ne vas pas faire des courses avec elle après ?"

Marjorie rougit. "Il faut bien, elle a besoin d'une nouvelle paire de chaussures…

— Tu es une imbécile, Marje ! s'exclame Vic. Tu ne la gâtes pas, tu la pourris, ta fille. Elle ne pense qu'aux fringues, aux chaussures et à ses cheveux. Quelles notes va-t-elle avoir à ses examens, tu peux me le dire ?

— Je ne sais pas. Mais puisqu'elle ne souhaite pas aller à l'Université…

— Qu'est-ce qu'elle veut faire, alors ? Qu'a-t-elle inventé ces temps derniers ?

— Elle pense être coiffeuse.

— Coiffeuse ! Vic prononce ce mot avec un infini mépris.

— Eh quoi, elle est jolie, pourquoi n'aimerait-elle pas les fringues et le reste ? Elle est jeune !

— Dis plutôt que c'est toi qui aimes l'habiller. Tu la traites comme une poupée, Marje, tu ne trouves pas ?"

Plutôt que de répondre à cette question, Marjorie préfère revenir à une question antérieure. "Elle a des problèmes avec ses règles, si tu veux tout savoir", dit-elle, accusant Vic de curiosité malsaine, bien qu'elle sache pertinemment qu'il n'y a rien qu'il déteste autant que ce déballage gynécologique, surtout à une heure aussi matinale. La pathologie du corps féminin est une source infinie de mystère et de gêne pour Vic. Tous ces saignements et ces pertes, ces kystes et ces grosseurs, toutes ces opérations chirurgicales aux noms si pénibles à entendre – curetage de la matrice, ablation des varices, amputation des seins – leur seule évocation le fait grimacer et lui fait rentrer la tête dans les épaules. Récemment, la ménopause a ajouté certaines rubriques à ce répertoire : bouffées de chaleur, pertes de sang et quelque chose de sinistre appelé ballonnement. "J'imagine qu'il va lui prescrire la pilule, dit Marjorie, en se préparant un thé.

— Quoi ?

— Pour régulariser ses règles. J'imagine que le Dr Roberts va prescrire la pilule à Sandra."

Vic pousse un nouveau grognement mais cette fois le ton est ambigu et mal assuré. Il a le sentiment que ses femmes mijotent quelque chose. Et si c'était plutôt pour se faire prescrire un contraceptif qu'elle allait voir le Dr Roberts ? Avec la bénédiction de Marjorie ? Il n'est pas d'accord en ce qui le concerne. Sandra ferait-elle déjà l'amour ? A dix-sept ans ? Et avec qui ? Pas avec ce garçon tout boutonneux qui s'habille avec les surplus de l'armée – comment s'appelle-t-il déjà, Cliff – pas lui, bon Dieu. Ni lui, ni personne. Et aussitôt il se représente sa fille en train de faire l'amour, ses genoux blancs écartés, une forme sombre au-dessus d'elle ; il enrage et est écœuré.

Il se rend compte soudain que les yeux bleus et vitreux de Marjorie le scrutent avec curiosité par-dessus sa tasse et semblent solliciter une reprise de la discussion à propos de Sandra, mais il n'en a pas envie ce matin, surtout avec la longue journée de travail qui l'attend. Ni ce matin, ni jamais, pour être franc. Toute discussion sur la vie sexuelle de Sandra pourrait bien déboucher sur un autre sujet, celui de leur vie sexuelle à tous les deux, ou plutôt de l'absence de vie sexuelle entre eux, et il préfère ne pas s'aventurer sur ce terrain. Pas la peine de réveiller les chiens qui dorment. Vic regarde la pendule de la cuisine puis sa montre, et il se lève de table.

"Tu veux que je te prépare du bacon ? demande Marjorie.

– Non, j'ai fini.

– Tu devrais manger quelque chose de chaud au petit déjeuner, surtout quand il fait si froid le matin.

– Je n'ai pas le temps.

– Pourquoi on n'achèterait pas un four à micro-ondes ? Je pourrais te préparer du bacon en quelques secondes avec un micro-ondes.

– Sais-tu, demande Vic, que quatre-vingt-seize pour cent des fours à micro-ondes vendus dans le monde sont fabriqués au Japon, à Taïwan et en Corée ?

– Tous les gens qu'on connaît en ont un, dit Marjorie.

– Précisément", dit Vic.

Marjorie regarde Vic d'un air malheureux, se demandant bien où il veut en venir. "Je pensais aller me renseigner sur les prix ce matin, dit-elle. Après les chaussures de Sandra.

– Et où tu le mettrais ? demande Vic, parcourant du regard les plans de travail de la cuisine déjà bien encombrés avec toutes sortes d'appareils électriques : grille-pain, bouilloire, cafetière, robot-marie, wok, friteuse, gaufrier…

– Je pensais qu'on pouvait mettre ailleurs le wok électrique. On ne l'utilise jamais. Un four à micro-ondes serait plus utile.

– D'accord, regarde les prix, mais n'achète rien. Je peux en obtenir un moins cher par l'usine."

Le visage de Marjorie s'illumine. Elle sourit, et deux fossettes apparaissent dans ses joues empâtées, encore toutes luisantes avec cette crème de nuit qu'elle s'est mise hier soir. Ce sont ces fossettes qui ont d'abord attiré Vic vers Marjorie il y a vingt-cinq ans alors qu'elle travaillait au service dactylo chez Vanguard. Ces temps-ci, elles n'apparaissent plus guère, mais la seule perspective d'une tournée de magasins suffit à les faire réapparaître immédiatement.

"Seulement, ne compte pas sur moi pour manger ce que tu y feras cuire", dit-il.

Les fossettes de Marjorie s'estompent instantanément, comme lorsque le soleil passe derrière un nuage.

"Pourquoi pas ?

– Ce n'est pas une façon de cuisiner, voyons ! Ma mère se retournerait dans sa tombe."

Vic prend le *Daily Mail* et se dirige vers les W.-C., ceux qui se trouvent à l'arrière de la maison, à côté de l'entrée de service ; ils sont tout blancs, et sont destinés surtout aux femmes de ménage, aux jardiniers et aux réparateurs. Mais, par un accord tacite entre eux, Vic déleste toujours ses intestins ici, alors que Marjorie utilise les toilettes des invités qui donnent sur le hall d'entrée ; ainsi, l'atmosphère de la salle de bains *contiguë* demeure-t-elle toujours pure.

Assis sur le siège, Vic fume une seconde cigarette et

parcourt le *Daily Mail*. Westland et Heseltine font encore les gros titres. Cris et chuchotements au 10 Downing Street. Maggie tente de calmer le jeu. Il tourne bien vite les pages intérieures. Murdoch face à la colère des syndicats. L'iman appelle à la prière et le curé crie aux fous. Deux fois mariée : problèmes de cœur en perspective. La Grande-Bretagne dans le tableau des nations. Voyons voir.

Toutes les études le confirment aujourd'hui : la Grande-Bretagne se retrouve de nouveau dans le Tableau d'Honneur des nations les plus industrialisées. Selon le Dr David Lomax, conseiller économique chez Natwest, seuls l'Allemagne, la Hollande, le Japon et la Suisse peuvent rivaliser avec nous en ce qui concerne la croissance économique, la stabilité des prix et la balance des paiements.

"Rivaliser" veut sans doute dire "battre". Et depuis quand *la Hollande* est-elle une super-puissance industrielle ? Même si c'est le cas, tout cela doit être une vaste connerie, un mirage concocté à coup de statistiques. Il suffit de traverser les Midlands de l'Ouest en voiture pour comprendre que si nous sommes dans le Tableau d'Honneur des nations les plus industrialisées, quelqu'un a dû déplacer les poteaux de buts. Vic ne demande pas mieux que de miser sur la Grande-Bretagne, mais il y a des fois où le chauvinisme ampoulé du *Daily Mail* lui tape sur le système. Il tire une bouffée sur sa cigarette et secoue la cendre entre ses jambes – un petit sifflement se produit lorsqu'elle entre en contact avec l'eau. Excellente performance aux essais : 3 litres aux cent pour une 4 places

Les essais ont commencé chez British Leyland pour tester le moteur en aluminium ultra-léger et totalement révolutionnaire qui équipera la première voiture 4 places au monde à consommer trois litres aux cent.

C'était quand, déjà, la dernière fois qu'on parlait d'un moteur en aluminium capable de battre tous les records du monde ? Avec la Hillman Imp., non ? Où sont-elles aujourd'hui les Hillman Imp. d'hier ? A la ferraille, toutes, ou presque toutes. Et l'usine Linwood est devenue un cimetière, elle aussi, l'herbe pousse entre les chaînes de montage, et les toits en tôle ondulée battent au vent. Une voiture que personne ne voulait acheter, construite sur un site qui avait été choisi pour des raisons politiques et non commerciales, à des centaines de kilomètres de tous les fournisseurs de pièces détachées. Il passe aux pages financières. COMMENT RETROUVER UNE IMAGE DE MARQUE.

Cette année, qui a été désignée Année de l'Industrie, a pris, comme prévu, un mauvais départ. Plusieurs organisations de l'Industrie manufacturière se sont émues comme d'habitude de la mauvaise image dont jouissent les ingénieurs et toute la profession sur le plan social.

Vic lit l'article avec un sentiment plutôt mitigé. L'Année de l'Industrie est à coup sûr une vaste foutaise. En revanche, l'idée que la société sous-estime ses ingénieurs, ça, ce n'est pas de la foutaise.

Il est 7 h 40 lorsque Vic sort des toilettes. Le rythme de ses gestes commence à s'accélérer. Il traverse à grands pas la cuisine où Marjorie, très placidement, est en train de mettre la tasse de Vic dans le lave-vaisselle, puis il remonte l'escalier quatre à quatre. Une fois de retour dans la salle de bains contiguë, il se lave les dents et se brosse les cheveux énergiquement. Il passe ensuite dans la chambre, met une chemise blanche toute propre et un costume. Il a six costumes pour aller au travail et il les porte à tour de rôle, par rotation de six jours. Autrefois il pensait que cinq ça suffisait, mais il en avait acheté un autre après avoir entendu Raymond dire un jour en plaisantant : "C'est le costume gris cendré en laine peignée, aujourd'hui, on doit être mardi". Aujourd'hui, c'est le tour du bleu marine rayé. Il choisit une cravate à rayures diagonales dans les tons foncés – rouge, bleu et gris. Il cale ses pieds dans une paire de souliers de ville en box verni noir. Par malheur, il tire un peu trop fort sur le lacet usé et le casse ; il jure. Il farfouille dans le fond de la garde-robe à la recherche d'une vieille paire de souliers noirs qui aurait encore un lacet en bon état. Et voilà qu'il tombe sur une boîte en carton qui contient un radio-réveil tout neuf, fabriqué à Hong Kong, enveloppé dans un sac en plastique transparent et encastré dans un moule en polystyrène. Vic soupire et fait la grimace. De telles découvertes ne sont pas rares à cette époque de l'année. Marjorie a l'habitude d'acheter les cadeaux de Noël très tôt, de les enfouir comme un écureuil pour ensuite les oublier complètement.

Quand il redescend, elle est là dans le vestibule.

"Au fait, à qui est-il destiné, ce radio-réveil ?

– Quoi ?

– J'ai trouvé un radio-réveil tout neuf au fond de la garde-robe."

Marjorie porte la main à la bouche. "Zut ! Je savais bien que j'avais acheté quelque chose pour ton père.

– Alors, on ne lui a rien offert à Noël ?

– Bien sûr que si. Tu te souviens, tu as couru lui acheter une couverture électrique la veille de Noël... Tant pis, ce sera pour l'année prochaine.

– Mais je croyais qu'il avait déjà un radio-réveil. On ne lui en a pas offert un il y a quelques années ?

– Tu crois ? dit Marjorie d'un ton évasif. Peut-être que ça ferait plaisir à l'un des garçons, alors ?

– Ce n'est pas un radio-réveil qu'il leur faut, mais une pendule reliée à une bombe", dit Vic en tâtant ses poches pour vérifier qu'il a bien son portefeuille, son agenda, son trousseau de clés, sa calculette, ses cigarettes et son briquet.

Marjorie l'aide à passer le manteau en poil de chameau qu'elle lui a fait acheter, un peu contre son gré. A son avis, il descend trop bas au-dessous des genoux et souligne sa petite taille, tout en lui donnant l'air d'un bookmaker prospère. "A quelle heure rentres-tu ? demande-t-elle.

– Je ne sais pas. Garde-moi quelque chose au chaud pour le dîner.

29

– Ne rentre pas trop tard."

Elle baisse les yeux et incline la tête vers lui. Il effleure ses lèvres puis, d'un mouvement de tête, montre l'étage. "Et sors-moi du lit cette bande de cossards.

– Ils ont besoin de sommeil quand ils grandissent, Vic.

– Raymond ne grandit plus, bon Dieu. Il y a des années qu'il a fini de grandir, mais je me demande si, à force de boire de la bière, il n'a pas pris un peu de bedaine.

– Mais Gary grandit encore, lui.

– Assure-toi qu'il fait ses devoirs aujourd'hui.

– Oui, mon chéri."

Vic sait pertinemment qu'elle n'a pas l'intention de suivre ses instructions. Si elle n'avait pas décidé d'emmener Sandra voir le médecin, elle retournerait sûrement au lit elle aussi avec une tasse de thé et le *Daily Mail*. Il y a quelques semaines, ayant oublié des papiers importants, il avait dû revenir à la maison très peu de temps après être parti au travail et avait trouvé la maison silencieuse : les trois enfants et leur mère dormaient encore à neuf heures et demie du matin. Pas étonnant après si tout fout le camp dans ce pays.

Vic traverse le porche vitré et se retrouve dehors. Le vent froid lui ébouriffe les cheveux et le fait hésiter un moment, mais l'air est tonifiant après la chaleur débilitante de la maison ; il respire profondément et se dirige vers le garage. Lorsqu'il est à deux pas du garage, le portail bascule et s'ouvre comme par magie – ou plutôt, sous l'impulsion de la télécommande qui se trouve dans sa poche, et grâce à l'énergie électrique – miracle qui ne cesse de lui procurer un plaisir intense comme seuls en éprouvent les enfants. A l'intérieur, la Jaguar V12, bleu foncé et lustrée, immatriculée VIC 100, est garée à côté de la Métro gris métallisé de Marjorie. Il sort la voiture en marche arrière, referme le garage en appuyant de nouveau sur la télécommande. Marjorie vient de faire son apparition à la fenêtre du salon, serrant d'une main sa robe de chambre contre sa poitrine et lui faisant timidement au revoir de l'autre. Vic sourit d'un air bonasse, passe en automatique et s'éloigne sur son tapis magique.

Pour Vic, la meilleure partie de la journée, c'est cette demi-heure de conduite pour aller au travail. En fait ça ne lui prend pas tout à fait une demi-heure ; le trajet prend généralement vingt-quatre minutes, mais Vic aimerait bien qu'il dure plus longtemps. C'est un interlude paisible entre les tracasseries familiales et les soucis du travail, un moment de sensualité pure, de maîtrise totale, de supériorité sans ombrage. Car la Jaguar, Vic en est convaincu, est supérieure à toutes les autres voitures sur la route. Quand les chasseurs de têtes de la Compagnie des Midlands étaient venus lui proposer le poste de Directeur Général chez Pringle, ils lui avaient offert une Rover 3500 Vanden Plas, mais Vic avait tenu à avoir une Jaguar, bien que ce type de voiture soit réservé aux responsables de secteurs, et, à son grand étonnement, on la lui avait accordée, même si elle n'était pas tout à fait neuve. Il fallait que ce soit une voiture anglaise, bien sûr, car Pringle faisait beaucoup d'affaires avec l'industrie automobile locale ; d'ailleurs Vic n'avait jamais conduit de voitures étrangères ; il n'avait pour elles que mépris car elles avaient soudain envahi les routes anglaises pendant les années soixante-dix, amorçant ainsi le déclin de l'économie locale, selon lui. Bien sûr, il était obligé d'admettre que, lorsqu'on voulait une voiture capable de concurrencer les Mercedes et les BMW haut de gamme, on n'avait guère le choix parmi les voitures anglaises. En fait, il n'y avait que la Jag pour faire perdre leur sourire arrogant aux conducteurs de ces voitures, mises à part, bien sûr, la Rolls-Royce ou la Bentley.

Au carrefour, au bout de la rue Avondale, il s'arrête avant de s'engager sur la rue Barton où la circulation commence déjà à devenir plus dense. Le conducteur d'un camion Ford Transit, bien que prioritaire, attend respectueusement et laisse Vic se glisser à gauche. Vic le remercie d'un geste de la tête, tourne à gauche puis à droite, et suit son trajet habituel avec aisance, parcourant de larges avenues résidentielles bordées d'arbres. Il longe l'Université dont on aperçoit parfois, au-dessus des arbres et des toits, la tour de l'horloge en brique rouge. Bien qu'il habite pratiquement à la porte de l'Université, Vic n'est jamais entré à l'intérieur. Ce n'est qu'une source d'embouteillages périodiques dont Marjorie se plaint parfois devant lui (la journée de travail commence trop tard à l'Université et elle se termine trop tôt pour le gêner lui-même) et un repaire de filles belles à ravir dont la sécurité le préoccupe quand il les voit aller et venir entre leurs cités et le Club des Etudiants le soir. L'Université, avec son architecture massive, ses espaces paysagés et son personnel de sécurité qui surveille soigneusement toutes les entrées, est, aux yeux de Vic, comme une petite ville dans la ville, une sorte de Vatican pour érudits, dont il se tient à l'écart, intimidé et révulsé qu'il est par les airs supérieurs qu'elle arbore en face de cette cité industrielle et bourdonnante moins privilégiée qu'elle, mais dont elle fait pourtant partie intégrante. Sa propre *alma mater,* située quelques kilomètres plus loin, était une institution toute différente, une tour carrée crasseuse où s'entassaient machines et laboratoires, et qui surplombait une gare de triage et un rond-point sur le périphérique. De son temps, ce n'était qu'un Institut Supérieur de Technologie, mais l'établissement s'était développé depuis et s'était élevé au rang d'université, sans, pour autant, prendre des airs distingués ou hautains. C'était aussi bien comme cela. Quand vous rendez les universités trop confortables, personne ne tient à partir pour s'attaquer à un vrai travail.

Vic quitte le quartier résidentiel autour de l'Université et se glisse dans la file des voitures qui avance au pas le long de la rue de Londres en direction du Centre. C'est là la section la plus lente de son trajet matinal, mais la Jaguar, qui ronronne doucement en automatique, facilite bien les choses. Vic choisit une cassette et la glisse dans le radio-cassettes stéréo, équipé de quatre haut-parleurs. La voix de Carly Simon résonne à l'intérieur de la voiture. En musique, Vic a des goûts limités mais très arrêtés. Il préfère les voix de femmes, les rythmes lents, les arrangements sensuels de mélodies chantantes, style blues. Carly Simon, Dusty Springfield, Roberta Flack, Dionne Warwick, Diana Ross, Randy Crawford et, plus récemment, Sade et Jennifer Rush. Les inflexions subtiles de ces voix mielleuses ou un peu rugueuses qui fredonnent et murmurent des amours de femmes, avec leurs joies et leurs déceptions, apaisent ses nerfs et détendent tout son corps. Jamais il ne s'aviserait, bien sûr, d'écouter ces cassettes sur la chaîne familiale, ses enfants se moqueraient de lui. C'est pour lui un plaisir très secret, une sorte de masturbation musicale, qui fait partie de son rituel en se rendant au travail. Ce plaisir, il le goûterait davantage, pourtant, s'il n'était pas obligé de lire en même temps, sur la vitre arrière des autres voitures, les signes vulgaires d'une sexualité plus primaire. LES JEUNES FERMIERS LE FONT DANS LEURS BOTTES. LES SKIEURS-NAUTIQUES LE FONT DEBOUT. KLAXONNEZ SI VOUS L'AVEZ FAIT HIER SOIR. Sexe, sexe, sexe. Les articulations de Vic sont blanches à force de serrer le volant. Pourquoi faut-il que les gens respectables aient à supporter toute cette grossièreté ? Il devrait y avoir une loi pour l'interdire.

Vic arrive enfin aux derniers feux avant tous les tunnels et les échangeurs qui lui feront traverser le centre de la ville sans plus avoir à s'arrêter. Une Toyota Celica rouge stoppe à côté de lui puis se laisse glisser peu à peu tandis que le conducteur joue avec son changement de vitesse dans l'intention évidente de faire un démarrage brusque. Le feu passe à l'orange, la Toyota fonce ; sur la vitre arrière, on lit, tenez-vous bien : LES AMATEURS DE DELTA-PLANE LE FONT EN L'AIR. En bon citoyen respectueux des lois, Vic attend que le feu passe au vert, puis il appuie très fort sur l'accélérateur. La Jaguar bondit, rattrape la Toyota en deux secondes et la sème sans peine ; par une heureuse coïncidence, la voix de Carly Simon atteint un crescendo poignant au même moment. Vic jette un coup d'œil dans son rétroviseur et sourit discrètement. Ça lui apprendra à acheter japonais.

Non, ça ne lui apprendra rien, bien sûr. Vic est bien conscient de la vanité de cette victoire dérisoire, un moteur énorme et gourmand de cinq litres trente contre le litre huit infiniment plus économique de la Toyota. Mais oublions le bon sens un instant ; c'est maintenant le temps béni – on

33

n'est plus tout à fait à la maison, pas encore au bureau – où l'on se déplace sans heurts, vautré dans le cuir, protégé du vacarme et des gaz de la ville par la carrosserie capitonnée, les vitres teintées, la musique sensuelle. La longue proue de la voiture plonge dans le tunnel. Elle s'enfonce, elle ressort ; elle redescend, puis remonte. Vic traverse un à un les tunnels, change de file, se rabat vers une longue bretelle couverte qui débouche sur une autoroute à six voies laquelle s'enfonce, tel un gigantesque poing en béton, à travers les ruelles de son enfance. Tous les matins, il traverse le site où se trouvait autrefois la maison de grand-mère et passe, à hauteur des cheminées, devant celle où il a lui-même grandi et où son vieux père s'obstine toujours à vivre depuis qu'il est veuf, malgré tous les efforts que lui, Vic, a faits pour le persuader de déménager ; comme ces marins qui s'accrochent au bastingage de leur bateau en détresse, il est ballotté, complètement suffoqué et abasourdi par le torrent tonitruant de la circulation qui passe à trente mètres de la fenêtre de sa chambre.

Vic s'engage sur l'autoroute en direction du nord-ouest, et, pendant quelques kilomètres, laisse la Jaguar le porter avec volupté à cent cinquante à l'heure sur la voie extérieure, tout en gardant un œil dans son rétroviseur, bien que la police généralement vous laisse tranquille aux heures de pointe ; après tout, elle tient autant que n'importe qui à ce que la circulation reste fluide. A droite et à gauche, c'est le même paysage familier, si familier même qu'il ne le voit plus vraiment, une vaste étendue de maisons et d'usines, d'entrepôts et de hangars, de voies de chemin de fer et de canaux, de monceaux de ferraille et de voitures accidentées empilées les unes sur les autres, de quais encombrés de containers, de parkings pour poids lourds, de tours de réfrigération et de gazomètres. Un paysage monochrome, gris sous un ciel gris et bas dont les lointains se perdent dans une brume également grise.

Vic Wilcox a désormais quitté la ville proprement dite de Rummidge et vient d'entrer dans ce qu'on appelle le Pays Noir, ainsi nommé à cause de la chape de fumée qui planait au-dessus aux plus beaux jours de la Révolution industrielle, et aussi à cause de la pellicule de poussière de charbon qui la recouvrait. Il connaît un peu l'histoire de cette région pour avoir fait un dossier sur le sujet à l'école, ce qui, d'ailleurs, lui avait valu un prix. Des réserves abondantes de minerais avaient été découvertes ici dans les premières années du XIXe siècle : charbon, fer, calcaire. On avait foré des puits de mines, creusé des carrières, et des usines métallurgiques avaient surgi un peu partout qui utilisaient la nouvelle technique permettant de fondre le minerai de fer avec le coke, en utilisant le calcaire comme flux magnétique. Les champs s'étaient recouverts peu à peu de mines, de fonderies, d'usines et d'ateliers, ainsi que de rangées infinies de pauvres masures pour les hommes, les femmes et les enfants qui y travaillaient : une conurbation industrielle tentaculaire sans projet d'ensemble, sinistre le jour et terrifiante la nuit. En 1824, l'écrivain Thomas Carlyle l'avait décrite de la façon suivante : *"Spectacle effrayant... un nuage épais de fumée pestilentielle plane éternellement au-dessus... et, le soir, toute la région devient comme une sorte de volcan qui crache du feu par ces milliers de tubes en brique."* Un peu plus tard, Charles Dickens disait avoir parcouru *"des kilomètres et des kilomètres de chemins cendrés bordés de fourneaux ardents et de machines à vapeur vrombissantes, dans un abîme de crasse, de ténèbres et de misère tel que je n'en avais jamais vu jusque-là"*. La reine Victoria demandait que l'on tire les rideaux des portières quand elle traversait cette région en train afin que ses yeux n'aient pas à supporter le spectacle de cette laideur et de cette saleté.

L'économie et la physionomie extérieure de cette région avaient considérablement changé depuis. Au fur et à mesure que s'étaient épuisés les gisements de charbon et de fer, ou qu'ils étaient devenus non rentables, l'industrie minière et les fonderies avaient perdu de leur importance. Les industries à base de fer, quant à elles (le moulage, la forge, la mécanique, toutes les activités manufacturières connues sous le nom générique de métallurgie), s'étaient étendues et multipliées à tel point que leurs sites avaient fini par rejoindre les banlieues industrielles galopantes de Rummidge. La lente disparition de l'industrie lourde et le développement de formes nouvelles d'énergie avaient réduit les signes les plus visibles de la pollution dans l'air, mais les gaz au plomb, infiniment plus dangereux, émanant des pots d'échappement et s'élevant des autoroutes qui tracent leurs entrelacs tout autour de cette zone, rendaient encore plus épaisse la brume grise qui ternit habituellement la lumière des Midlands. De nos jours, le Pays Noir n'est pas sensiblement plus noir que la ville voisine, et quant à la campagne, il n'en reste plus grand-chose. Les visiteurs étrangers se demandent parfois si la région ne doit pas son nom à autre chose qu'à son environnement, à savoir au teint sombre de ses habitants, de toutes ces familles immigrées venues de l'Inde, du Pakistan et des Caraïbes, attirées ici pendant la période prospère des années cinquante et soixante alors que les emplois étaient abondants, et qui, aujourd'hui, sont les victimes du chômage élevé.

Mais, déjà, il est temps de ralentir, de quitter l'autoroute, de descendre vers des rues plus étroites et de plonger dans le marasme des feux de signalisation, des ronds-points et des carrefours. Voici Wallsbury Ouest : le quartier est plein d'usines, petites ou grandes, jeunes ou vieilles. Plusieurs sont muettes, d'autres abandonnées, avec leurs vitres étoilées et brisées. Les faillites et les fermetures ont fait des ravages dans ce secteur ces dernières années, donnant à ces rues un air de désolation. Depuis l'élection du gouvernement conservateur en 1979, élection qui avait permis à la livre sterling de se faire une santé sur le dos du pétrole de la mer du Nord au début des années quatre-vingt, mais qui avait rendu l'industrie britannique plus vulnérable encore face à la concurrence étrangère, ou (si vos options politiques sont différentes) qui avait révélé son inefficacité (Vic préfère plutôt l'autre point de vue, même s'il lui arrive selon son humeur de reconnaître le bien-fondé du second), un tiers de toutes les entreprises de mécanique ont fermé leurs portes dans les Midlands de l'Ouest. Il n'y a rien de plus sinistre qu'une usine fermée.

Vic Wilcox en sait quelque chose, lui qui, autrefois, a eu à superviser la fermeture de l'une d'entre elles. Une usine trouve son énergie dans son activité même, dans la pulsation et la plainte de ses machines, dans le fracas du métal, le mouvement incessant de ses chaînes de montage, dans le flux et le reflux de ses ouvriers qui prennent la relève, dans le sifflement des freins pneumatiques et le grognement des locomotives diesels qui reçoivent à un bout leurs wagons pleins de matière première, et expédient à l'autre bout les produits finis. Quand on arrête tout cela, quand la place est vide et silencieuse, tout ce qui reste c'est un immense hangar délabré, froid, sale et déprimant. Enfin, il faut espérer que ça n'arrivera jamais chez Pringle, comme on dit. Il faut espérer.

Vic est pratiquement arrivé à son usine, maintenant. Une enseigne rouge au néon, *Le Sauna de Suzanne,* objet de tant de coups de coudes complices au bureau, mais qui ne constitue qu'un point de repère commode pour Vic, brille au-dessus d'une entrée de magasin plutôt défraîchie. Une cinquantaine de mètres plus loin, il tourne dans l'allée Coney, passe devant Shopfix, les Isolations Atkinson, Bitomark, puis longe les grilles qui entourent l'usine Pringle jusqu'à l'entrée principale. C'est une longue clôture qui entoure un site immense. Dans ses années de prospérité, pendant le boom qui a suivi la guerre, Pringle employait quatre mille personnes. Maintenant le personnel s'est réduit et compte moins de mille personnes, et une bonne partie de l'usine est abandonnée. Il y a des bâtiments et des annexes où Vic n'est jamais allé. Ça coûte moins cher de les laisser pourrir que de les enlever.

Vic klaxonne avec insistance devant la barrière ; le visage du vigile apparaît à la fenêtre et s'éclaire d'un sourire obligeant. Vic répond d'un hochement de tête irrité. Le bougre était sans doute en train de lire son journal. Vic avait fait limoger son prédécesseur juste avant Noël : un soir qu'il était revenu à l'usine à l'improviste, il avait trouvé le type confortablement installé devant une télévision portative au lieu de surveiller les écrans de contrôle comme il était payé à le faire. Celui-ci n'a pas vraiment l'air d'être une meilleure recrue. Peut-être devraient-ils faire appel à une autre entreprise de sécurité. Ne pas oublier d'en parler à George Prendergast, le Directeur du Personnel.

La barrière se lève. Il avance et va se garer dans l'emplacement qui lui est réservé à côté de l'entrée du bâtiment administratif. Il vérifie les données statistiques de son trajet sur l'écran numérique de son tableau de bord. Distance parcourue : seize kilomètres. Durée du trajet : vingt-cinq minutes et quatorze secondes. Une bonne moyenne pour une heure de pointe, le matin. Consommation d'essence : seize litres aux cent. Pas mal, mais il aurait fait mieux s'il n'avait pas remis la Toyota à sa place.

Vic pousse les portes battantes et entre dans le hall d'accueil, lieu plutôt impressionnant dont les murs avaient été lambrissés de chêne clair à une époque plus faste. Les meubles ont une assez piteuse allure, pourtant. La pendule murale, avec son cadran irritant qui n'affiche pas les chiffres, suggère qu'il est à peine huit heures et demie. Doreen et Lesley, les deux standardistes, sont en train d'enlever leur manteau derrière le comptoir. Elles sourient et minaudent tout en rectifiant leur coiffure et en défroissant leur jupe.

"Bonjour, M. Wilcox.

– Bonjour. On ferait bien de mettre des fauteuils neufs ici, non ?

– Oh, oui, M. Wilcox, ceux qu'on a sont plutôt durs.

– Je ne parlais pas de vos fauteuils mais de ceux des visiteurs.

– Oh..."

Elles paraissent décontenancées. Il est toujours pour elles le nouveau M. du Balai, et on le craint un peu. Tandis qu'il franchit une nouvelle porte battante et traverse le couloir menant à son bureau, il les entend marmonner quelque chose et pouffer de rire.

"Bonjour, Vic."

Sa secrétaire, Shirley, sourit d'un air malicieux derrière

son bureau, toute fière d'être à son poste avant le patron, même si, en ce moment, elle est en train d'inspecter son visage dans un miroir de poche. C'est une femme d'âge mûr avec des cheveux d'un blond peu naturel relevés en chignon, et une poitrine généreuse où reposent, comme sur une étagère, ses lunettes de lecture, suspendues à son cou par une chaîne. Vic a hérité d'elle en arrivant ; son prédécesseur entretenait manifestement avec son personnel des relations de travail plutôt décontractées. Ce n'était pas lui qui l'avait encouragée à l'appeler Vic, mais il avait bien fallu faire cette concession. Elle travaillait depuis des années pour Pringle, et Vic avait souvent dû faire appel à son expérience à l'époque où il s'initiait à ce nouveau travail.

"Salut, Shirley. Vous nous faites une tasse de café ?"

Pour faire passer la journée de travail, Vic fonctionne au Nescafé. Après avoir accroché son manteau en poil de chameau dans l'antichambre qui relie son bureau à celui de Shirley, il pénètre chez lui. Il enlève sa veste de costume et la suspend au dossier d'une chaise. Il s'asseoit à son bureau et ouvre son agenda. Sur ces entrefaites, Shirley entre avec le café et un gros album photo.

"J'ai pensé que vous aimeriez voir le nouvel album de Tracey", dit-elle.

Shirley, qui a une fille de dix-sept ans dont l'ambition est de devenir mannequin, n'arrête pas de mettre sous le nez de Vic des photos glacées de cette drôlesse bien en chair, boudinée dans des maillots de bain mini ou des lingeries suggestives. Au début, il s'était demandé si elle ne cherchait pas à l'amadouer en éveillant ainsi ses désirs, mais plus tard il avait compris que son comportement n'était inspiré que par une fierté maternelle tout à fait légitime. Cette stupide garce ne se rendait même pas compte de ce qu'il pouvait y avoir d'équivoque à vouloir faire de sa fille une pin-up.

"Oh, oui ?" dit-il, sans parvenir tout à fait à dissimuler son impatience. Lorsqu'il ouvre l'album, il s'écrie : Grand Dieu !

La moue, le petit menton de ce visage dissimulé sous

39

des boucles blondes lui sont familiers en effet, mais les deux énormes seins nus, tendus vers l'objectif comme deux blancs-mangers roses surmontés de cerises constituent une nouveauté. Il tourne rapidement les pages cartonnées, protégées par du polyéthylène.

"C'est joli, non ? dit Shirley avec fierté.

– Vous acceptez que quelqu'un prenne votre fille en photo comme ça ?

– J'étais dans le studio, pas très loin.

– Je vais être franc avec vous, dit Vic, fermant l'album et le lui rendant. Je ne permettrais jamais à ma fille de faire ça.

– Quel mal y a-t-il à cela ? demande Shirley. Le topless ne choque plus personne, de nos jours. Si vous aviez vu sur la plage de Rhodes l'été dernier. Et même à la télévision. Quand vous avez un joli corps, pourquoi ne pas en tirer profit ? Voyez Sam Fox !

– Qui c'est, celui-là ?

– Celle-là. Samantha Fox. Allons, vous savez bien ! Shirley élève la voix d'une octave, elle n'en croit pas ses oreilles. Le top modèle de la Page Trois. Vous savez combien elle a gagné l'an dernier ?

– Plus que moi, j'en suis sûr. Et plus que ne fera Pringle cette année, si vous me faites perdre encore du temps.

– Oh, vous alors, dit Shirley d'un ton malicieux. Elle a le don de prendre les réprimandes comme des plaisanteries.

– Dites à Brian que je veux le voir, je vous prie.

– Je ne crois pas qu'il soit arrivé."

Vic pousse un grognement, mais n'est guère surpris d'apprendre que son Directeur du Marketing n'est pas encore arrivé.

"Dès qu'il arrivera, alors. Faisons quelques lettres en attendant."

Le téléphone sonne. Vic prend le combiné. "Wilcox.

– Vic ?"

Il y a une pointe de déception dans la voix de Stuart Baxter, le Président du secteur Mécanique et Fonderie de la Compagnie des Midlands. Il espérait sans doute qu'on lui dise que M. Wilcox n'était pas encore arrivé et ça lui aurait permis de laisser un message pour que Vic le rappelle ; celui-ci aurait alors découvert que son Chef de Secteur était au courant qu'il n'était pas encore arrivé à son bureau, alors que Stuart Baxter, lui, y était déjà, et cela aurait eu pour effet de mettre Vic dans son tort. Au fur et à mesure que se déroule la conversation, Vic est de plus en plus convaincu que l'appel n'avait pas d'autre motif : Stuart Baxter n'a rien de neuf à lui dire. Ils ont déjà eu cette même conversation vendredi après-midi à propos des chiffres de la production de Pringle en décembre.

"Il y a toujours une baisse en décembre, Stuart, tu le sais bien. Avec toutes ces fêtes de fin d'année.

– Même en tenant compte de ça, on est très en-dessous, Vic. Surtout si on compare à l'an dernier.

– Et ça ne va pas s'arranger ce mois-ci, non plus, il vaut mieux que tu le saches tout de suite.

– Je regrette de te l'entendre dire, Vic. Ça ne rend pas les choses très faciles pour moi.

– La fonderie n'est pas encore en vitesse de croisière. Les souffleries de noyaux n'arrêtent pas de tomber en panne. Je voudrais bien acheter une nouvelle machine totalement automatisée, pour remplacer tout ça.

– Trop cher. Tu ferais mieux de t'approvisionner à l'extérieur. Ça ne vaut pas le coup d'investir dans cette fonderie.

– La fonderie a beaucoup d'atouts. Les ouvriers sont excellents. Ils font du bon travail. De toute façon, il n'y a pas que la fonderie. On travaille à un nouveau dispositif de production pour toute l'usine – nouveau mode de contrôle des stocks, nouvelle politique d'achat. Tout sur ordinateur. Mais ça prend du temps.

– Le temps, c'est bien ça qui nous manque, Vic.

– Tout à fait d'accord. Alors autant qu'on se mette au travail tout de suite, toi et moi, au lieu de bavarder comme deux commères par-dessus la clôture du jardin !"

S'ensuit alors un petit moment de silence dans l'écouteur, puis un petit rire forcé : Stuart préfère ne pas paraître

41

offusqué. En fait, il est offusqué. C'était sans doute idiot de dire ça, mais Vic hausse les épaules, balaie sa gêne et repose le combiné. Il n'est pas payé pour faire plaisir à Stuart Baxter. Il est payé, en revanche, pour que l'entreprise J. Pringle and Sons soit rentable.

Vic presse un bouton de l'interphone et convoque Shirley à qui il avait demandé, d'un signe de la main, de quitter son bureau pendant que Baxter parlait : il veut lui dicter du courrier. Il feuillette les lettres dans la corbeille à correspondance reçue ; les deux lignes verticales de son front, au-dessus du nez, se rapprochent l'une de l'autre tandis qu'il concentre son attention sur les noms, les chiffres et les dates. Il allume une cigarette, aspire longuement et rejette deux panaches de fumée par le nez. Dehors, le ciel est toujours couvert, et la lumière jaune et brouillée qui filtre entre les lattes verticales des stores est à peine suffisante pour lire. Il allume sa lampe de bureau qui projette une plage de lumière sur les documents. A travers les murs et les fenêtres, un bruit sourd et confus de machines et de voitures parvient jusqu'à lui, musique douce et rassurante du travail des hommes.

2

Laissons Vic Wilcox pour le moment, et revenons une heure ou deux en arrière, à quelques kilomètres de là, et faisons la connaissance d'un autre personnage. Un personnage qui ne croit pas lui-même au concept de personnage, ce qui ne me facilite pas les choses. En d'autres termes (une de ses expressions favorites), Robyn Penrose, Maître de Conférences Associé en littérature anglaise à l'Université de Rummidge, considère que le "personnage" est un mythe bourgeois, une illusion créée à seule fin de renforcer l'idéologie capitaliste. Pour preuve de cette assertion, elle vous démontrera que l'essor du roman (le genre littéraire par excellence où le "personnage" est roi) au XVIIIᵉ siècle avait coïncidé avec la montée du capitalisme ; que le triomphe du roman contre tous les autres genres littéraires au XIXᵉ siècle avait correspondu au triomphe du capitalisme ; et que le déconstructionnisme moderniste et postmoderniste du roman classique au XXᵉ siècle correspondait à la crise qui sera fatale au capitalisme.

Que le roman classique ait puissamment contribué à la montée de l'esprit capitaliste, cela ne fait aucun doute aux yeux de Robyn. Ils sont l'un et l'autre l'expression d'une éthique protestante sécularisée, fondés tous les deux sur le principe d'un moi individuel et autonome à la fois responsable et maître de son destin, qui recherche le bonheur et la fortune en se confrontant à d'autres individus des deux sexes. Cela est vrai du roman en tant que marchandise et en tant que mode de représentation. (Ainsi s'exprime Robyn dans le feu de l'action pendant ses séminaires.) En d'autres termes, cela s'applique tout autant aux romanciers eux-mêmes qu'à leurs héros et à leurs héroïnes. Le romancier est un capitaliste de l'imaginaire. Il, ou elle, invente

43

un produit dont les consommateurs ne s'imaginaient pas avoir besoin avant qu'on ne le leur propose ; il le fabrique avec l'appui financier que lui apportent des bailleurs de capitaux à risque, nommés éditeurs, et il rentre ainsi en concurrence avec d'autres fabricants de produits à peine différenciés de celui qu'il propose. Le premier grand romancier anglais, Daniel Defoe, était commerçant. Le second, Samuel Richardson, était imprimeur. Le roman est le premier artefact culturel fabriqué en grande quantité. (A ce point de son discours, Robyn, les coudes serrés contre elle, écartait ses poignets et déployait ses mains, comme s'il était superflu d'en dire davantage. Mais, bien sûr, elle aurait encore tout un tas de choses à dire.)

Selon Robyn (ou plus précisément selon les écrivains qui ont influencé sa façon de penser en la matière), le concept de "moi" sur lequel le capitalisme et le roman classique sont fondés ne repose sur rien – si l'on entend par "moi" une âme ou une essence finie et unique qui constituerait l'identité d'un individu ; il n'y a qu'une position de sujet dans une trame infinie de discours, les discours du pouvoir, du sexe, de la famille, de la science, de la religion, de la poésie, etc. De la même façon, le concept d'auteur ne correspond à rien, si l'on entend par là un individu qui produirait une œuvre de fiction *ab nihilo*. Tout texte est le produit de l'intertextualité, un tissu d'allusions et de citations renvoyant à d'autres textes ; et, pour reprendre les mots désormais célèbres de Jacques Derrida (célèbres aux yeux de gens tels que Robyn, en tout cas), *"il n'y a pas de hors-texte"* [1]. Il n'y a pas d'origine, seulement une production, et nous produisons nos "moi" par le langage. On ne peut plus dire : *"vous êtes ce que vous mangez"*, mais plutôt : *"vous êtes ce que vous dites"* ou encore *"vous êtes ce qui vous parle"* ; voilà la base axiomatique de toute la philosophie de Robyn, une philosophie qu'elle nommerait, si elle devait lui donner un nom, "matérialisme sémiotique". Tout cela peut paraître un peu froid, un peu inhumain ("antihumaniste, oui, inhumain,

1. En français dans le texte.

44

non," ferait-elle remarquer), un tant soit peu déterministe
("pas du tout ; le sujet vraiment déterminé est celui qui
n'est pas conscient des dispositifs discursifs qui le déterminent. Ou la déterminent", ajouterait-elle par scrupule,
car elle est également féministe), mais en pratique cela ne
semble pas affecter outre mesure son comportement : elle
a apparemment des sentiments humains comme tout le
monde, des ambitions, des désirs comme tout le monde,
elle éprouve des angoisses, des frustrations, des craintes
comme quiconque en ce bas monde, et elle a une tendance
naturelle à vouloir essayer de rendre ce monde meilleur. Je
vais donc me permettre de la traiter comme un
personnage ; à bien y réfléchir, elle n'est pas tellement différente de Vic Wilcox, même si, bien entendu, elle appartient à une espèce sociale très différente.

Robyn se lève sensiblement plus tard que Vic en ce
lundi matin gris de janvier. Son réveil, réplique d'un
modèle ancien acheté chez Habitat, avec son cadran à
aiguilles et sa clochette en cuivre au-dessus, la surprend en
plein sommeil à 7 h 30. A la différence de Vic, Robyn dort
toujours à poings fermés jusqu'à l'heure du réveil. C'est
alors que les soucis envahissent son esprit, comme ils
envahissent celui de Vic, tels des patients bruyants qui
attendent toute la nuit que le cabinet du médecin ouvre
enfin ; mais elle traite ses soucis de manière rationnelle et
ordonnée. Ce matin, elle accorde la priorité au fait que
c'est aujourd'hui le premier jour du deuxième trimestre et
qu'elle a un cours magistral et deux travaux dirigés à assurer. Bien qu'elle enseigne maintenant depuis huit ans,
mises à part quelques rares interruptions, et bien qu'elle
adore son métier, s'estime plutôt compétente et aimerait
continuer à faire cela le reste de ses jours, si possible, elle
éprouve toujours un pincement d'angoisse au début d'un
nouveau trimestre. Cela n'altère en rien sa confiance en
elle : une bonne prof, tout comme une bonne actrice, n'est
pas à l'abri du trac. Elle s'asseoit dans son lit quelques instants et, pour se relaxer, fait de savants mouvements respiratoires et abdominaux comme on lui a enseigné en cours
de yoga. Exercice d'autant plus facile que Charles n'est

pas là à ses côtés pour l'observer et poser des questions ironiques à tout propos. Il est reparti hier soir pour Ipswich où son trimestre commence aussi aujourd'hui à l'Université du Suffolk.

A propos, qui est Charles ? Pendant que Robyn se lève et se prépare pour la journée, tout en réfléchissant aux romans industriels du XIXe siècle dont elle doit parler dans son cours ce matin, je vais vous parler un peu de Charles et vous révéler les traits saillants de la biographie de Robyn.

Roberta Anne Penrose (c'est son nom de baptême) est née il y a presque trente-trois ans à Melbourne, en Australie, mais elle a quitté ce pays avec ses parents à l'âge de cinq ans pour venir en Angleterre. Son père, alors tout jeune historien, avait obtenu une bourse postdoctorale afin de poursuivre à Oxford ses recherches sur la diplomatie européenne au XIXe siècle. Par la suite, au lieu de retourner en Australie, il avait pris un poste dans une université de la côte Sud de l'Angleterre où il est toujours ; il est maintenant titulaire d'une chaire. Robyn ne garde que des souvenirs très vagues de son pays natal, et elle n'a jamais eu l'occasion de les raviver ni de rafraîchir sa mémoire – le professeur Penrose se met à frémir dès que quelqu'un suggère que la famille devrait aller revoir l'Australie.

Robyn avait eu une enfance heureuse, elle avait grandi dans une maison agréable et sans prétention qui donnait sur la mer. Elle avait fait ses études dans une excellente école sous contrat (qui était devenue totalement privée, depuis, au grand dam de Robyn) où elle avait été major de sa promotion et capitaine du club sportif ; elle en était sortie avec les honneurs en fin d'études. Bien que l'école l'eût poussée à entrer à Oxford ou à Cambridge, elle avait choisi d'aller à l'Université du Sussex comme tous les jeunes gens les plus brillants dans les années soixante-dix, parce que les universités nouvelles étaient censées être des endroits plus excitants et plus innovateurs pour faire des études. Sous prétexte de préparer une licence de littérature anglaise, Robyn avait lu Freud et Marx, Kafka et Kierkegaard, ce qu'elle n'aurait sans doute pas pu faire à

Oxbridge. Elle s'était aussi empressée de perdre sa virginité, une prouesse qu'elle avait accomplie sans peine mais aussi sans grand plaisir au cours du premier trimestre. Pendant le second, elle était devenue une fieffée coureuse, et pendant le troisième elle avait rencontré Charles.

(Robyn donne un coup de pied dans la couette et se lève. Debout dans sa longue chemise de nuit blanche Laura Ashley, elle se gratte les fesses à travers le coton et bâille. Elle se dirige vers la fenêtre, posant les pieds sur les bouts de carpette disposés comme des pas japonais sur le parquet en pin poncé et ciré, tire le rideau et regarde dehors. Elle lève les yeux vers les nuages gris qui fuient dans le ciel, les rabaisse vers un alignement de jardinets minuscules, les uns propres et bien tenus avec des bacs à poissons rouges et des portiques peints de couleurs vives, d'autres minables et mal entretenus, encombrés d'appareils cassés et de vieux meubles. Cette rue, une rangée de maisons toutes semblables construites au XIXe siècle, est un quartier socialement mouvant où des propriétaires aisés et fiers de leur maison côtoient des occupants moins soigneux et moins riches appartenant aux classes laborieuses. Une rafale de vent secoue la fenêtre à guillotine et Robyn frissonne en sentant le courant d'air. Elle a préféré ne pas faire mettre de doubles vitrages pour ne pas nuire à l'architecture d'origine. Serrant les bras contre sa poitrine, elle se dirige vers la porte en sautillant d'un bout de moquette à l'autre, comme si elle dansait une danse folklorique écossaise, traverse le palier et se rend dans la salle de bains qui garde davantage la chaleur avec ses fenêtres plus petites.)

Le campus de l'Université du Sussex, avec ses bâtiments élégants et harmonieux de style néo-palladien, disposés selon une perspective gracieuse au pied des Downs du Sud, à quelques kilomètres de Brighton, suscitait l'admiration des architectes mais avait un effet plutôt déroutant sur les jeunes gens qui venaient y faire leurs études. Lorsqu'on gravissait la pente en remontant de la gare de Falmer, on avait l'impression kafkaïenne de pénétrer dans un décor de théâtre sans fond où des objets apparemment tridimensionnels se révélaient être, de plus près, des surfaces peintes et où la réalité reculait au fur et à mesure qu'on essayait de l'atteindre. Coupés de tout contact avec le monde adulte et libérés de toute inhibition par l'éthique de la Société Permissive, les étudiants avaient tendance à perdre la tête, à s'adonner à toutes leurs fantaisies sexuelles et à tâter de la drogue ; sinon, ils tombaient dans la mélancolie et sombraient dans la folie. La génération de Robyn, qui était arrivée à l'université au début des années soixante-dix, juste après la période héroïque du réveil politique des étudiants, était hantée par l'idée qu'elle arrivait trop tard. Il ne restait plus aucun droit important à revendiquer, aucun tabou à violer. Les manifestations d'étudiants dégénéraient très souvent en une sorte de violence gratuite, tout comme les soirées étudiantes, d'ailleurs. Dans ce climat, les individus sages et raisonnables, pourvus d'un fort instinct de survie, cherchaient un partenaire autour d'eux et se mettaient en couple. Vivant dans ce que leurs parents appelaient le péché, ils se rassemblaient sous l'étendard de la révolte des jeunes, ce qui ne les empêchait pas de profiter de la sécurité et de l'aide mutuelle que procure le bon vieux mariage. Aux yeux des anciens combattants des années soixante, avec leurs cheveux longs et leurs vieux jeans, l'Université du Sussex ressemblait hélas de plus en plus à un lotissement peuplé de jeunes propriétaires. Le campus grouillait de couples qui se tenaient par la main et se baladaient avec des sacs en plastique contenant plus souvent du linge sale ou de l'épicerie que des livres et des tracts révolutionnaires. Robyn et Charles étaient l'un de ces couples. Elle avait cherché quelqu'un et avait jeté son dévolu sur lui. Il était intelligent, assez beau garçon et, pensait-elle, probablement loyal (elle ne s'était pas trompée). Bien qu'il eût fait ses études dans une école privée très chic, il n'avait aucune peine à dissimuler ce handicap.

(Robyn est assise sur le siège en train d'uriner, sa chemise de nuit ramenée autour de ses hanches, et elle essaie de se répéter l'intrigue de *Mary Barton* (1848) de Mrs. Gaskell. Elle se relève, passe sa chemise de nuit par-dessus sa tête et entre dans la baignoire, se gardant bien toutefois de tirer la chaîne des w.-c. de peur de refroidir la température de l'eau qui sort de la pomme de douche, au bout du tuyau flexible, avec laquelle elle s'arrose tout le corps en ce moment. Elle se palpe les seins en se lavant, pour voir si elle n'a pas de grosseurs. Elle sort de la baignoire, tend la main vers une serviette, prenant ainsi une de ces poses disgracieuses si prisées des peintres impressionnistes dans les scènes intimes et si méprisées des historiens féministes de l'art que Robyn admire. Elle est grande et elle a une silhouette bien féminine, une taille mince, des petits seins ronds, des hanches et des fesses un peu épaisses.)

Pendant la deuxième année, Robyn et Charles avaient quitté le campus et s'étaient installés dans un petit appartement de Brighton, empruntant un train de banlieue pour se rendre à l'Université. Robyn avait eu un rôle actif dans la politique estudiantine. Elle s'était présentée et avait été élue à la Vice-Présidence du Syndicat Etudiant. Elle avait organisé un service téléphonique de nuit pour les étudiants en détresse qui éprouvaient des angoisses à propos de leurs notes et de leurs amours. Elle parlait très souvent devant la Société des Débats, prêchant pour des causes telles que la libéralisation de l'avortement, les droits des animaux, l'éducation nationale et le désarmement nucléaire. Charles menait une vie plus secrète et plus effacée. Il gardait l'appartement propre pendant que Robyn allait propager la bonne parole, et il y avait toujours une tasse de chocolat ou un bol de soupe au chaud pour elle lorsqu'elle rentrait éreintée et néanmoins triomphante. A la fin du premier trimestre, la troisième année, Robyn avait abandonné toutes ses responsabilités pour se préparer à ses examens de fin d'études. Ils travaillaient très dur l'un et l'autre, et, bien que suivant les mêmes cours, il n'y avait aucune rivalité entre eux. A la fin des examens, Robyn fut reçue avec une mention très bien (on lui avait dit officieusement que ses notes étaient les meilleures jamais obtenues par un étudiant dans ce jeune Département d'Etudes Européennes) et Charles passa avec une brillante mention bien. Il n'était pas jaloux. Il s'était habitué à vivre dans l'ombre de Robyn et de ses succès. Et, de toute façon, ce diplôme lui suffisait pour obtenir comme elle une bourse. Ils avaient évoqué à maintes reprises leur projet de faire de la recherche et de poursuivre une carrière universitaire ; pour tout dire, ils n'avaient jamais envisagé d'autre possibilité.

Ils s'étaient habitués à leur vie à Brighton et ne voyaient pas de raison de se déraciner, mais un de leurs responsables de recherche les prit à part un jour et leur dit : "Ecoutez, cette université ne possède pas de vraie bibliothèque pour la recherche, et elle n'en aura jamais. Allez plutôt à Oxford ou à Cambridge." Il avait pressenti ce qui allait se passer : après la crise pétrolière de 1973, il n'allait plus y avoir assez d'argent pour permettre aux universités créées et développées dans l'enthousiasme des glorieuses années soixante de garder le train de vie auquel elles s'étaient habituées. Peu de gens avaient entrevu cela si tôt.

(Robyn, qui a passé une robe de chambre sur ses sous-vêtements et chaussé ses pantoufles, descend le petit escalier sombre, arrive au rez-de-chaussée et se rend dans sa minuscule cuisine où règne un affreux désordre. Elle allume la cuisinière à gaz et se prépare un petit déjeuner : muesli, toasts de pain complet et café décaféiné. Elle réfléchit à la structure de *Sybil, ou les deux nations* (1845) de Disraeli. Lorsqu'elle entend le *Guardian* tomber sur le paillasson, elle s'arrache à sa rêverie et part en courant jusqu'à la porte d'entrée.)

Et c'était ainsi que Robyn et Charles étaient allés faire leur thèse à Cambridge. Sur le plan intellectuel, c'était une période enthousiasmante pour faire de la recherche dans le Département d'anglais. Les idées nouvelles importées de Paris par les jeunes professeurs les plus audacieux scintillaient comme des grains de poussière dans la lumière pâle du Fenland : structuralisme et poststructuralisme, sémiotique et déconstructionnisme, mutations et greffes nouvelles de la psychanalyse et du marxisme, linguistique et critique littéraire. Les professeurs les plus conservateurs considéraient toutes ces idées et leurs défenseurs avec une certaine inquiétude, percevant dans tout cela une menace contre les valeurs et les méthodes traditionnelles en matière de recherche littéraire. On croisait le fer dans les séminaires, les conférences, les réunions de départements et les pages de recensions des revues spécialisées. C'était la révolution. C'était la guerre civile. Robyn se jeta avec ferveur dans la bagarre, du côté des extrémistes, bien sûr. On en était revenu aux plus beaux jours des années soixante, mais dans une veine intellectuelle nouvelle et plus austère. Elle s'abonna à des revues comme *Poétique* et *Tel Quel* afin de pouvoir être la première dans toute la rue de Trumpington à connaître les dernières idées de Roland Barthes et de Julia Kristeva. Elle s'astreignit à décrypter les phrases labyrinthiques de Jacques Lacan et de Jacques Derrida jusqu'à en avoir mal à la tête et à s'abîmer les yeux. Elle assista à des conférences en amphi, hochant la tête avec délice chaque fois que le professeur, un jeune Turc du département, démolissait le concept d'auteur, le concept de moi, l'idée qu'on puisse définir un sens unique, univoque dans un texte littéraire. Tout cela lui prit bien sûr beaucoup de temps et retarda d'autant la rédaction de sa thèse sur le roman industriel au XIXe siècle ; il lui fallait sans cesse la réviser pour tenir compte des nouvelles théories.

Charles n'avait pas été aussi conquis par les idées nouvelles. Il les soutenait, certes, sinon la cohabitation n'aurait guère été possible entre lui et Robyn, mais il gardait ses distances. Pour son doctorat, il choisit un sujet – "L'idée du sublime dans la poétique des Romantiques" – qui avait un air sérieux et rassurant pour les traditionalistes et paraissait sec et déroutant pour les jeunes Turcs, même si ni les uns ni les autres n'y connaissaient grand-chose ; ainsi, Charles n'eut pas à monter en première ligne et resta à l'écart de la controverse dans sa recherche. Il rendit sa thèse en temps voulu, passa son doctorat et eut la chance d'obtenir une Maîtrise de Conférences dans le Département de Littérature Comparée de l'Université du Suffolk, "le dernier poste du siècle sur le Romantisme", comme il aimait à le dire, usant d'une hyperbole tout à fait justifiée.

(Robyn examine le gros titre en première page du

Guardian, "AFFAIRE WESTLAND : LAWSON ENTRE DANS LA BAGARRE", mais elle ne s'attarde pas sur le texte en dessous. Il lui suffit de savoir que les choses vont plutôt mal pour Mme Thatcher et le Parti Conservateur ; les détails de l'affaire Westland ne la passionnent pas beaucoup. Elle passe aussitôt à la page des Femmes où il y a une bande dessinée de Posy Simmonds qui se moque avec subtilité des libéraux d'âge mûr appartenant aux classes moyennes, un article sur les aberrations du projet de loi sur la Protection des Fœtus Humains, et un rapport sur les mouvements de libération des femmes au Portugal. Elle lit tout cela avec la même ferveur naïve et quasi extatique qu'elle éprouvait en lisant les histoires d'Enid Blyton quand elle était petite. Une rubrique intitulée "Bulletin" l'informe que Marilyn French parlera de son nouveau livre, *Au-delà du pouvoir : les femmes, les hommes et la morale*, au cours d'une réunion publique qui se tiendra à la fin de la semaine à Londres, et l'idée lui vient soudain à l'esprit, et pas pour la première fois, qu'il est tout de même bien dommage d'habiter si loin de la métropole où se produisent toujours ces événements passionnants. Mais cette pensée lui rappelle alors que c'est pour son travail qu'elle habite à Rummidge, et elle se rend compte, non sans un brin de culpabilité, que le temps passe. Elle met la vaisselle de son petit déjeuner dans l'évier, déjà bien encombré des restes du souper d'hier soir, et remonte bien vite à l'étage.)

Lorsque Charles avait réussi à obtenir un poste, Robyn avait éprouvé pour la première fois un pincement de jalousie, et leurs relations avaient été pour la première fois grandement affectées. Elle s'était habituée à être l'élément dominant du couple, la chouchoute des profs, la Victrix Ludorum. Elle ne pouvait plus avoir de bourse, et était encore loin d'avoir terminé sa thèse de doctorat. Cependant, elle avait d'autres ambitions que l'Université du Suffolk qui était une de ces universités nouvelles tout en verre où les étudiants avaient la réputation de s'adonner au vandalisme. Son directeur de recherche et ses autres amis dans le Département l'avaient presque persuadée qu'elle finirait par obtenir un poste à Cambridge si elle tenait bon. Elle tint bon pendant deux ans, vivant de l'allocation qu'elle percevait comme monitrice et aussi de l'aide financière que lui accordait son père. Elle termina enfin sa thèse et obtint son doctorat. Elle posa avec succès sa candidature à un poste d'attaché de recherche, au niveau post-doctoral, dans l'un des collèges pour femmes les moins cotés. Ce n'était que pour trois ans, mais c'était une étape prometteuse avant d'obtenir un vrai poste. Elle obtint un contrat pour la publication de sa thèse sur le Roman industriel, et se mit au travail avec enthousiasme. Sa vie personnelle ne changea pas beaucoup. Charles continuait de vivre avec elle à Cambridge, et il faisait l'aller-retour en voiture pour aller donner ses cours à Ipswich ; il restait là-bas une nuit ou deux par semaine.

En 1981, les hostilités finirent par éclater dans le Département d'Anglais de Cambridge. Ce qui mit le feu aux poudres, ce fut le refus par le Département de titulariser un jeune Maître de Conférences appartenant au parti progressiste ; cette querelle, déballée sur la place publique, rouvrit de vieilles plaies et en infligea de nouvelles dans cette communauté aux réactions toujours épidermiques. De solides amitiés furent brisées, de nouvelles inimitiés se créèrent. On s'invectiva, on s'injuria et on se poursuivit pour diffamation. Robyn était si excitée et si indignée que cela la rendit presque malade. Pendant quelques semaines, la controverse trouva un écho dans la presse nationale et même internationale, des journaux sérieux racontèrent des histoires épicées sur les principaux protagonistes et tentèrent confusément d'expliquer la différence entre le structuralisme et le poststructuralisme au banlieusard qui prenait l'omnibus de Clapham. Aux yeux de Robyn, la théorie critique avait enfin conquis la place qui lui revenait, au centre de la scène nationale, dans le théâtre de l'histoire, et elle ne demandait pas mieux que de jouer un rôle dans ce drame. Elle proposa son nom pour le grand débat qu'organisa le Conseil d'Université à propos de la situation dans le Département d'Anglais ; et vous pouvez lire, dans le *Cambridge University Reporter* du 18 février 1981, une supplique passionnée de Robyn en faveur de la théorisation systématique des programmes. L'article occupe une colonne et demie en petits caractères, et il est sandwiché entre deux articles écrits par deux des professeurs les plus éminents de l'Université.

(Robyn tire sur les draps, secoue la couette et l'étend sur le lit. Elle s'asseoit à sa table de toilette et se brosse énergiquement les cheveux ; elle a une épaisse tignasse de boucles cuivrées parfaitement naturelles, aussi dures et aussi élastiques que des copeaux d'acier. Certains vous diront que ce qu'il y a de plus joli chez elle, ce sont ses cheveux ; Robyn préférerait pourtant quelque chose de plus discret et de plus malléable, des cheveux qu'elle pourrait peigner et coiffer selon son humeur : tirés en arrière en un chignon austère, à la Simone de Beauvoir, ou retombant sur les épaules en un flou préraphaélite. Malheureusement, il n'y a pas grand-chose qu'elle puisse faire de ses boucles sauf, de temps en temps, les couper à ras, pour bien montrer à tout le monde qu'elles ne sont pas représentatives de sa personnalité. Son visage est assez joli pour supporter des cheveux courts, mais les perfectionnistes pourraient objecter que ses yeux gris-vert sont un peu trop rapprochés ; quant au nez et au menton, ils ont un centimètre de trop au goût de Robyn. La voilà maintenant qui se passe une crème hydratante sur le visage pour protéger sa peau de l'air vif de l'hiver, s'enduit les lèvres d'un baume et se met du vert sur les paupières, tout en réfléchissant au phénomène du changement de point de vue dans *Temps difficiles* de Dickens (1854). Une fois achevée la petite séance de maquillage, elle enfile des collants verts épais, une large jupe en tweed marron et un gros pull en mailles lâches, dans des tons pastel orange, vert et marron. Robyn affectionne généralement les vêtements amples et sombres, en fibres naturelles, qui ne font pas de son corps un objet de curiosité sexuelle. Ce style de vêtements a aussi l'avantage de dissimuler sa petite poitrine et ses hanches trop larges, tout en mettant en valeur sa grande taille ; ainsi l'idéologie et la vanité y trouvent également leur compte. Elle contemple son image dans la longue glace à côté de la fenêtre et se dit que le résultat est un peu trop sombre. Elle farfouille dans sa boîte à bijoux où il y a un fouillis de broches, de colliers et de boucles d'oreilles parmi tout un assortiment de badges en émail proclamant son soutien pour des causes libérales : *Aidons les mineurs, Croisade pour l'emploi, Légalisons la marie-jeanne, La femme a le droit de choisir ;* elle jette son dévolu sur une broche en argent où le logo du mouvement anti-nucléaire se fond harmonieusement avec le signe du Yin, et l'agrafe sur sa poitrine. Elle sort du bas de sa garde-robe une paire de bottillons en cuir marron foncé et s'asseoit sur le bord du lit pour les enfiler.)

Quand les choses avaient fini par se tasser à Cambridge, il était apparu que le parti de la réaction avait triomphé. Une commission universitaire chargée d'enquêter sur le cas du jeune Maître de Conférences considéra qu'il n'y avait eu aucune négligence administrative. L'intéressé s'en alla de lui-même, ayant trouvé entre-temps un poste plus rémunérateur et plus prestigieux ailleurs ; quant à ses amis et à ses supporters, ils se turent, battirent en retraite ou démissionnèrent pour prendre des postes en Amérique. Parmi ces derniers, il y en eut un qui, ayant bu quelques verres de trop à l'occasion de son cocktail d'adieu, dit à Robyn de foutre le camp de Cambridge. "Cette université est foutue", dit-il, signifiant par là que Cambridge allait être un lieu infiniment moins intéressant maintenant qu'il n'allait plus être là. "De toute façon, tu ne trouveras jamais un poste ici, Robyn. Tu es trop marquée."

Aussitôt Robyn décida qu'il ne servirait à rien de tester plus longtemps le bien-fondé de cette prophétie sinistre. Son contrat de recherche arrivait à expiration et elle ne supportait pas l'idée de "traîner" une autre année comme monitrice bénévole avec des étudiants de premier cycle, et de vivre aux crochets de ses parents. Elle se mit à chercher un poste dans une autre université que Cambridge.

Mais, voilà, il n'y avait pas de postes. Pendant que Robyn s'enflammait pour les théories littéraires contemporaines et leurs répercussions dans le Département d'Anglais de Cambridge, le Gouvernement Conservateur de Mme Thatcher, élu en 1979 avec pour mission de réduire les dépenses publiques, avait entrepris de décimer tout le système de l'enseignement supérieur sur le plan national. Partout, les universités étaient plongées dans le plus profond désarroi, et devaient faire face à de sévères restrictions budgétaires. Contraintes de réduire leur encadrement d'au moins 20%, elles réagirent en encourageant tous ceux qu'elles pouvaient à se mettre en préretraite et gelèrent les postes vacants. Robyn s'estima heureuse de trouver un poste pour un trimestre dans un collège de Londres, en remplacement d'une enseignante en congé de maternité. Vint ensuite une affreuse période qui dura près d'un an au cours de laquelle elle se trouva au chômage, parcourant en vain les dernières pages du *Times Higher Educational Supplement* semaine après semaine, dans l'espoir de trouver une Maîtrise de Conférences en littérature anglaise du XIXe siècle.

L'idée, jusqu'alors impensable, qu'elle pourrait faire carrière ailleurs qu'à l'université, dut alors être envisagée (avec crainte, consternation et confusion en ce qui concernait Robyn). Bien sûr, elle savait en théorie qu'il y avait tout un monde en dehors des universités, mais elle ignorait tout de ce monde, tout comme Charles ou ses propres parents. Son frère cadet, Basil, alors en dernière année d'études en Lettres Modernes à Oxford, parla d'entrer à la City après sa licence, mais Robyn pensait que c'était une idée en l'air qu'il avait lancée à seule fin d'exorciser ses craintes avant ses examens, ou une réaction œdipienne normale contre son père prof. Quand elle s'imaginait en train de travailler dans un bureau ou dans une banque, son esprit devenait complètement vide comme un écran de cinéma lorsque le projecteur tombe en panne ou que le film se casse. Restait bien sûr la possibilité d'enseigner au lycée, mais cela impliquait qu'elle passe un Certificat d'Aptitudes ou encore qu'elle travaille dans l'enseignement libre, ce qui était contraire à toute son idéologie. De toute manière, l'enseignement de la littérature anglaise à des lycéens ne manquerait pas de lui rappeler jour après jour les joies infiniment plus grandes que l'on éprouve à l'enseigner à de jeunes adultes.

En 1984, alors qu'elle commençait à désespérer, on lui proposa enfin le poste de Rummidge. Le Professeur Philip Swallow, chef du Département d'Anglais à l'Université de Rummidge, venait d'être élu Doyen de la Faculté des Lettres pour un mandat de trois ans ; et comme ses nouvelles fonctions, venant s'ajouter à ses responsabilités au niveau du Département, réduisaient considérablement son temps d'enseignement en premier cycle, on l'autorisa, conformément à la tradition, à faire nommer un Maître de Conférences Associé pour une durée déterminée, au plus bas échelon de la grille indiciaire, sur un budget spécial, curieusement appelé la "Décharge du Doyen". Un poste de Maître de Conférences en littérature anglaise à durée déterminée fut donc créé. Robyn posa sa candidature, on lui fit passer un entretien avec quatre autres candidats aussi désespérés et aussi hautement qualifiés qu'elle, et elle fut nommée.

Victoire ! Jubilation ! Elle poussa un grand ouf de soulagement. A son retour de Rummidge, Charles l'accueillait à la gare avec une bouteille de champagne. Les trois années qui l'attendaient lui paraissaient une période assez longue pour justifier l'achat d'une petite maison à Rummidge (son père lui prêta l'argent pour le dépôt de garantie) plutôt que d'avoir à payer un loyer. D'ailleurs, Robyn était persuadée que, d'une façon ou d'une autre, on la garderait à l'expiration de son contrat temporaire. Elle était convaincue de laisser sa marque sur le Département de Rummidge pendant ces trois années. Elle savait qu'elle était bonne, et il ne lui fallut pas longtemps pour comprendre toute seule qu'elle était meilleure que la plupart de ses collègues ; elle avait plus d'enthousiasme, d'énergie, et elle était plus productive. Avant sa nomination, elle avait déjà publié plusieurs articles et critiques dans des revues universitaires, et peu après son arrivée, elle fit paraître sa thèse, abondamment revue et corrigée, chez Lecky, Windrush et Bernstein. Sous le titre *La Muse industrieuse : narrativité et contradiction dans le roman industriel* (le titre lui avait été imposé par les éditeurs, mais le sous-titre était d'elle), l'ouvrage fit l'objet de critiques enthousiastes, bien que rares, et les éditeurs lui demandèrent un autre livre intitulé *Anges domestiques et femmes infortunées : la femme comme signe et marchandise dans la fiction victorienne.* Elle était une enseignante populaire et consciencieuse dont les cours, qu'elle assurait en option sur l'écriture féminine, étaient si demandés qu'on refusait du monde. Elle assuma aussi avec efficacité sa part de responsabilités administratives. Comment, alors, oserait-on la laisser partir au terme de ses trois années ?

(Robyn pénètre dans son petit salon tout en longueur ; il avait fallu abattre la cloison entre le salon de devant et celui de derrière de la petite maison pour obtenir cette petite pièce qui lui sert également de bureau. Il y a des livres et des revues partout sur les étagères, les tables, le plancher, des affiches et des reproductions de tableaux modernes sur les murs, des plantes vertes assoiffées dans la cheminée, un micro-ordinateur BBC avec son écran sur le bureau, et, à côté, des tas de feuilles perforées représentant le brouillon des premiers chapitres d'*Anges domestiques et femmes infortunées.* Robyn se fraye un chemin à travers la pièce et regarde soigneusement là où elle doit poser ses jolis petits pieds bottés, visant les espaces libres entre les livres, les vieux numéros de *Critical Inquiry* et de *Women's Review,* les 33 tours de Bach, Philip Glass et Phil Collins (ses goûts, en matière de musique, sont éclectiques), un verre à vin ou une tasse à café traînant ici ou là, et parvient ainsi à son bureau. Elle prend son sac en cuir posé par terre et commence à y fourrer tout ce dont elle aura besoin aujourd'hui : des exemplaires écornés et amplement annotés de *Shirley, Mary Barton, Nord et Sud, Sybil, Alton Locke, Felix Holt, Temps difficiles ;* ses notes de cours, un indescriptible palimpseste de révisions holographes de toutes les couleurs sous lequel le "tapuscrit" original est à peine lisible ; enfin un gros paquet de dissertations qu'elle a corrigées pendant les vacances de Noël.

Robyn revient dans la cuisine, baisse le thermostat du chauffage central et vérifie que la porte de derrière est bien fermée et verrouillée. Arrivée dans le vestibule, elle s'enveloppe le cou dans une longue écharpe et enfile une veste en coton matelassé couleur crème, large d'épaules, avec des manches surpiquées, ouvre la porte et sort. Sa voiture, une R5 rouge de six ans qui porte un autocollant jaune sur la vitre arrière : *"La Grande-Bretagne a besoin de ses universités"*, est garée dehors, dans la rue. C'est l'ancienne voiture secondaire de ses parents ; ils l'avaient revendue à Robyn pour un prix dérisoire lorsque sa mère en avait acheté une neuve. Elle marche bien, même si la batterie est un peu fatiguée. Robyn tourne la clé de contact, retient son souffle en écoutant le sifflement asthmatique du démarreur, puis elle pousse un soupir de soulagement lorsque le moteur démarre.)

Trois ans, ça ne paraissait plus si long une fois que la première année fut écoulée, et, même si Robyn se savait très appréciée de ses collègues, il n'était question partout à l'université que de nouvelles réductions budgétaires, de mesures d'austérité, de révision à la baisse des normes d'encadrement. Elle demeurait néanmoins optimiste. Robyn était optimiste par nature. Elle croyait en son étoile. Et pourtant, le déroulement futur de sa carrière était pour elle un souci permanent tandis que les jours et les semaines défilaient comme sur un compteur de taxi, et que son contrat avec Rummidge touchait à sa fin. Autre chose l'inquiétait aussi : ses rapports avec Charles.

Qu'en était-il exactement de leurs relations ? Difficile à dire. Ils n'étaient pas mariés mais c'était tout comme : ils étaient fidèles, proches l'un de l'autre, vivant leur vie domestique mieux que beaucoup de gens mariés. Une fois, au début de leur vie commune à Cambridge, un jeune chercheur beau et brillant venu de Yale avait fait des avances à Robyn, et celle-ci avait été tout éblouie et excitée par cette expérience (il l'avait séduite par un mélange troublant de jargon postfreudien dernier cri et d'avances sexuelles affreusement crues, si bien qu'elle ne savait jamais s'il faisait référence au symbole phallique de Lacan ou à son phallus à lui). Finalement, elle s'était arrêtée au bord du précipice, sentant la présence silencieuse et néanmoins critique de Charles planer toujours à ses côtés. Elle était trop franche pour le tromper et trop prudente pour le troquer

59

contre un amant dont la sollicitude risquait de s'épuiser très vite.

Lorsque Charles avait obtenu son poste à l'Université du Suffolk, leurs parents respectifs les avaient fortement encouragés à se marier. Charles ne demandait pas mieux, mais Robyn rejeta l'idée avec indignation. "Qu'est-ce que tu suggères ?" demanda-t-elle à sa mère. "Que j'aille tenir la maison de Charles à Ipswich ? Que j'abandonne ma thèse, pour vivre aux crochets de Charles et faire des gosses ?" "Bien sûr que non, ma chérie", dit sa mère. "Il n'y a pas de raison pour que tu ne fasses pas carrière, toi aussi. C'est ce que tu veux, après tout." Mais il y avait dans son ton une bonne dose de compassion et d'incompréhension. Quant à elle, elle n'avait jamais cherché à faire carrière ; elle avait été totalement comblée de servir de dactylo et d'assistante de recherche à son mari pendant le temps libre que lui laissaient les soins du ménage et du jardin. "C'est ce que je veux, en effet", dit Robyn d'un ton si féroce que sa mère n'osa poursuivre la conversation. Robyn avait la réputation dans la famille de savoir ce qu'elle voulait, ou d'être, comme disait son frère Basil d'un ton moins flatteur, autoritaire. Il circulait dans la famille une histoire sur sa petite enfance en Australie qui semblait prophétique à cet égard : à l'âge de trois ans, elle était parvenue, par sa force de conviction, à contraindre son oncle Walter (qui l'avait emmenée faire un petit tour des magasins) à mettre tout l'argent qu'il avait sur lui dans la sébile d'un petit infirme en plâtre ; mortifié de devoir reconnaître son geste insensé et d'avoir à emprunter de l'argent aux parents de Robyn, le pauvre oncle était tombé en panne sèche en rentrant à la ferme où il élevait des moutons. Inutile de dire que Robyn interprétait cet incident dans un sens qui lui était plus favorable : c'était pour elle l'annonce de son futur militantisme pour des causes progressistes.

Charles avait trouvé un pied-à-terre à Ipswich et gardé tous ses livres et la plupart de ses affaires dans l'appartement de Cambridge. Bien sûr, ils se voyaient moins souvent, et Robyn se rendit compte que ces séparations ne la chagrinaient pas autant qu'elles auraient dû. Elle commença à se demander si leur relation n'était pas, peu à peu, en train de mourir de sa belle mort, et s'il ne serait pas plus sage d'y mettre fin tout de suite. Un jour, elle en parla posément et calmement à Charles lequel, posément et calmement, accepta. Il était quant à lui tout à fait satisfait de la situation, mais il comprenait parfaitement ses doutes ; peut-être qu'une séparation à l'essai les amènerait à prendre une décision dans un sens ou dans l'autre.

(Robyn zigzague avec sa petite Renault rouge à travers les banlieues du sud-ouest de Rummidge, se fondant tantôt dans le flot de la circulation, allant tantôt à contre-courant ; l'heure de pointe touche à sa fin. Il est neuf heures vingt lorsque Robyn arrive dans les larges avenues bordées d'arbres qui longent l'Université. Elle prend un raccourci par la rue Avondale et passe devant le grand pavillon de Wilcox avec ses cinq chambres sans même y jeter un coup d'œil – elle ne le connaît ni d'Eve ni d'Adam – et cette maison n'a d'ailleurs rien qui la distingue des autres pavillons modernes pour cadres supérieurs de ce riche quartier résidentiel : brique rouge et peinture blanche, fenêtres de style "géorgien", allée goudronnée, garage pour deux voitures, système d'alarme bien en évidence sur la façade.)

Charles avait donc déménagé ses livres et toutes ses affaires à Ipswich, ce que Robyn trouva finalement assez gênant car elle avait l'habitude de lui emprunter ses livres et parfois même ses pulls. Ils étaient demeurés bons amis, bien sûr, et se téléphonaient souvent. Parfois, ils se retrouvaient pour déjeuner ou aller au théâtre à Londres, en terrain neutre ; ils attendaient tous les deux ces rencontres avec impatience, éprouvant chaque fois le sentiment de se livrer à un plaisir illicite. Les occasions ne manquaient pas, pour l'un comme pour l'autre, de nouer de nouvelles relations, mais, bizarrement, ni l'un ni l'autre ne s'en donnèrent la peine. Ils étaient tous les deux très occupés, très préoccupés aussi par leur travail (Robyn avec ses séminaires et la rédaction de sa thèse, Charles avec tout ce que supposait son nouveau travail) ; l'idée de devoir s'adapter à un autre partenaire, de chercher à connaître ses centres d'intérêts ou de veiller à ses besoins leur donnait la nausée. Et puis, il y avait tant de livres et de revues à lire, tant d'idées absconses à ruminer.

Bien sûr, il y avait le sexe, mais, en dépit de tout l'intérêt qu'ils y attachaient l'un et l'autre et de tout le plaisir qu'ils éprouvaient à en parler, ni l'un ni l'autre, à vrai dire, n'était terriblement porté sur la chose, ni ne cherchait à s'y livrer trop fréquemment. Ils semblaient avoir épuisé tout leur désir assez rapidement pendant leurs années de premier cycle universitaire. Il ne leur restait plus qu'une forme cérébrale de sexe, comme disait autrefois D. H. Lawrence. Il entendait l'expression dans un sens péjoratif, bien sûr, mais, pour Robyn et Charles, D. H. Lawrence était un personnage étrange et quelque peu absurde, et ses violentes polémiques les laissaient de marbre. Comment l'être humain pourrait-il faire l'amour autrement que dans sa tête ? Le désir sexuel n'était qu'un jeu de signifiants, le sursis et le déplacement infini d'un plaisir anticipé que l'accouplement grossier des signifiés interrompait temporairement. Charles n'était pas lui-même un amant très exigeant. Calme et svelte, agile comme un chat dans tous ses mouvements, il semblait considérer le sexe comme une sorte de recherche, préférant les techniques d'approche subtiles qu'il faisait durer si longtemps que Robyn finissait parfois par s'endormir, se réveillant en sursaut avec un sentiment aigu de culpabilité et le trouvant blotti contre son corps, l'air absorbé, palpant ses formes du bout des doigts comme s'il était en train de fouiller dans une boîte de fiches.

Pendant leur séparation à l'essai, Robyn s'impliqua à fond dans un groupe féministe de Cambridge qui se réunissait régulièrement mais de manière informelle pour discuter sur l'écriture féminine et sur la théorie littéraire féministe. Dans ce groupe, on considérait comme un article de foi que les femmes devaient se libérer de la protection érotique des hommes. En d'autres termes, il était faux de dire, comme le prétendaient tous les romans, tous les films et toutes les publicités à la télévision, que la femme était incomplète sans l'homme. Les femmes pouvaient aimer d'autres femmes, ou s'aimer elles-mêmes. Plusieurs femmes dans le groupe étaient lesbiennes ou s'efforçaient de l'être. Robyn était absolument sûre de ne pas l'être ; mais elle appréciait la chaleur et l'amitié du groupe, les embrassades et les baisers qui accompagnaient toujours leurs retrouvailles et leurs adieux. Et s'il arrivait parfois que son corps réclamât des sensations plus intenses, elle n'avait aucune peine à se les procurer elle-même, sans éprouver le moindre sentiment de honte ou de culpabilité, et avec la bénédiction intellectuelle des féministes françaises extrémistes, comme Hélène Cixous ou Luce Irigaray, qui, dans leurs écrits, célébraient les joies de l'auto-érotisme féminin.

A cette époque-là, Robyn avait eu deux brèves relations hétérosexuelles, deux éphémères représentations d'un soir, aussi décevantes l'une que l'autre, après des soirées trop bien arrosées. Elle n'accepta pas de vivre avec un autre amant, et elle crut comprendre que Charles avait fait de même. C'est alors qu'elle se demanda ce qui pouvait encore justifier leur séparation. Ils dépensaient des sommes folles en téléphone et en train pour se rendre à Londres. Charles retransporta ses livres et ses pull-overs à Cambridge et la vie reprit son cours pratiquement comme avant. Robyn continuait de consacrer beaucoup de temps, d'émotion et d'énergie à son groupe féministe, mais Charles n'y voyait aucun inconvénient ; après tout, il se considérait féministe lui aussi.

Mais, deux ans plus tard, lorsque Robyn avait été nommée à Rummidge, ils s'étaient de nouveau séparés. C'était impossible de faire l'aller-retour entre Rummidge et Ipswich ou vice versa. Le trajet, tant par route que par rail, était un des plus ennuyeux et des plus incommodes qu'on pût imaginer à l'intérieur des Iles Britanniques. Pour Robyn, c'était une occasion quasi providentielle de se séparer de Charles, et pour de bon cette fois. Certes elle l'aimait encore et allait souffrir de ne plus l'avoir à ses côtés, cependant elle avait le sentiment que leurs relations étaient arrivées à une impasse. Il n'y avait plus rien de neuf à découvrir, et ça les empêchait de faire de nouvelles découvertes ailleurs. Ils n'auraient jamais dû se remettre ensemble ; c'était là le signe de leur immaturité, et, sans doute, de leur attachement excessif à Cambridge. Oui (tout son être se dilatait soudain en prenant conscience de cette évidence), c'était Cambridge, et non leur désir, qui les avait réunis. Ils étaient tous les deux si obsédés par ce lieu, par ses papotages, ses rumeurs et ses intrigues, qu'ils voulaient y vivre ensemble leurs moindres instants pour confronter leurs impressions et échanger leurs idées : qui était la star du moment, qui ne l'était plus, que disait X à propos de l'article de Y sur le livre de P sur Q ? Eh bien, elle en avait vraiment assez de cet endroit, assez de cette architecture superbe qui servait de refuge à la futilité et à la paranoïa, et elle était ravie d'échanger cette atmosphère de serre chaude contre l'air plus authentique, bien que plus enfumé, de Rummidge. Et, pour rompre avec Cambridge, il fallait en quelque sorte qu'elle rompe définitivement avec Charles. Elle l'informa de sa décision, et lui, avec son flegme habituel, l'accepta. Plus tard, elle se demanda s'il ne s'attendait pas à ce qu'elle revienne un jour sur sa résolution.

Rummidge avait donc constitué une nouvelle page dans la vie de Robyn. Elle avait vaguement espéré qu'un nouvel ami masculin pourrait bientôt figurer sur cette page. Malheureusement, personne ne s'était manifesté. Tous les hommes à l'Université semblaient être des hommes mariés, des homosexuels ou des scientifiques, et Robyn n'avait ni le temps ni l'énergie d'aller chercher fortune ailleurs. Elle était totalement prise par la préparation de ses cours, qui portaient tous sur une foule de sujets nouveaux, par la correction de ses dissertations, les recherches pour son livre *Anges domestiques et femmes infortunées,* et par tout ce qu'elle faisait pour se rendre indispensable au Département. Elle était épanouie et heureuse, bien qu'un peu seule, parfois. Alors, il lui arrivait de prendre le téléphone et de bavarder avec Charles. Un jour, elle s'était même risquée à l'inviter pour un week-end. Elle n'envisageait rien d'autre qu'une visite platonique ; il y avait une chambre d'amis dans la petite maison. Finalement, ce qui devait arriver arriva, ils s'étaient retrouvés le soir dans le même lit. C'était bon d'avoir quelqu'un pour vous caresser le corps et pour détendre les ressorts cachés du plaisir, au lieu d'avoir à faire tout le travail toute seule. Elle avait oublié comme c'était bon, après ce long intervalle. En définitive, il leur apparut qu'ils étaient indispensables l'un à l'autre, ou, pour dire les choses plus simplement, qu'ils avaient besoin l'un de l'autre.

Ils ne reprirent pas "la vie commune", même dans le sens purement intellectuel que donnaient à cette expression bon nombre de couples d'universitaires parmi leurs connaissances qui étaient séparés par leurs affectations respectives. Lorsque Charles venait la voir, c'était en tant qu'invité, et quand il repartait, il ne laissait aucune de ses affaires derrière lui. Malgré tout, ils couchaient ensemble à chaque fois. Une relation étrange, à vrai dire. Ce n'était ni le mariage, ni la vie commune, encore moins une aventure. Plutôt une sorte de divorce où les deux parties se retrouvent de temps à autre pour avoir de la compagnie ou se livrer au plaisir sexuel, sans être prisonniers l'un de l'autre. Etait-ce un style de vie moderne et merveilleusement libéré, ou simplement une sorte de perversion ? Robyn se le demandait parfois.

Tels sont les sujets de préoccupation de Robyn Penrose au moment où elle franchit la grille de l'Université (elle fait un petit mouvement de tête et sourit au vigile dans sa petite cage en verre) : son cours sur le roman industriel, sa carrière à venir, et ses relations avec Charles – dans cet ordre, qui n'est pas un ordre d'importance mais d'urgence. A vrai dire, sa gêne par rapport à Charles figure à peine parmi ses préoccupations conscientes ; par ailleurs, son inquiétude à propos de son cours est insignifiante et quasi mécanique, elle le sait bien. Elle n'a pas peur de ne pas savoir quoi dire, c'est plutôt qu'elle n'a jamais assez de temps pour dire tout ce qu'elle a à dire. Après tout, elle a travaillé sur le roman industriel du XIXe siècle pendant une dizaine d'années, et même après la publication de son livre elle a continué à travailler et à approfondir le sujet. Elle a des boîtes pleines de notes et de fiches. Elle sait probablement plus de choses sur le roman industriel du XIXe siècle que n'importe qui au monde. Comment condenser tout ce savoir dans un cours de cinquante minutes devant des étudiants qui ne savent pratiquement rien sur le sujet ? Les intérêts de la recherche et ceux de la pédagogie sont ici manifestement en conflit. Ce que Robyn aime par-dessus tout, c'est déconstruire des textes, sonder les béances et les absences qui s'y dissimulent, découvrir ce qu'ils ne disent pas en fait, exposer leur mauvaise foi sur le plan idéologique, pratiquer une coupe à travers les réseaux enchevêtrés de leurs codes sémiotiques et de leurs conventions littéraires. Tout ce que les étudiants attendent d'elle, c'est qu'elle leur donne quelques éléments fondamentaux pour leur permettre de lire les romans comme des reflets sincères de la "réalité", pour pouvoir ensuite rédiger des dissertations simples, sincères et susceptibles d'obtenir la moyenne.

Robyn gare sa voiture dans un des parkings arborés de l'Université, prend son sac sur le siège à côté d'elle, et se dirige vers le Département d'anglais. Elle a une démarche décidée et majestueuse. Elle avance tête droite ; ses boucles rousses brillent comme une torche dans l'air gris et brumeux. Qui pourrait se douter qu'elle est écrasée de soucis en la voyant traverser ainsi le campus et adresser de larges sourires aux gens qu'elle connaît, les yeux brillants, le front lisse ? Il faut reconnaître qu'elle porte ses soucis allègrement. Elle est jeune, elle a confiance en elle, elle ne regrette rien.

Elle pénètre dans le hall d'entrée du bâtiment du Département. Les escaliers et les couloirs grouillent d'étudiants ; l'atmosphère résonne de leurs cris et de leurs rires, tandis qu'ils se saluent en ce premier jour du trimestre. Devant le secrétariat du Département, elle rencontre Bob Busby, le délégué de la section locale du Syndicat de l'Enseignement Supérieur pour le Département ; il est en train d'afficher une circulaire sur le panneau du Syndicat où on lit en gros titre : "Journée de greve mercredi 15

JANVIER". Elle déboutonne son manteau, déroule son écharpe et lit par-dessus l'épaule de son collègue : *"Journée d'action... protestations contre les réductions... érosion des salaires... des piquets de grèves seront organisés à chaque entrée de l'Université... les volontaires doivent se faire connaître auprès des délégués de Départements... les autres personnes sont priées de rester à l'écart du campus le jour de la grève"*.

"Bob, tu peux me mettre pour les piquets de grève", dit Robyn.

Bob Busby, qui n'arrive pas à arracher une punaise du panneau d'affichage, se retourne et plante sa barbe noire en face d'elle.

"Tu es sûre ? C'est très bien de ta part.

– Pourquoi ?

– Tu sais, pour un jeune prof qui est ici à titre temporaire... Bob Busby a l'air un peu gêné. Personne ne te reprocherait de vouloir rester à l'écart."

Robyn renâcle, l'air indigné :

"C'est une question de principe.

– D'accord, d'accord. Je prends ton nom. Et il s'acharne de nouveau sur sa punaise.

– Bonjour, Bob, bonjour, Robyn."

Ils se retournent et se trouvent face à face avec Philip Swallow qui vient juste d'arriver : il a encore son anorak plutôt crasseux et tient à la main une serviette toute déformée. Il est grand, mince, un peu voûté ; ses cheveux, d'un gris argenté, s'éclaircissent sur les tempes et tombent en petites boucles à l'arrière au-dessus de son col. Robyn a entendu dire qu'il avait porté la barbe autrefois, et il ne cesse de se palper le menton comme si elle lui manquait.

"Oh, bonjour Philip", dit Bob Busby.

Robyn se contente de dire "Bonjour". Elle ne sait jamais comment s'adresser à son Chef de Département. "Philip", ça fait trop familier, "Professeur Swallow", trop formel, "Monsieur", infiniment trop servile.

"Vous avez passé de bonnes vacances, tous les deux ? Prêts à reprendre le collier ? Bravo. Philip Swallow débite ces platitudes sans attendre de réponse, ni même, apparemment, en souhaiter. Qu'est-ce que tu es en train de faire, Bob ? Son visage se défait lorsqu'il découvre le titre de la circulaire. Tu crois qu'une grève va servir à grand-chose ?

– Oui, si tout le monde se mobilise, dit Bob Busby. Tout le monde y compris ceux qui ont voté contre la proposition.

– J'étais de ceux-là, je le reconnais, dit Philip Swallow.

– Pourquoi ? s'exclame Robyn avec impudence. Il faut quand même bien qu'on fasse quelque chose à propos de ces réductions de budget. On ne peut pas s'y résigner comme ça. Il faut protester.

– D'accord, dit Philip Swallow. Seulement, je ne suis pas sûr qu'une grève servira à grand-chose. Qui va s'en apercevoir ? Ce serait autre chose si nous étions chauffeurs de bus ou aiguilleurs du ciel. Le public peut très bien se passer des universités pendant une journée, malheureusement.

– Les gens verront au moins les piquets de grève, dit Bob Busby.

– Tu crois que ça leur rabattra le caquet ? dit Philip Swallow.

– J'ai dit piquet. Les gens les remarqueront, dit Bob Busby en levant la voix pour se faire entendre dans tout ce vacarme.

– Ah, parce que vous mettez en place des piquets ? Vous sortez le grand jeu, quoi. Philip Swallow secoue la tête, l'air malheureux. Puis, jetant un regard en coin à Robyn, il ajoute : Vous avez un moment ?

– Oui, bien sûr. Et elle le suit dans son bureau.

– Vous avez passé de bonnes vacances ? demande-t-il une nouvelle fois en enlevant son anorak.

– Oui, merci.

– Asseyez-vous, je vous en prie. Vous êtes allée quelque part ? En Afrique du Nord ? Aux sports d'hiver ? Son sourire engageant semble suggérer qu'une réponse positive lui remonterait bien le moral.

– Grand Dieu, non.

– On m'a dit qu'il y avait des voyages organisés très bon marché pour la Gambie en janvier.

– Même si j'avais les moyens, je n'en aurais pas le temps, dit Robyn. J'avais tout un tas de corrections à rattraper. Et puis j'ai eu des entretiens toute la semaine dernière.

– Oui, bien sûr.

– Et vous ?

– Oh, vous savez, je ne m'occupe plus des inscriptions. Je le faisais autrefois, bien sûr…

– Ce n'est pas ce que je voulais dire, dit Robyn en souriant. Est-ce que, vous, vous êtes allé quelque part ?

– Ah, on m'avait invité à un colloque en Floride, dit Philip Swallow d'un air pensif. Malheureusement, je n'ai pas pu obtenir de subvention pour le voyage.

– Quel dommage !" dit Robyn, incapable de compatir davantage à ce grand malheur.

Aux dires de Rupert Sutcliffe, le collègue le plus ancien et le cancanier le plus incorrigible du Département, Philip Swallow parcourait la planète et se pavanait de colloques en congrès, il n'y a pas si longtemps. Maintenant, les réductions budgétaires lui avaient, semble-t-il, rogné les ailes. "Ce n'est pas plus mal comme ça", aimait à dire Rupert Sutcliffe. "Un beau gaspillage de temps et d'argent, tous ces colloques, à mon avis. Jamais, de toute ma carrière, je n'ai assisté à un seul colloque international." Robyn ne manquait jamais d'acquiescer poliment devant tant de modestie, tout en se disant, en son for intérieur, que Rupert Sutcliffe n'avait pas dû avoir souvent l'occasion de refuser une invitation. "Croyez-moi, ajoutait alors Sutcliffe, ce n'est pas le manque de finances qui l'a rendu sédentaire ces temps-ci. J'ai l'impression que Hilary a dû y mettre le holà.

– Madame Swallow ?

– Oui. Il faisait la bringue un peu partout à l'occasion de tous ses déplacements, à ce qu'on dit. J'aime mieux vous avertir : Swallow a un petit faible pour le beau sexe. Une femme prévenue en vaut deux." Pour bien appuyer ses paroles, Sutcliffe avait tapoté son long nez avec son index, déséquilibrant ainsi ses lunettes et les faisant tomber dans sa tasse de thé (cette conversation avait eu lieu dans la salle des professeurs, peu de temps après l'arrivée de Robyn à Rummidge). Examinant Philip Swallow, maintenant assis devant elle dans un fauteuil bas plutôt bien rembourré, Robyn a de la peine à reconnaître en lui le dragueur international que lui a décrit Rupert Sutcliffe. Swallow a l'air fatigué, écrasé de soucis, et même un peu minable. Elle se demande pourquoi il l'a invitée dans son bureau. Il lui adresse un petit sourire nerveux et lisse une barbe fantôme avec ses doigts. Une atmosphère funeste s'abat soudain.

"Je voulais seulement vous dire, Robyn... Comme vous le savez, vous n'avez été nommée ici qu'à titre temporaire."

Le cœur de Robyn fait un bond. Elle se prend à espérer. "Oui", dit-elle, croisant ses doigts pour que ses mains ne tremblent pas.

"Rien que pour trois ans. Vous êtes maintenant au tiers de votre seconde année, et il ne vous restera plus qu'un an à partir de septembre prochain." Il énonce ces faits lentement et avec d'infinies précautions, comme si Robyn avait pu les oublier.

"Oui.

– Je tiens à vous le dire : nous serions sincèrement désolés de vous perdre, car vous avez fait beaucoup pour le Département, bien que vous ne soyez ici que depuis peu de temps. Je tenais à vous le dire.

– Je vous remercie, dit Robyn tristement en dénouant ses doigts. Mais encore ?

– Mais encore ?

– J'avais l'impression que vous alliez dire quelque chose commençant par *Mais*.

– Ah, oh, oui. Je voulais simplement vous dire que ni moi ni mes collègues ne vous en voudrions si vous vous mettiez à chercher un poste ailleurs.

– Il n'y a pas de postes ailleurs.

– Non, peut-être pas dans l'immédiat. Mais on ne sait jamais, il peut se présenter quelque chose plus tard en cours d'année. Si ça arrive, vous feriez peut-être mieux de sauter sur l'occasion. Ne vous sentez surtout pas obligée de faire les trois ans de votre contrat chez nous. Même s'il doit nous en coûter de vous perdre, ajouta-t-il.

– Si je comprends bien, il n'y a aucune chance pour que vous me gardiez à la fin de mes trois ans."

Philip Swallow écarte les mains et hausse les épaules. "Pas la moindre chance, ni dans un proche ni dans un lointain avenir. L'université fait tout ce qu'elle peut pour économiser sur les salaires. Il est question d'organiser une nouvelle charrette de préretraites. Même si quelqu'un venait à quitter le Département, ou à décéder, même si vous parveniez à, comment dit-on, à commanditer le meurtre de l'un d'entre nous (il rit, pour signifier qu'il ne s'agit que d'une plaisanterie, et découvre ainsi une rangée de dents jaunies et écaillées, plantées toutes de travers dans ses gencives, telles des pierres tombales dans un cimetière mal entretenu), même dans ce cas, je suis presque sûr que nous n'obtiendrions pas de remplaçant. En tant que Doyen, vous comprenez, je suis parfaitement conscient des contraintes budgétaires auxquelles est soumise l'université. Tous les jours, je reçois les Chefs de Départements qui viennent rouspéter parce qu'ils n'ont pas assez de finances, et qui demandent des remplaçants ou de nouvelles nominations. Je suis obligé de leur dire que la seule façon d'atteindre nos objectifs c'est de geler toutes les dépenses. C'est très dur pour des jeunes comme vous. Croyez-moi, je me mets à votre place."

Il tend la main et la pose sur les mains de Robyn en un geste de réconfort. Elle regarde les trois mains d'un air détaché, comme s'il s'agissait d'une nature morte. Est-ce qu'elle va enfin avoir droit aux avances qu'on lui a promises depuis si longtemps ? Où se trouve le divan où se jouent les promotions et les nominations ? Apparemment, il n'y en a pas, d'ailleurs Philip Swallow enlève tout de suite sa main, se lève et se dirige vers la fenêtre. "Ce n'est pas amusant d'être Doyen, ces temps-ci, je vous le dis. On passe son temps à annoncer de mauvaises nouvelles aux gens. Et, comme l'a noté Shakespeare, les mauvaises nouvelles corrompent, par leur nature même, ceux qui les transmettent.

– Lorsqu'il s'agit du fou ou du poltron." Robyn récite sans sourciller le vers suivant d'*Antoine et Cléopâtre,* mais malheureusement Philip Swallow ne semble pas l'avoir entendue. Il fixe tristement la cour centrale du campus.

"J'ai le sentiment que, lorsque je prendrai ma retraite, j'aurai connu les hauts et les bas de l'enseignement supérieur depuis la guerre. Quand j'étais moi-même étudiant, les universités de province comme Rummidge étaient peu de chose. Ensuite, pendant les années soixante, ce fut l'expansion générale, la croissance, les nouvelles constructions. Vous le croirez si vous voulez, mais, dans les années soixante, la chose dont nous nous plaignions le plus c'était du vacarme des chantiers ! Maintenant, tout est redevenu bien tranquille. Ils finiront bientôt par nous envoyer des entreprises de démolition, j'en suis sûr.

– Je comprends maintenant pourquoi vous n'appuyez pas la grève, dit Robyn d'un ton acerbe. Mais Philip Swallow croit manifestement qu'elle a dit quelque chose d'entièrement différent.

– Exactement. C'est comme la théorie du Big Bang. On dit que l'univers finira un jour par ne plus se dilater et recommencera à se contracter pour redevenir ce grain primal qu'il était à l'origine. Le Rapport Robbins a été notre Big Bang. Désormais nous sommes dans la phase de contraction."

Robyn jette un regard furtif sur sa montre.

"A moins que nous ne nous soyons perdus dans un trou noir", poursuit Philip Swallow, manifestement ravi de son envolée lyrique dans les hautes sphères de l'astronomie.

"Vous voudrez bien m'excuser, dit Robyn en se relevant. Il faut que je me prépare pour mon cours.

– Oui, oui, bien sûr. Excusez-moi.

– Je vous en prie, seulement, je…

– Oui, oui, c'est entièrement de ma faute. N'oubliez pas votre sac." Philip Swallow se confond en sourires, en hochements de tête ; il est manifestement soulagé de voir se terminer cet entretien délicat, et la raccompagne jusqu'à la porte de son bureau.

Bob Busby est toujours là devant le panneau d'affichage, occupé à remettre les anciennes circulaires autour de la nouvelle, tel un jardinier méticuleux qui met de l'ordre dans un parterre de fleurs. Au moment où elle passe devant lui, il lui adresse un regard complice comme pour l'interroger.

"Tu n'as pas l'impression que Philip Swallow est un peu dur d'oreille ? lui demande-t-elle.

– Oh, si, ça empire même ces derniers temps, dit Bob Busby. Il a une incapacité à entendre les hautes fréquences. Il entend les voyelles mais pas les consonnes. Il essaie de deviner ce qu'on dit à partir des voyelles. Habituellement, il ne devine que ce qui lui passe par la tête à ce moment-là.

– Ça ne facilite pas la conversation, dit Robyn.

– Rien d'important, j'espère ?

– Oh non", dit Robyn, qui ne veut pas partager sa déception avec Bob Busby. Elle sourit d'un air serein et poursuit son chemin.

Il y a plusieurs étudiants appuyés nonchalamment contre le mur ou assis par terre, devant son bureau. Robyn se rembrunit, se doutant bien de ce qu'ils attendent d'elle.

"Bonjour, dit-elle en saluant tout le monde, tandis qu'elle cherche sa clé dans la poche de sa veste. C'est qui le premier ?

– Moi", dit une jolie brunette qui porte une chemise d'homme trop ample semblable à une blouse d'artiste par-dessus son jean et son chandail. Elle suit Robyn dans son bureau. Il est orienté comme celui de Philip Swallow, mais il est plus petit, trop petit, en fait, pour tous les meubles qu'il contient : un bureau, des bibliothèques, des classeurs, une table et une douzaine de chaises empilables mais non empilées. Les murs sont couverts d'affiches célébrant différentes causes extrémistes : désarmement nucléaire, libération des femmes, protection des baleines, plus une grande reproduction du tableau de Dante Gabriel Rossetti, *La Dame de Shalott*, laquelle peut paraître incongrue quand on n'a pas entendu Robyn disserter sur la signification iconique de ce tableau en tant que matrice de tous les stéréotypes masculins vis-à-vis de la femme.

La jeune fille, qui s'appelle Marion Russell, en vient

73

tout de suite au fait : "J'aurais besoin d'un délai pour vous remettre la dissertation que vous nous avez donnée."

Robyn soupire : "Je m'y attendais." Marion est une incorrigible retardataire, même si elle a toujours de bonnes excuses.

"Il faut que je vous dise, j'ai eu un double emploi pendant les vacances. A la Poste et aussi au pub le soir."

Marion n'a pas droit à une bourse parce que ses parents sont aisés ; mais, comme ils se sont brouillés entre eux et avec elle aussi, elle est obligée de travailler pour payer ses études universitaires, et de faire tout un tas de petits boulots à temps partiel.

"Comme tu le sais, on ne peut accorder de délais que pour des raisons médicales.

— Je peux toujours dire que j'ai eu un gros rhume à Noël.

— J'imagine que tu n'as pas de certificat médical.

— Non."

Robyn soupire de nouveau.

"Combien de temps il te faut ?

— Dix jours.

— Je te donne une semaine. Robyn ouvre un tiroir de son bureau et sort son mémorandum.

— Merci. Ça va aller mieux ce trimestre-ci. J'ai un meilleur boulot.

— Ah ?

— Moins d'heures mais mieux payées.

— Qu'est-ce que c'est comme travail ?

— Je… je suis mannequin."

Robyn s'arrête d'écrire et regarde Marion d'un air sévère : "J'espère que tu sais ce que tu fais."

Marion Russell a un petit rire nerveux.

"Oh, il ne s'agit pas de cela.

— De quoi ?

— Vous savez bien. Le porno, le vice.

— Encore heureux. Tu travailles pour qui, alors ?"

Marion Russell baisse les yeux et rougit un peu.

"Eh ben, c'est pour de la lingerie, en fait."

Robyn imagine soudain à quoi doit ressembler cette

fille qui se trouve là devant elle dans ses vêtements charmants et confortables, lorsqu'elle est moulée dans le latex et le nylon et attifée de tout ce falbala fétichiste : soutien-gorge, petite culotte, porte-jarretelles et bas, dont l'industrie de la lingerie se plaît à affubler le corps féminin ; elle la voit en train de se pavaner dans des défilés de mode devant des hommes lubriques et des femmes au visage sévère qui travaillent pour les grands magasins. Un sentiment de pitié et d'indignation l'envahit et elle se prend soudain à s'apitoyer sur son propre sort ; la société lui donne tout à coup l'impression d'avoir ourdi une vaste conspiration pour exploiter et opprimer les jeunes femmes comme elle. Elle éprouve une sensation d'étouffement et sent dangereusement monter les larmes dans ses glandes lacrymales. Elle se lève et serre dans ses bras Marion Russell qui en est toute surprise.

"Je te donne deux semaines, finit-elle par dire en se rasseyant et en se mouchant.

– Oh, merci, Robyn. C'est super."

Robyn est relativement moins généreuse avec le suppliant suivant ; il s'agit d'un jeune homme qui s'est cassé la cheville en tombant de sa moto la nuit de la Saint-Sylvestre. Mais, même le candidat le moins méritant obtient au moins quelques jours de délai, car Robyn a tendance à s'identifier aux étudiants et à s'opposer au système qui les juge, même si elle appartient elle-même à ce système. Finalement, après avoir traité chacun de leurs cas, Robyn a un moment pour préparer son cours de onze heures. Elle ouvre son sac, sort la chemise qui contient ses notes et se met au travail.

3

L'horloge de l'université sonne onze coups, et son carillon se mêle à celui des autres horloges, proches ou lointaines. Partout, à Rummidge et dans les environs, les gens sont au travail, ou bien ils n'y sont pas, selon le cas.

Robyn Penrose se dirige vers l'amphi A, empruntant des couloirs et des escaliers qui grouillent d'étudiants en train de changer de salles de cours. Ils s'écartent pour la laisser passer, tels les vagues devant la proue d'un navire majestueux. Elle sourit à ceux qui la reconnaissent. Certains lui emboîtent le pas et la suivent jusqu'à l'amphi, si bien qu'elle a l'impression de conduire un petit défilé, comme une petite joueuse de flutiau. Elle porte sous un bras la chemise contenant ses notes de cours et, sous l'autre, une pile de livres qui lui serviront à illustrer son propos. Aucun garçon ne propose de la soulager de ce fardeau. Ce genre de galanterie est passé de mode. Robyn n'accepterait d'ailleurs pas, pour des raisons idéologiques, et les autres étudiants interpréteraient ce geste comme de la lèche.

Vic Wilcox est en réunion avec son Directeur du Marketing, Brian Everthorpe ; celui-ci n'avait répondu à la convocation de Vic qu'à neuf heures et demie, en se plaignant des embouteillages provoqués par le reflux sur l'autoroute, mais Vic, qui, à cette heure-là, dictait des lettres, lui avait demandé de revenir à onze heures. Everthorpe est grand, ce qui n'est pas fait pour plaire à Vic, et il porte des favoris broussailleux et une moustache comme les pilotes de la RAF. Il est vêtu d'un costume trois-pièces, et porte une chaîne de montre ancienne accrochée au gousset de son gilet. C'est le plus ancien et aussi le plus suffisant de tous les membres de l'équipe de direction dont Vic a hérité.

"Tu devrais vivre en ville comme moi, Brian, dit Vic. Pas à cinquante kilomètres.

– Oh, tu connais Beryl", dit Brian Everthorpe, avec un sourire qui se veut sinistre.

Non, Vic ne la connaît pas. Il n'a jamais rencontré Beryl mais il sait par ouï-dire que c'est la seconde femme d'Everthorpe, son ancienne secrétaire aussi. En ce qui le concerne, Beryl peut très bien ne pas exister, sauf comme alibi pour justifier les écarts de conduite de Brian Everthorpe. *Beryl dit que les gosses ont besoin de l'air de la campagne. Beryl n'était pas bien ce matin et il a fallu que je la conduise chez le médecin. Beryl te prie de l'excuser, elle a oublié de me transmettre ton message.* Un de ces jours, et ça ne va pas tarder, Brian Everthorpe va devoir se mettre dans la tête qu'il y a une différence entre une femme et un patron.

Dans un salon de thé de la galerie marchande du centre de Rummidge, Marjorie et Sandra Wilcox sont attablées devant un café et discutent de la couleur que devrait choisir Sandra pour ses chaussures. Les murs du salon de thé sont couverts de glaces teintées, et des haut-parleurs dissimulés dans le plafond diffusent une musique douce et syncopée.

"Je verrais bien du beige, dit Marjorie.

– Ou un vert olive assez pâle", dit Sandra.

La galerie marchande est pleine d'adolescents qui traînent en petits groupes et qui sont tous en train de fumer, de bavarder, de rire et de chahuter. Ils regardent les marchandises dans les vitrines étincelantes et illuminées, ils entrent dans les boutiques et en ressortent sans rien acheter. Certains regardent avec envie le salon de thé où sont assises Marjorie et Sandra.

"Tous ces gosses, dit Marjorie d'un ton critique. Ils sèchent l'école, j'imagine.

– Je crois plutôt qu'ils sont au chômage", dit Sandra.

Elle réprime un bâillement et inspecte sa tenue dans la glace murale derrière sa mère.

Robyn dispose ses notes sur le pupitre en attendant que les retardataires prennent place. L'amphi résonne comme un tambour avec tout le brouhaha que font plus de cent étudiants qui parlent tous ensemble comme s'ils venaient de sortir de prison. Elle tape sur le pupitre avec le bout d'un crayon et s'éclaircit la voix. Le silence tombe sur l'amphi et une centaine de visages se tournent vers elle, des visages curieux, attentifs, moroses, apathiques, semblables à des écuelles vides qui attendent qu'on les remplisse. Le petit visage de Marion Russell n'est pas dans la salle ; Robyn ne peut s'empêcher d'éprouver un ignoble petit mouvement de rancœur devant cette lâche désertion.

"Je viens de jeter un coup d'œil à ta feuille de frais, Brian, dit Vic, en retournant un petit tas de factures et de reçus.

– Et alors ? Brian Everthorpe se raidit un peu.

– C'est très raisonnable."

Everthorpe se détend. "Merci.

– Ce n'était pas vraiment un compliment de ma part."

Everthorpe paraît décontenancé. "Pardon ?

– J'aurais cru que le Directeur du Marketing d'une firme comme la nôtre aurait eu deux fois plus de frais d'hôtels.

– Ah, c'est que, tu comprends, Beryl n'aime pas être seule à la maison la nuit.

– Mais elle a les gosses avec elle.

– Pas pendant le trimestre, mon vieux. On les met en pension, on n'a pas le choix quand on vit comme nous dans la cambrousse. Je préfère rentrer à la maison après les réunions, quelle que soit la distance.

– Ton kilométrage n'est pas excessif, non plus !

– Tu trouves ?" Brian Everthorpe, qui commence à comprendre, se raidit de nouveau."

"Dans les années 1840 et 1850, dit Robyn, parurent en Angleterre tout un tas de romans qui avaient tous un air de parenté. Raymond Williams les a appelés les 'romans industriels' parce qu'ils traitent de problèmes sociaux et économiques issus de la Révolution industrielle, et parce qu'ils décrivent, dans certains cas, le travail en usine. A l'époque, on les appelait souvent 'romans sur l'état de l'Angleterre', parce qu'ils s'intéressaient directement à la situation économique de la nation. Ce sont des romans où les personnages principaux débattent de sujets sociaux et économiques brûlants, tombent amoureux et se séparent, se marient et font des enfants, ont une carrière profession-nelle, font fortune et se ruinent, et agissent par ailleurs comme tous les personnages dans des romans plus conven-tionnels. Le roman industriel a apporté au roman anglais une veine originale qui survit encore dans la période contemporaine ; on la retrouve dans l'œuvre de Lawrence et de Forster, par exemple. Mais ce n'est pas un hasard si elle est d'abord apparue pendant la période que les histo-riens appellent la 'période des ventres-creux'.

"Vers le milieu du XIXe siècle, la Révolution industrielle avait fini par briser complètement les structures tradition-nelles de la société anglaise, apportant la richesse à quelques-uns et la misère à beaucoup. Les paysans, privés de leur subsistance lorsqu'on clôtura les terres à la fin du XVIIIe siècle et au début du XIXe, se ruèrent vers les villes des Midlands et du Nord où une politique de laisser-faire les força à travailler pendant de longues heures dans des conditions sordides et pour des salaires de misère, les pri-vant de leur emploi dès que le marché déclinait.

"Lorsque les travailleurs essayèrent de défendre leurs intérêts en créant des syndicats, ils se heurtèrent à la résis-tance impitoyable des patrons. Les classes laborieuses ren-contrèrent encore davantage de résistance lorsqu'elles tentèrent d'obtenir un pouvoir politique à travers le Mouvement Chartiste."

Robyn lève les yeux de ses notes et parcourt son audi-toire du regard. Certains étudiants retranscrivent conscien-cieusement chacune de ses paroles, d'autres l'observent d'un air narquois en mâchonnant le bout de leur crayon à bille, et ceux qui, au début, avaient l'air de s'ennuyer, regardent maintenant par la fenêtre, d'un air distrait, ou gravent méthodiquement leurs initiales sur les pupitres de l'amphi.

"La Charte du Peuple réclamait le suffrage universel pour les hommes. Ces extrémistes très éclairés n'ont apparemment jamais imaginé qu'ils pouvaient réclamer le suffrage universel aussi pour les femmes."

A ces mots, tous les étudiants réagissent, y compris ceux qui regardaient par la fenêtre. Ils sourient, acquiescent ou poussent des grognements ou des sifflements qui n'ont rien d'hostile. C'est cela qu'ils attendent de Robyn Penrose, et même les joueurs de rugby de la rangée du fond seraient un peu déçus si elle ne faisait pas ce genre d'observation de temps en temps.

Vic Wilcox demande à Brian Everthorpe de rester pour une réunion qu'il a organisée avec ses responsables des services techniques et ceux de la production. Les voilà justement qui pénètrent l'un après l'autre dans le bureau et viennent prendre place autour de la longue table en chêne ; ils ont tous un peu peur de Vic, ces hommes graves en costume de confection, avec leurs stylos et leurs crayons qui dépassent de leur poche de poitrine. Brian Everthorpe prend un fauteuil à l'autre bout de la table, un peu à l'écart pour bien montrer qu'il se distingue des ingénieurs. Vic s'asseoit à la place du directeur, en manches de chemise, une tasse de café froid à moitié pleine à sa droite. Il déplie une feuille de papier informatique.

"Est-ce que quelqu'un pourrait me dire, dit-il, combien de produits différents notre firme a fabriqués l'an dernier ? Silence. Neuf cent trente-sept. C'est-à-dire, selon moi, neuf cents de trop.

– Vous voulez dire différents modèles, non ? Pas différents produits, dit le responsable technique avec un brin d'audace.

– D'accord, différents modèles. Mais, pour chaque modèle, nous sommes obligés d'arrêter la production, de reconfigurer et de relancer les machines, d'arrêter une chaîne de montage, et je ne sais quoi encore. Ça prend du temps, et le temps c'est de l'argent. Par ailleurs, les ouvriers ont davantage tendance à faire des erreurs quand les installations changent sans arrêt, et cela accroît fatalement nos pertes. Je n'ai pas raison ?"

"Il y eut deux temps forts dans l'histoire du Mouvement Chartiste. Le premier fut la présentation d'une pétition, signée par des millions de gens, devant le Parlement en 1839. Elle fut repoussée, ce qui déclencha toute une série de grèves et de manifestations dans l'industrie, et amena le Gouvernement à prendre des mesures de répression. Tel est le contexte dans lequel se situent *Mary Barton* de Mrs. Gaskell et *Sybil* de Disraeli. Le second temps fort fut la présentation d'une autre pétition monstre, en 1848, qui servit d'arrière-plan à *Alton Locke* de Charles Kingsley. 1848 fut une année de révolutions à travers toute l'Europe, et beaucoup de gens en Angleterre craignaient que le Chartisme ne finît par apporter la révolution, et même la Terreur, dans le pays. Le roman de l'époque a tendance à présenter toutes les revendications de la classe ouvrière comme une menace contre l'ordre social. Cela est vrai aussi dans *Shirley* de Charlotte Brontë (1849). Bien que l'action se situe pendant les guerres napoléoniennes, l'évocation des émeutes Luddites constitue manifestement un commentaire oblique sur des événements plus brûlants."

Trois garçons noirs, coiffés d'énormes bonnets en laine multicolore, enfoncés tels des couvre-théières sur leur coiffure rasta, sont appuyés à la vitre du salon de thé de la galerie marchande ; ils pianotent contre la vitre avec leurs doigts sur un rythme reggae mais à la fin la tenancière leur demande de déguerpir.

"On m'a dit qu'il y avait encore eu des incidents à Angleside pendant le week-end", dit Marjorie en essuyant l'écume de son cappucino sur ses lèvres avec un joli papier de soie très fin.

Angleside est le ghetto noir de Rummidge ; le taux de chômage des jeunes y atteint 80% et des émeutes éclatent constamment. Il y a des queues interminables devant le bureau de l'Agence pour l'Emploi d'Angleside ce matin, comme d'ailleurs tous les matins. Les seuls postes disponibles à Angleside sont des postes de prospecteurs-placiers à l'Agence pour l'Emploi où les meubles sont vissés au plancher au cas où les clients tenteraient de s'en servir pour agresser les prospecteurs-placiers.

"Ou peut-être couleur huître, dit Sandra d'un air songeur. Pour aller avec mon pantalon rose."

"Je m'explique, dit Vic. Nous produisons trop de choses différentes mais en quantité insuffisante, et pour répondre à des commandes trop faibles. Il faut faire un effort de rationalisation. Offrir un choix limité de produits standard à des prix compétitifs. Encourager nos clients à développer leurs systèmes autour de nos produits.

– Pourquoi se donneraient-ils cette peine ? demande Brian Everthorpe, se basculant en arrière sur son siège et glissant ses pouces dans les poches de son gilet.

– Parce que les produits seront bon marché, fiables et disponibles presque instantanément, dit Vic. S'ils veulent qu'on leur fabrique des modèles spéciaux, d'accord, mais alors il faut exiger une grosse commande ou un prix élevé.

– Et s'ils ne veulent pas jouer le jeu ? dit Brian Everthorpe.

– Alors ils n'auront qu'à aller voir ailleurs.

– Ça ne me plaît pas, dit Brian Everthorpe. Ce sont les petites commandes qui amènent les grosses."

Pendant tout ce débat, les autres personnes présentes ne cessent de tourner la tête d'un côté puis de l'autre, tels des spectateurs à un match de tennis. Ils semblent fascinés mais un peu inquiets.

"Je ne le crois pas, Brian, dit Vic. Pourquoi les clients se donneraient-ils la peine de commander en grande quantité alors qu'ils peuvent le faire en petite quantité tout en maintenant leurs stocks à un niveau très bas ?

– Il s'agit seulement de satisfaire la clientèle, dit Brian Everthorpe. Pringle a un slogan…

– Oui, je le connais, Brian, dit Vic Wilcox. *Si ça peut se fabriquer, Pringle le fabrique*. Eh bien, je propose un autre slogan : *Si c'est rentable, Pringle le fabrique*."

"Mr. Gradgrind, dans *Temps difficiles,* incarne l'esprit du capitalisme industriel tel que le voyait Dickens. Sa philosophie est utilitaire. Il méprise l'émotion et l'imagination, et ne croit qu'aux 'Faits'. Ce roman montre, entre autres choses, l'effet désastreux de cette philosophie sur les propres enfants de Mr. Gradgrind – Tom se met à voler et Louisa tombe presque dans l'adultère – et aussi sur la vie des classes laborieuses de Coketown, cette ville sinistre à l'image de cet homme, qui possède :

> *plusieurs rues toutes plus au moins semblables, et beaucoup d'autres rues encore plus semblables les unes que les autres, peuplées de gens tous identiques qui sortaient et rentraient tous à la même heure, faisaient tous le même bruit sur la chaussée, pour se rendre au même travail, et pour qui chaque jour ressemblait à celui de la veille et à celui du lendemain, et chaque année était comme la précédente et comme la suivante.*

"Par contraste avec ce genre de vie aliénée et répétitive, il y a le cirque, cette communauté pleine de spontanéité, de générosité et d'imagination créative. *'Laizez-nous zouer, m'zieur,'* dit en zézéyant le directeur du cirque, Mr. Sleary, en s'adressant à Gradgrind. *'Les zens ont bezoin de z'amuzer'*. C'est Cissie, la fille de l'écuyer que tout le monde méprise et qu'adopte Gradgrind qui, en définitive, constitue la force rédemptrice dans la vie de celui-ci. Le message de ce roman est donc clair : l'aliénation liée au travail sous la loi du capitalisme industriel peut être vaincue grâce aux vertus de la bienveillance, de l'amour et de l'imagination ludique, vertus que représentent Cissie et le cirque dans le roman."

Robyn s'arrête pour permettre aux crayons qui courent sur le papier de rattraper le fil de son discours et pour bien mettre en valeur sa dernière phrase : "Bien sûr, une telle lecture est tout à fait insuffisante. Les positions idéologiques de Dickens sont bourrées de contradictions."

Les étudiants, qui jusque-là avaient tout pris en note, lèvent les yeux et adressent à Robyn Penrose un petit sourire grimaçant, comme s'ils s'estimaient victimes d'un superbe canular. Ils posent leurs crayons et détendent leurs doigts tandis qu'elle fait une pause et feuillette ses notes avant de poursuivre sa démonstration.

Rue Avondale : les fils Wilcox se sont enfin levés et, se retrouvant seuls dans la maison, prennent leurs aises. Gary est dans la cuisine en train de manger un énorme bol de cornflakes en même temps qu'il lit la revue *Home Computer* qui est posée contre la bouteille de lait, et écoute à distance, à travers le vestibule et deux portes ouvertes, un disque de UB40 qu'il a mis le plus fort possible sur la chaîne du salon. Raymond, dans sa chambre, torture sa guitare électrique, branchée sur un ampli gros comme un cercueil debout, et génère des hurlements et des vagissements qui lui arrachent des grimaces diaboliques. Toute la maison vibre comme une caisse de résonance. Les bibelots tremblent sur les étagères et les verres tintent dans les placards. Un démarcheur, qui sonne à la porte d'entrée depuis plusieurs minutes, finit par renoncer et s'en va.

"Il est intéressant de constater que beaucoup de romans industriels furent écrits par des femmes. Dans toutes ces œuvres, les contradictions idéologiques qui caractérisent l'attitude libérale et humaniste des classes moyennes envers la Révolution industrielle prennent une coloration véritablement sexuelle."

Lorsqu'elle prononce le mot "sexuelle", un frémissement d'intérêt court parmi ses auditeurs toujours silencieux. Ceux qui rêvassaient ou gravaient leurs initiales sur les pupitres redressent la tête. Ceux qui prenaient des notes continuent de le faire avec encore plus d'application. On cesse de tousser, de renifler ou de remuer les pieds. Tandis que Robyn poursuit, le son de sa voix n'est troublé périodiquement que par le froissement d'une feuille 21 x 29,7 que l'on arrache brusquement d'un bloc-notes.

"Inutile de vous dire que le capitalisme industriel est phallocentrique. Les inventeurs, les ingénieurs, les propriétaires d'usines et les banquiers qui l'alimentaient et le faisaient vivre étaient tous des hommes. L'indice métonymique le plus manifestement lié à l'industrie, à savoir la cheminée d'usine, est aussi par métaphore un symbole phallique. Toute cette imagerie qui revient sans cesse dans l'évocation du paysage industriel, tant rural qu'urbain, dans toute la littérature du XIXᵉ siècle – les hautes cheminées qui se dressent dans le ciel et crachent des rubans de fumée noire, les bâtiments qui vibrent au rythme des machines puissantes, le train qui se rue inexorablement à travers la campagne passive – tout cela est imprégné d'une sexualité masculine à la fois dominatrice et destructrice.

"Ainsi, pour les romancières, l'industrie exerçait une fascination complexe. A un niveau conscient, c'était l'Autre, l'étranger, le monde mâle du travail, dans lequel elles n'avaient aucune place. Je ne parle bien sûr que des femmes des classes moyennes, car toutes les romancières de cette période appartenaient par définition à la classe moyenne. Au niveau inconscient, c'était ce qu'elles désiraient toutes pour remédier à leur propre castration, à leur sentiment aigu d'un manque."

Quelques étudiants lèvent les yeux en entendant le mot "castration" ; ils ne peuvent s'empêcher d'admirer l'aplomb avec lequel Robyn prononce ce mot, comme on admirerait la dextérité d'un barbier manipulant son coupe-chou bien aiguisé.

"Cela est parfaitement illustré par *Nord et Sud* de Mrs. Gaskell. Dans ce roman, l'héroïne, Margaret, jeune fille de bonne famille venue du sud de l'Angleterre, est obligée, à cause des difficultés financières de son père, de s'installer dans une ville nommée Milton, située tout près de Manchester, où elle entre en rapport avec le propriétaire d'un moulin local nommé Thornton. C'est un capitaliste de la plus belle espèce qui croit avec fanatisme aux lois de l'offre et de la demande. Il n'éprouve aucune pitié envers les travailleurs lorsque les temps sont durs et les salaires plutôt bas, et ne demande à personne de le plaindre en retour lorsqu'il se trouve lui-même confronté à la ruine. Margaret est rebutée au premier abord par l'éthique mercantile intransigeante de Thornton, mais lorsqu'une grève d'ouvriers tourne à la violence, elle se lance impulsivement dans l'action et lui sauve la vie, manifestant ainsi l'attirance inconsciente qu'elle éprouve envers lui, en même temps que sa solidarité de classe instinctive.

Margaret devient l'amie de plusieurs ouvriers et manifeste de la compassion pour leurs souffrances, mais lorsque survient le moment critique, elle se trouve du côté du maître. Tout l'intérêt que porte Margaret à la vie de l'usine et aux procédés de fabrication, intérêt que sa mère juge sordide et répugnant, est une manifestation symbolique de ses sentiments érotiques non avoués pour Thornton. Ceci apparaît très clairement dans une conversation entre Margaret et sa mère lorsque celle-ci se plaint d'entendre sa fille utiliser un argot d'usine quand elle parle. Margaret rétorque :

— Si je vis dans une ville industrielle, il faut bien que j'utilise le langage de l'usine quand j'en ai besoin. Je t'assure, maman, que tu serais étonnée d'entendre tous ces mots que tu n'as jamais entendus de ta vie. Tu ne sais pas ce que c'est qu'un jaune, j'imagine.
— Non, je ne le sais pas, ma fille. Tout ce que je sais c'est que ça fait plutôt vulgaire ; et je ne veux plus entendre ce mot dans ta bouche."

Robyn lève les yeux de son exemplaire de *Nord et Sud* d'où elle a extrait ce passage et contemple posément son auditoire de ses yeux gris-vert. "J'imagine que tout le monde sait ce que c'est qu'un jaune, métaphoriquement s'entend."

Les rires fusent dans l'auditoire, et les crayons à bille se mettent à courir plus vite que jamais sur le papier 21 x 29,7.

"Y a-t-il d'autres questions ? demande Vic Wilcox en regardant sa montre.
— Oui, une seule, dit Bert Braddock, le Chef d'atelier. Si nous rationalisons la production comme vous le dites, est-ce que ça impliquera des licenciements ?
— Non, dit Vic, en regardant Bert Braddock droit dans les yeux. La rationalisation entraînera une croissance des ventes. Au bout du compte, nous aurons besoin d'embaucher des hommes et non d'en licencier." Au bout du compte peut-être, si tout se passe comme prévu, mais

Braddock sait aussi bien que Vic que certains licenciements seront inévitables à court terme. Cette passe d'armes a une fonction purement rituelle ; elle permettra à Bert Braddock de rassurer les contremaîtres s'ils se mettent à poser des questions embarrassantes.

Vic clôt la séance et, tandis que les hommes sortent l'un après l'autre, il se lève et s'étire. Il se rend à la fenêtre et joue avec le bout des stores. Il regarde le parking, de l'autre côté de la cour, avec ses voitures vides et silencieuses qui attendent patiemment leur propriétaire comme des chiens fidèles, et s'interroge sur les effets de cette réunion. Le téléphone sonne sur son bureau.

"C'est Roy Mackintosh, Wragcast, dit Shirley.

– Passez-le-moi."

Roy Mackintosh est Directeur Général d'une fonderie locale qui approvisionne Pringle en pièces moulées depuis des années. Il vient d'apprendre que Pringle ne renouvelle pas ses commandes et téléphone pour savoir pourquoi.

"Je suppose que quelqu'un vous a fait des prix plus avantageux, dit-il.

– Non, Roy, dit Vic. Nous nous approvisionnons nous-mêmes désormais.

– Avec votre vieille fonderie ?

– On a fait des aménagements.

– Il a dû falloir en faire, en effet… Roy Mackintosh n'a pas l'air convaincu. Après avoir débité tout un tas de banalités, il dit d'un ton désinvolte : Je passerai peut-être un de ces jours. J'aimerais bien jeter un coup d'œil à votre fonderie.

– Quand tu voudras. Vic n'est pas ravi, mais le protocole exige une réponse positive. Dis à ta secrétaire d'arranger ça avec la mienne."

Vic se rend dans le bureau de Shirley tout en enfilant la veste de son costume. Brian Everthorpe, qui est penché sur le bureau de Shirley, se redresse d'un air coupable. Encore en train de rouspéter contre le patron, probablement.

"Tiens, Brian. Tu es encore ici ?

– Je partais. Il sourit d'un air mielleux, tire sur les pans de son gilet pour cacher sa bedaine, et sort discrètement du bureau.

    – Roy Mackintosh veut passer voir la fonderie. Quand sa secrétaire vous appellera, repoussez le rendez-vous aussi longtemps que vous pourrez. J'veux pas que le monde entier apprenne l'existence du KW.

    – D'accord, dit Shirley qui en prend note.

    – Je m'en vais justement voir Tom Rigby. Je ferai un petit détour par l'atelier des machines.

    – Très bien", dit Shirley avec un sourire de connivence. Les visites fréquentes mais imprévisibles de Vic dans l'atelier sont très célèbres.

    Marion Russell, l'étudiante de Robyn, entre en courant dans un grand bâtiment du centre des affaires de Rummidge et demande son chemin à un vigile au bureau d'accueil. Elle est vêtue d'un long manteau noir qui pend de partout et porte un fourre-tout en plastique. L'homme demande à jeter un coup d'œil dans le sac et sourit en voyant ce qu'il contient. D'un geste, il lui indique l'ascenseur. Elle monte en ascenseur jusqu'au septième étage, s'engage ensuite dans un long couloir moquetté et s'arrête devant une pièce dont la porte est entrouverte. Du couloir, on entend des voix et des rires d'hommes et des bouchons de champagne qui sautent. Marion Russell s'arrête dans l'entrée, glisse un coup d'œil discret de derrière la porte, examine attentivement tout cet ensemble de gens et de meubles tel un voleur prospectant une propriété pour voir s'il sera facile d'y entrer et de s'en échapper rapidement. Rassurée, elle revient sur ses pas et passe aux toilettes des dames. Dans la glace, au-dessus du lavabo, elle se met une bonne couche de poudre compacte, du rouge à lèvres et du mascara, et se coiffe. Puis, elle s'enferme dans une des cabines, pose son sac sur le siège, et sort les instruments de son art : une guêpière rouge en satin, une culotte en dentelle noire, des bas résilles noirs et des chaussures luisantes à talons hauts.

    "Les auteurs qui ont écrit les romans industriels n'ont jamais réussi à résoudre dans leur fiction les contradictions inhérentes à leur statut dans la société. Au moment où ils décrivaient tous ces problèmes, Marx et Engels rédigeaient leurs textes féconds dans lesquels ils exposaient leurs solutions politiques. Mais les romanciers n'avaient jamais entendu parler de Marx et d'Engels ; et même s'ils avaient entendu parler d'eux et de leurs idées, ils s'en seraient probablement détournés, horrifiés, car ils auraient senti la menace qu'ils faisaient peser sur leur propre statut de privilégiés. Car, en dépit de l'horreur que leur inspiraient la crasse et l'exploitation engendrées par le capitalisme industriel, les romanciers étaient en quelque sorte eux-mêmes des capitalistes qui profitaient au maximum d'un système hautement commercialisé de production littéraire."

L'horloge du campus se met à sonner les douze coups de midi, et ses notes assourdies parviennent jusqu'à l'amphi. Les étudiants s'agitent fébrilement sur leurs sièges, trifouillent leurs feuilles et remettent le capuchon de leur stylo. On ferme brusquement les classeurs – les ressorts claquent comme des coups de revolvers. Robyn se hâte de conclure.

"Incapables d'envisager une solution politique aux problèmes sociaux qu'ils décrivaient dans leurs romans, les romanciers industriels ne pouvaient proposer que des solutions narratives aux dilemmes personnels de leurs personnages. Et ces solutions narratives sont invariablement négatives ou évasives. Dans *Temps difficiles,* l'ouvrier martyr, Stephen Blackpool, meurt en odeur de sainteté. L'héroïne de *Mary Barton,* une ouvrière, part pour les colonies avec son mari afin de commencer une vie nouvelle. Alton Locke, le héros de Kingsley, émigre après avoir été déçu par le Chartisme, et il meurt peu de temps après. Dans *Sybil,* l'humble héroïne s'avère être une riche héritière et peut finalement épouser son prétendant, un aristocrate bourré de bonnes intentions, sans bouleverser le système de classes ; un semblable coup de théâtre apporte une conclusion heureuse aux idylles de *Shirley* et de *Nord et Sud.* Mais si, de son côté, l'héroïne de *Felix Holt* de George Eliot renonce à son héritage, ce n'est en fait que pour épouser l'homme qu'elle aime. En bref, le roman victorien ne propose aucune autre solution aux problèmes posés par le capitalisme industriel en dehors de l'héritage, du mariage, de l'émigration ou de la mort."

Tandis que Robyn Penrose conclut son cours et que Vic Wilcox commence sa visite de l'atelier des machines, Philip Swallow revient d'une réunion éprouvante de la commission du troisième cycle de la Faculté des Lettres (on s'était chicané pendant deux heures à propos de la révision d'une clause proposée dans les règlements du Doctorat, et finalement on avait décidé de laisser les choses telles quelles, une perte de temps d'autant moins justifiée qu'il n'y avait désormais pratiquement plus de nouveaux candidats au Doctorat dans les domaines littéraires et artistiques) et trouve un message assez troublant, provenant du bureau du Président.

Pamela, la secrétaire, lui lit ce qu'elle a écrit sur son bloc-notes : "Le Chef de Cabinet du Président a téléphoné pour savoir si vous pouviez communiquer le nom de votre candidat au Système de Stage de l'Année de l'Industrie.

– Qu'est-ce que c'est que ça ?"

Pamela hausse les épaules : "Je n'en sais rien. Je n'en ai jamais entendu parler. Vous voulez que je téléphone à Phyllis Cameron pour le lui demander ?

– Non, non, surtout pas, dit Philip Swallow en palpant nerveusement son menton glabre. Seulement en dernier recours. Je ne tiens pas à ce qu'on passe pour des idiots à la Faculté des Lettres. On a assez de problèmes comme cela.

– Je suis sûre, en ce qui me concerne, que je n'ai jamais vu passer de lettre à ce sujet, dit Pamela pour sa défense.

– Non, non, c'est ma faute, j'en suis sûr."

C'est sa faute en effet. Philip Swallow retrouve la note du Président dans une enveloppe non ouverte au fond de la corbeille à correspondance reçue ; elle était coincée entre les pages d'une brochure offrant des voyages à prix promotionnels pour les vacances de Noël en Belgique qu'il a prise dans une agence de voyages en ville il y a quelques semaines. Pas étonnant qu'il ait traité cette missive avec une telle négligence : son aspect extérieur ne laissait pas prévoir qu'elle provenait d'un expéditeur aussi important. L'enveloppe brune en papier bulle est toute froissée et tombe en lambeaux ; à l'origine, elle avait été expédiée à l'Université par une maison d'édition spécialisée dans les livres scolaires dont le nom et l'adresse, imprimés en haut à gauche, ont été partiellement recouverts. Elle a déjà servi deux fois pour le courrier intérieur et a été recachetée avec des agrafes et du papier collant.

"Je trouve parfois que le Président exagère en cherchant à faire des économies à tout prix", dit Philip, en extrayant avec précaution la note polycopiée de son réceptacle rafistolé qui tombe en miettes. Le document est daté du 1er décembre 1985. "Mon Dieu", dit Philip, en se laissant tomber dans son fauteuil tournant pour le lire. Pamela suit avec lui en regardant par-dessus son épaule.

Expéditeur : Le Président.
Destinataire : Les Doyens des Facultés.
Objet : SYSTEME DE STAGE, ANNÉE DE L'INDUSTRIE
Comme vous le savez sans doute, 1986 a été désignée Année de l'Industrie par le Gouvernement. Le MEN par l'intermédiaire de la CUF, incite la CP à faire en sorte que toutes les universités à travers le Royaume-Uni...

"Il affectionne les acronymes, murmure Philip.
– Quoi ? demande Pamela.
– Tous ces sigles, dit Philip.
– C'est pour économiser du papier et du temps de frappe, dit Pamela. On nous a fait passer une note à ce sujet. Faut qu'on utilise des acromachins le plus souvent possible dans la correspondance interne de l'université."

... fassent un effort tout particulier pendant l'année qui vient pour se montrer attentives aux besoins de l'industrie, à la fois en collaborant au niveau de la recherche et du développement, et en proposant des étudiants diplômés très qualifiés et très motivés pour entrer dans l'industrie.

Un comité de travail a été mis en place en juillet dernier pour étudier comment notre Université pouvait contribuer à l'AI, et l'une des recommandations approuvées par le Conseil d'Université lors de sa séance du 18 novembre est que chaque Faculté nomme un membre du personnel pour "être stagiaire" auprès d'une personne occupant un poste de PDG dans l'industrie manufacturière locale, laquelle sera choisie par l'AMR au cours du deuxième trimestre.

"Je ne me souviens pas qu'on ait évoqué le sujet à la réunion du Conseil, dit Philip. Ça a dû passer sans qu'il y ait de débat. Qu'est-ce que c'est que l'AMR ?
– L'Association des Manufactures de Rummidge ? propose Pamela.
– Peut-être. Pas mal vu, Pam."

On pense volontiers un peu partout dans le pays que les universités sont des "tours d'ivoire" dont le personnel ignore tout de ce qu'est le commerce dans notre monde moderne. Que ce préjugé soit justifié ou non, l'important dans le climat économique actuel est que nous fassions tout notre possible pour le dissiper. Le SS devra administrer la preuve de notre volonté de nous informer sur les besoins de l'industrie.

"Le SS ? Il a ses propres troupes d'assaut, maintenant, le Président ?
– Je crois que ça veut dire le Système de Stage, dit Pamela.
– Oui, vous avez sûrement raison."

Le Stagiaire est la personne qui accompagne une autre personne dans toutes ses activités quotidiennes. Ainsi, le Stagiaire verra le travail de l'intérieur et aura une connaissance authentique qu'il n'obtiendrait pas par un simple entretien ou une visite guidée. L'idéal serait que le Stagiaire passe une ou deux semaines complètes avec son homologue, mais si cela ne peut se faire, on pourra se contenter d'une journée par semaine pendant tout le trimestre. A la fin de cette expérience, on demandera aux Stagiaires de rédiger un court rapport sur ce qu'ils ont appris.

Mesures à prendre : Les nominations doivent parvenir au bureau du Président avant le mercredi 8 janvier 1986.

"Mon Dieu !" répète Philip Swallow, lorsqu'il a fini de lire la circulaire.

Il est si angoissé qu'il a soudain envie d'uriner. Il se précipite vers les w.-c. des profs et trouve Rupert Sutcliffe et Bob Busby déjà nichés dans deux des trois urinoirs.

"Comme on se retrouve", dit Philip qui prend place entre eux deux. Sous son nez pend une poignée en caoutchouc hexagonale accrochée à une chaîne ; il y a un an, l'université a remplacé les chasses d'eau automatiques dans les toilettes pour hommes par ce système manuel afin d'économiser l'eau. Quelqu'un dans le Département du Génie Civil, inquiet de voir ces urinoirs entrer inutilement en éruption à intervalles réguliers pendant les longues heures de la nuit, y compris les dimanches et les jours fériés, avait imaginé ce système pour réduire la facture d'eau de l'université. "J'ai besoin d'un volontaire, dit Philip, et il explique en quelques mots le Système de Stage.

– Ce n'est malheureusement pas ma tasse de thé, dit Rupert Sutcliffe. Qu'est-ce qui te fait rire, Swallow ?

– Ma tasse de pets. Elle est bien bonne, Rupert, je dois l'admettre.

– *Thé.* J'ai dit tasse de thé, insiste Rupert Sutcliffe d'un ton glacial. Se balader toute une journée à travers une usine, ce n'est pas pour moi. Je ne connais rien de plus ennuyeux." Il reboutonne sa braguette (les pantalons de Sutcliffe datent de l'ère des boutons, et la coupe est à l'avenant) et bat en retraite en direction du lavabo à l'autre bout de la pièce.

"Et toi, Bob ?" dit Philip, tournant la tête dans l'autre direction. Bob Busby achève également de faire ce qu'il était venu faire dans l'urinoir, mais il se tortille et se démène pour tout remettre en place comme si son organe était d'une taille gigantesque et refusait obstinément de rentrer dans son slip.

“Absolument impossible ce trimestre, Philip. Avec tout le travail que me donne le SES, en plus du reste.”

Bob Busby avance la main devant Philip et tire sur la chaîne. La chasse d'eau se déclenche et asperge les chaussures et le bas du pantalon de Philip d'une fine pluie de goutelettes ; et la poignée, une fois relâchée, vient lui cogner dans le nez. Le Département du Génie Civil n'a manifestement pas envisagé tous les problèmes liés au maniement de la chaîne dans les urinoirs collectifs.

“Qui puis-je proposer, alors ? dit Philip Swallow d'un ton plaintif. Il faut que j'aie un nom aujourd'hui avant quatre heures et demie. Ça ne me laisse pas le temps de consulter les autres Départements.

— Pourquoi pas toi ! suggère Rupert Sutcliffe.

— Tu plaisantes. Avec tout le travail que j'ai comme doyen ?

— De toute façon, cette idée est totalement farfelue, dit Sutcliffe. Je ne vois pas ce que la Faculté des Lettres a à faire d'une Année de l'Industrie, ni ce qu'une Année de l'Industrie peut avoir à faire d'une Faculté des Lettres !

— Pourquoi tu ne poses pas la question au Président, Rupert ? dit Philip. *Qu'a la FAL à faire de l'AI et l'AI de la FAL ?*

— Je ne comprends rien à ce que tu dis.

— Je plaisantais, dit Philip à Sutcliffe qui déjà lui tourne le dos et s'en va. On n'a pas si souvent l'occasion de plaisanter quand on est doyen de notre chère FaL, poursuit-il à l'adresse de Bob Busby qui se recoiffe avec coquetterie devant la glace. On a des responsabilités mais pas de pouvoir. Tu vois, je devrais avoir assez de pouvoir normalement pour ordonner à l'un ou l'autre d'entre vous de faire cette connerie de stage.

— Tu ne peux pas, dit Bob Busby d'un air suffisant. Il faut d'abord que tu lances un appel de candidatures et organises une réunion du Département pour en discuter.

— Je sais, mais je n'ai pas le temps.

– Pourquoi tu ne demandes pas à Robyn Penrose ?

– La personne qui a le moins d'ancienneté dans le Département ? Allons, ça ne...

– Ça lui irait à merveille.

– Tu crois ?

– Bien sûr... avec le livre qu'elle a écrit sur le roman industriel pendant la période victorienne.

– Oh, je vois. Ce n'est pas tout à fait la même chose... C'est une idée quand même, Bob."

Plus tard dans la journée, bien plus tard, après que Shirley et l'autre secrétaire sont reparties chez elles, Vic, qui se retrouve seul dans le bâtiment administratif et travaille dans son bureau obscur à la lumière de la lampe, reçoit un coup de téléphone de Stuart Baxter.

"Tu es au courant de l'Année de l'Industrie, Vic ?

– Juste assez pour savoir que c'est une perte de temps et d'argent.

– J'aurais plutôt tendance à être de ton avis. Mais le Conseil d'Administration estime que nous devons y prendre part. C'est bon pour les PR du Groupe, tu comprends. Le Président est fana du projet. On m'a demandé de coordonner toutes les initiatives...

– Qu'est-ce que tu attends de moi ? l'interrompt Vic d'un ton excédé.

– J'y viens, Vic. Tu sais ce que c'est qu'un stagiaire ?"

Lorsque Stuart Baxter a fini de le lui expliquer, Vic dit :

"Pas question.

– Pourquoi pas, Vic ?

– Je ne tiens pas à voir un crétin d'universitaire me coller aux basques à longueur de journée.

– Seulement un jour par semaine, Vic, et pour quelques semaines seulement.

– Pourquoi moi ?

– Parce que tu es le DG le plus dynamique du secteur. On veut leur montrer ce qu'on a de mieux."

Vic sait que le compliment n'est pas sincère, mais il préfère ne pas le contester. Ça pourrait lui servir un jour de rappeler cela à Stuart Baxter.

"J'y réfléchirai, dit-il.

– Je regrette, Vic, mais il faut que je décide tout de suite. Je vois le Président ce soir à une réception.

– Tu t'y prends un peu tard, non ?

– Pour tout te dire, ma secrétaire s'est foutue dedans. Elle a perdu la lettre.

– Ah oui ? dit Vic d'un ton sceptique.

– J'apprécierais beaucoup si tu voulais coopérer.

– En somme, c'est un ordre ?

– Tu n'es pas drôle, Vic. On n'est pas à l'armée."

Vic fait attendre Baxter pendant quelques instants, calculant mentalement ce qu'il peut gagner en lui rendant ce service. "Et cette soufflerie de noyaux automatique...

– Envoie-moi un télex et je le fais passer tout de suite.

– Merci, dit Vic. Je le fais tout de suite.

– Et pour notre affaire ?

– D'accord.

– Parfait ! Le nom de ton stagiaire est Dr Robin Penrose.

– Un toubib ?

– Non.

– Pas un psy, j'espère ?

– Non, je crois savoir qu'il s'agit d'un Maître de Conférences en littérature anglaise.

– Maître de Conférences en quoi ?

– Je ne sais pas grand-chose d'autre sur lui... je n'ai reçu le message que cet après-midi.

– Et Jésus pleura."

Stuart Baxter glousse : "Tu as lu de bons livres ces temps-ci, Vic ?"

II

Mrs. Thornton poursuivit, après quelques instants de silence : "Connaissez-vous Milton, Miss Hale ? Avez-vous vu quelques-unes de nos usines ? nos superbes entrepôts ?

– Non, dit Margaret. Je n'ai rien vu de tel pour le moment."

Soudain elle sentit qu'en cachant son indifférence totale envers ces lieux, elle ne disait pas toute la vérité ; alors, elle poursuivit : "Pour être honnête, papa m'y aurait bien emmenée avant si je m'y étais intéressée. Mais, je l'avoue, je n'éprouve aucun plaisir à visiter des manufactures."

Elizabeth Gaskell : *Nord et Sud*

1

Dix jours plus tard, à huit heures et demie du matin, le mercredi 22 janvier, Robyn Penrose partait de chez elle de mauvaise humeur au beau milieu d'une tempête de neige pour prendre son poste de Stagiaire de la Faculté des Lettres de l'Université de Rummidge pour l'Année de l'Industrie, ou de SFaLURAI, comme on la désignait dans les circulaires émanant du bureau du Président. L'un de ces documents l'avait informée qu'elle était attachée à un certain M. Victor Wilcox, Directeur Général chez J. Pringle and Sons, un jour par semaine pendant tout le reste du deuxième trimestre, et elle avait choisi le mercredi car c'était le seul jour où elle n'enseignait pas. C'était donc le jour qu'elle passait généralement chez elle à rattraper son retard de corrections, à préparer ses cours et faire de la recherche, et elle renâclait beaucoup d'avoir à sacrifier tout cela. C'est pour cette raison principalement qu'elle avait failli décliner l'offre de Philip Swallow lorsque celui-ci avait proposé son nom pour le Système de Stage. Après tout, si l'université n'avait pas l'intention de la garder (Swallow avait eu la maladresse de faire sa demande le jour même où il lui avait communiqué son sinistre pronostic) pourquoi se donnerait-elle la peine de faire une fleur à l'université ?

"*Exactement,* lui avait dit Penny Black le soir suivant tout en enlevant son jean dans le vestiaire des femmes au Centre sportif universitaire. Je ne comprends pas pourquoi tu as accepté de le faire."

Penny était une amie féministe de Robyn qui enseignait dans le Département de Sociologie ; elles faisaient du squash ensemble une fois par semaine.

"Je regrette d'avoir accepté, dit Robyn. Si seulement je lui avais dit de... de...

– De se mettre son Système de Stage là où je pense. Oui, pourquoi tu ne l'as pas fait ?

– Je ne sais pas. Si, en fait, je le sais. Une petite voix, une affreuse petite voix intéressée m'a soufflé à l'oreille qu'un jour je pourrais avoir besoin d'une lettre de recommandation de Swallow.

– Tu as raison, ma chérie. C'est comme ça qu'ils nous baisent, tous ces hommes en position de responsabilité. C'est une lutte de pouvoir. J'en ai marre de ces crochets et de ces œillades."

Penny Black se débattait avec l'attache de son soutien-gorge passé à l'envers autour de sa taille comme une ceinture. Après avoir réussi à l'attacher, elle remit le soutien-gorge à l'endroit, ramassa ses seins volumineux dans les bonnets et glissa ses bras dans les bretelles. Le latex claqua contre sa chair ferme. Penny ne portait de soutien-gorge que lorsqu'elle jouait au squash ; sans ça, comme elle disait, ses nichons rebondissaient d'un mur à l'autre plus vite que la balle.

"Oh, je ne dirais pas cela de Swallow, objecta Robyn. Pour être juste, il ne doit pas en avoir beaucoup, de pouvoir. Il m'a pratiquement suppliée d'accepter.

– Alors, pourquoi tu n'as pas fait un marché avec lui ? Pourquoi tu ne lui as pas dit que tu voulais bien être sa stagiaire de merde s'il te titularisait ?

– Ne sois pas ridicule, Penny.

– Comment, ridicule ?

– Eh bien, premièrement, il n'est pas en mesure de m'accorder cela, et, deuxièmement, je ne me laisserais pas aller à de telles bassesses.

– Ah, vous, les Britanniques !" dit Penny Black, secouant la tête, au désespoir. Elle était britannique elle aussi, bien sûr, mais elle avait passé plusieurs années à préparer son doctorat en Californie où elle s'était convertie à une forme de féminisme pur et dur, si bien qu'elle se considérait spirituellement américaine et s'évertuait à parler comme si elle l'était. "Eh bien, poursuivit-elle tout en enfilant un polo Amazone rouge, il va falloir que tu passes ton agressivité sur le court de squash. Sa tête noire et ébouriffée émergea du col, toute souriante, comme d'une boîte à surprises. Pense aux couilles de Swallow quand tu tapes dans la balle."

Une femme entre deux âges, les cheveux gris, enveloppée dans un drap de bain, salua Robyn d'un geste de la tête comme elle sortait du sauna pour se rendre aux douches. Robyn lui répondit par un large sourire et sifflota entre les dents : "Par pitié, Penny, ne parle pas si fort ; c'est sa femme."

Charles trouva l'histoire très amusante lorsque Robyn lui téléphona un peu plus tard ce soir-là. Tout comme Penny, il se montra cependant très surpris que Robyn ait pu accepter d'être la Stagiaire de la Faculté des Lettres.

"Alors, là, je ne te reconnais pas.

– Après tout, je suis censée être spécialiste du roman industriel. Swallow a beaucoup insisté là-dessus.

– Mais pas dans un sens réaliste. Allons, tu ne vas pas me dire qu'il y a quoi que ce soit de commun…

– Non, non, bien sûr, dit Robyn, ne voulant surtout pas qu'on l'accuse de réalisme. Ecoute, j'essaie simplement de te dire que j'ai été soumise à une drôle de pression."

Elle commençait à comprendre qu'elle avait fait une erreur et s'était fait exploiter. C'était une sensation inhabituelle pour Robyn, et donc d'autant plus désagréable.

Cette intuition se transforma en certitude pendant les jours qui suivirent. Le matin qui devait marquer ses débuts dans le Système de Stage, elle se réveilla avec une boule à l'estomac ; le mauvais temps n'arrangeait rien. "Oh, non !" grogna-t-elle, en ouvrant le rideau de sa chambre et en découvrant que le ciel était rempli de flocons tourbillonnants, tel un presse-papiers en verre que l'on secoue. Une mince couche de neige couvrait déjà le sol durci par le gel et collait délicatement aux branches des arbres, aux fils à linge et à tout le bric-à-brac du jardin. Elle fut tentée un instant d'utiliser le mauvais temps comme prétexte et de remettre à plus tard sa visite chez J. Pringle and Sons, mais son éthique du travail qui l'avait conduite avec succès là où elle était, après toutes ces années d'études et tous ces examens, pesa de tout son poids sur sa conscience une fois de plus. Elle avait déjà repoussé l'épreuve d'une semaine, à cause de la grève du SES. Une nouvelle annulation ferait mauvaise impression.

Pendant le petit déjeuner (le *Guardian* n'avait pas été distribué, sans doute à cause de la neige), elle se demanda comment s'habiller pour la circonstance. Elle avait une salopette qu'elle avait achetée récemment chez Next et qui paraissait adaptée, a priori, mais elle était d'une couleur orange assez vive, avec des fleurs jaunes appliquées sur la bavette, ce qui manquait de dignité, peut-être. D'un autre côté, elle ne voulait pas faire preuve de trop de déférence et mettre son tailleur vert olive réservé aux entretiens. Que pouvait donc porter une femme libérée pour visiter une usine ? Jolie question de sémiotique. Robyn savait pertinemment que les vêtements ne remplissent pas seulement une fonction utilitaire, celle de recouvrir le corps, mais véhiculent des messages sur ce que vous êtes, ce que vous faites, et ce que vous ressentez. Finalement, elle se plia aux exigences du temps et choisit un pantalon en velours côtelé qu'elle rentra à la Cosaque dans ses grandes bottes, et un gros pull-over à col châle par-dessus un corsage Liberty. Pour compléter la tenue, elle mit sa veste beige en coton matelassée et une sorte de bonnet russe en fourrure artificielle. Ainsi vêtue, elle affronta le blizzard.

La petite Renault avait déjà l'air d'être sculptée dans la neige, et la clé refusa de tourner dans la serrure gelée de la portière. Elle la débloqua avec une seringue dégrippante importée de Finlande, nommée Superpiss – l'importation en avait été très vite abandonnée. Charles la lui avait offerte pour s'amuser, suggérant qu'elle l'utilise comme support visuel pour introduire la linguistique saussurienne devant les étudiants de première année, en tenant le tube bien en évidence afin de démontrer que ce qui est une simple onomatopée dans une communauté linguistique donnée peut être une obscénité dans une autre. La neige, qui collait aux vitres de la voiture, créait une atmosphère sépulcrale à l'intérieur, et Robyn passa plusieurs minutes à l'enlever avant d'essayer de démarrer le moteur. Bizarrement, vicieusement, et à son grand regret (une batterie à plat aurait constitué une excuse en béton pour annuler la visite), le moteur démarra tout de suite. Avec le plan de Rummidge ouvert sur le siège à côté d'elle, elle partit en direction des établissements J. Pringle and Sons situés quelque part à l'autre bout de Rummidge, dans ce quartier sombre de la ville qui lui était aussi étranger que la face cachée de la lune.

En raison du mauvais temps, Robyn décide de ne pas prendre l'autoroute ; mais, découvrant que les petites rues résidentielles sont traîtres et encombrées de véhicules abandonnés, elle se joint à un long convoi qui avance lentement sur le boulevard extérieur ; celui-ci n'a pas été prévu pour cela, à proprement parler, ce n'est qu'une succession de rues commerçantes et de grandes avenues qui traversent les banlieues et où la neige a déjà été tellement brassée qu'elle s'est transformée en une bouillie crasseuse. Elle a l'impression de pénétrer dans les entrailles de la ville en empruntant ce lent cortège péristaltique. Elle avance, elle s'arrête, elle se laisse glisser doucement en première, passe devant des magasins, des bureaux, des immeubles, des garages, des expositions de voitures, des églises, des fast-foods, une école, une salle de bingo, un hôpital, une prison. C'est quelque peu choquant de trouver cet établissement, une geôle victorienne sinistre, au beau milieu d'un faubourg ordinaire où les bus à impériale vont et viennent et où les ménagères, avec leurs sacs à provisions et leurs poussettes, vaquent à leurs activités ordinaires. Prison ! Il ne s'agit là que d'un mot pour Robyn, un mot qu'on trouve dans les livres ou les journaux, un symbole représentant autre chose : la loi, l'hégémonie, la répression (*"Le thème de la prison dans* La Petite Dorrit *constitue une articulation métaphorique puissante dans la critique de Dickens à l'égard de la culture et de la société victoriennes" – Discutez ce jugement*). En découvrant là cet édifice carré, en pierres noircies par la fumée, avec ses fenêtres à barreaux, sa grosse porte en fer cloutée, et ses grands murs hérissés de barbelés, elle frémit et songe à tous ces hommes entassés à l'intérieur dans des cellules minuscules qui puent la sueur et l'urine – violeurs et maquereaux, bourreaux de femmes et bourreaux d'enfants entassés pêle-mêle – et elle a le cœur serré en pensant que le crime et le châtiment sont également horribles, également inévitables ; à moins que les hommes se mettent à changer et finissent par devenir tous comme Charles, ce qui a peu de chance d'arriver.

Le convoi se traîne. Encore des magasins, des bureaux, des garages et des marchands de sandwichs. Robyn passe devant un cinéma transformé en salle de bingo, devant une église transformée en Centre Culturel, devant une Coopérative transformée en Centre de Distribution de Produits Congelés. Cette partie de la ville n'a pas ce charme particulier qui caractérise le quartier de Robyn où les épiceries diététiques, les boutiques de vêtements de sport et les librairies ésotériques ont fleuri pour répondre à la demande des étudiants et des cadres progressistes qui vivent là ; on n'y trouve pas, non plus, tous ces espaces verts qui agrémentent les rues résidentielles autour de l'université. On y voit de rares arbres mais jamais de parc. Il y a par endroits des rangées de maisons toutes semblables dont les occupants semblent avoir abandonné le combat contre le bruit et la pollution du boulevard extérieur et s'être réfugiés dans les pièces de derrière : les façades perdent leur crépi et se dégradent, et les rideaux pendent tristement aux fenêtres comme s'ils étaient toujours tirés. Ici ou là, il y a eu des tentatives de rénovation, mais toujours avec un goût déplorable : fenêtre en saillie de style "géorgien" ou porches en pin de style scandinave plaqués sur des façades victoriennes ou édouardiennes. Les magasins sont tape-à-l'œil ou bien minables. Dans les magasins tape-à-l'œil, les vitrines sont encombrées de marchandises de série à bon marché, de kyrielles de télés frappées de conjonctivite qui clignotent et battent des paupières toutes en même temps, de machines à laver et de réfrigérateurs d'un blanc aveuglant, de chaussures laides, de vêtements laids, de meubles affreusement laids, le tout en plastique vernissé et en tissus synthétiques. Dans les autres magasins, les vitrines ressemblent à des cimetières pour objets mal aimés ou non convoités : robes à fleurs en tissu mou, lingerie jaunie, boîtes de chocolat couvertes de chiures de mouches et jouets en plastique pleins de poussière. Les gens dérapent et glissent sur les trottoirs, se font éclabousser de neige fondue par les voitures qui passent, et ont des airs stoïques et malheureux, comme s'ils n'attendaient plus rien d'autre de la vie. Un passage de D. H. Lawrence – dans *Femmes amoureuses* ou *l'Amant de Lady Chatterley ?* – lui revient en mémoire : *"Elle fut prise d'un mouvement de panique, et sentit toute cette désolation grise et lugubre qui collait à tout."*

Comme elle aimerait être chez elle dans sa petite maison douillette, pianoter sur sa machine à traitement de texte, disséquer les lexèmes de quelque grand classique victorien, détacher avec délicatesse le code herméneutique du code proaïrétique, le code culturel du code symbolique, tout entourée de ses livres et de ses classeurs, avec le radiateur à gaz qui siffle et une tasse de café bien chaud à portée de la main. Elle passe devant des laveries, des salons de coiffure, des bureaux de loterie, des Sketchley, Motapart, et autres Curry, devant une poste, un centre de bricolage, un centre de prothèses dentaires, un centre pour pots d'échappement. Un centre de réanimation, voilà ce qu'il va bientôt lui falloir. La ville n'en finit pas ; ou peut-être qu'elle tourne en rond sur le boulevard extérieur en une boucle sans fin ! Non, ce n'est même pas cela. Elle n'est plus sur le boulevard extérieur. Elle a perdu son chemin.

Robyn pense qu'elle doit se trouver à Angleside, parce que les visages des gens qui piétinent sur les trottoirs ou qui s'entassent tristement dans les stations de bus sont basanés pour la plupart ; leurs yeux sont noirs, et, sous les manteaux miteux que portent les femmes, on voit briller la frange de saris de soie éclatants, tout éclaboussés de boue. Tous les noms sur les façades des magasins sont asiatiques. Grand Magasin Nanda. Confiserie Sabar. Rajit et Frères : Import-Export. Imprimeurs du Pendjab-SGDG. Usha Saree Centre. A un feu rouge, Robyn consulte son guide, mais, avant d'avoir pu trouver l'endroit sur la carte, le feu passe au vert et les voitures klaxonnent avec impatience derrière elle. Elle tourne dans la première rue à gauche et se retrouve dans une zone pleine d'immeubles abandonnés, incendiés ou entourés de palissades ; c'est là qu'ont dû se dérouler les émeutes de l'an dernier, comprend-elle soudain. Maintenant, ce sont les visages antillais qui sont les plus nombreux sur les trottoirs. Des jeunes gens, avec d'immenses chapeaux sur la tête, traînent dans les entrées de magasins et de cafés, les mains enfoncées dans les poches ; ils bavardent et fument, sautillent pour se réchauffer, ou se lancent des boules de neige d'un trottoir à l'autre par-dessus les toits des voitures qui passent. Comme c'est étrange, comme c'est triste, de voir tous ces visages des tropiques au milieu de cette boue et de cette neige sale, toute cette désolation grise et lugubre d'une ville industrielle anglaise au cœur de l'hiver.

Immobilisée sur la première file, Robyn croise le regard d'un jeune Antillais à la coiffure rasta, tapi dans l'entrée d'un magasin désaffecté, et elle lui adresse un grand sourire amical et pas raciste du tout. A sa grande surprise, le jeune homme se redresse, sort ses mains des poches de son blouson en cuir noir, s'approche de la voiture et penche la tête au niveau de la portière. Il baragouine quelque chose à travers la vitre mais elle ne l'entend pas. La voiture devant elle avance de quelques mètres, mais lorsque Robyn se laisse glisser un peu à son tour, le jeune homme pose la main sur l'aile de la Renault pour l'empêcher d'avancer. Robyn se penche par-dessus le siège à côté d'elle et baisse un peu la vitre. "Oui ?" dit-elle, d'une petite voix aiguë en réprimant sa peur.

"T'en veux ? dit-il avec son gros accent de Rummidge.
– Quoi ? dit-elle, l'air déconcerté.
– T'en veux ?
– De quoi ?
– D'l'herbe, ma vieille, qu'est-ce tu crois ?
– Oh ! dit Robyn, qui a enfin pigé. Non, merci.
– Quèquechose d'autre, alors ? de l'héro ? du speed ? T'as qu'à demander.
– Non, non, merci, c'est très gentil mais…" La voiture

devant elle avance encore un peu et celle qui est derrière klaxonne d'impatience. "Je regrette, je ne peux pas m'arrêter !" lui crie-t-elle en relâchant l'embrayage. Dieu merci, le flot de voitures progresse de cinquante mètres avant de s'immobiliser à nouveau, et le rasta ne la poursuit pas davantage ; Robyn garde cependant un œil inquiet sur son rétroviseur.

Elle voit soudain un panneau indiquant Wallsbury Ouest, quartier où se trouve J. Pringle and Sons ; elle prend cette direction en bénissant le sort. Mais la neige, qui tombe modérément depuis une demi-heure, redouble soudain avec fureur, limitant la visibilité. Elle se retrouve sur une route à quatre voies, presque une autoroute, qui est légèrement surélevée par rapport aux maisons du quartier et où il ne semble pas y avoir de sortie. Elle est obligée de rouler plus vite qu'elle ne le voudrait, intimidée qu'elle est par la masse imposante des camions qui la harcèlent derrière avec leurs grosses calandres qui ressemblent à des falaises dans son rétroviseur, les chauffeurs demeurant invisibles au-dessus. Par moments, l'un de ces véhicules déboite et double en trombe, éclaboussant ses vitres de côté et faisant vaciller la petite Renault sous l'effet du courant d'air. Comment ces hommes (ce sont tous des hommes, bien sûr) peuvent-ils conduire leurs mastodontes à une vitesse aussi folle dans des conditions aussi épouvantables ? Robyn, affolée, s'accroche à son volant, tel le timonier à sa barre au milieu d'une tempête, tendant le cou pour voir, derrière les essuie-glaces en délire, la route qui devant elle étire ses sillons jaunâtres de neige fondue. Au dernier moment, elle aperçoit une rampe qui descend à gauche et elle déboîte. En bas, il y a un rond-point dont elle fait deux fois le tour, en essayant de lire les panneaux. Elle sort comme elle peut et s'arrête au bord de la route pour consulter son plan, mais il n'y pas de nom de rue alentour pour lui permettre de s'orienter. Apercevant au loin le signe jaune et rouge de Shell, elle continue un peu et entre dans le parking d'une station self-service.

A l'intérieur de la boutique, un jeune Asiatique au visage triste, les doigts enveloppés dans des mitaines, disparaît derrière un écran de présentoirs pleins de montres à quartz de pacotille, de stylos à bille, de bonbons et de cassettes ; lorsqu'elle lui demande le nom de la rue, il secoue la tête et hausse les épaules. "Vous n'allez tout de même pas me dire que vous ne connaissez pas le nom de la rue où se trouve votre garage !" dit-elle d'un ton brusque, l'exaspération lui faisant oublier sa gentillesse naturelle envers les minorités raciales.

"C'est pas mon garage, dit le jeune homme avec un gros accent de Rummidge. Ch'travaille ici, c'est tout.

– Savez-vous au moins si je suis à Wallsbury Ouest ?"

Le jeune homme veut bien l'admettre. Sait-il comment se rendre chez J. Pringle and Sons ? Il secoue de nouveau la tête.

"Pringle ? Je vous y emmène."

Robyn se retourne et se trouve face à face avec l'homme qui vient d'entrer dans la boutique : grand, corpulent, favoris en broussaille, moustache, veste en peau de mouton qui s'ouvre sur un costume trois-pièces.

"Ce serait avec plaisir, ajoute-t-il en souriant et en examinant Robyn des pieds à la tête.

– Si vous pouviez seulement me montrer le chemin sur cette carte, dit Robyn sans lui rendre son sourire, je vous serais très reconnaissante.

– Je vais vous y emmener. Laissez-moi le temps de régler mes affaires avec Ali Baba.

– Merci, mais j'ai une voiture.

– Alors vous n'avez qu'à me suivre.

– Non, je ne veux pas vous ennuyer. Il suffit que vous me...

– Vous ne m'ennuyez pas, ma petite dame. C'est là que je me rends moi aussi. Puis, voyant l'air sceptique de Robyn, il ajoute en riant : C'est là que je travaille.

– Oh, alors, dans ce cas... Merci.

– Qu'est-ce qui peut bien vous amener chez Pringle ? demande l'homme en signant son reçu de carte de crédit d'un trait de crayon. Vous allez travailler pour nous, vous aussi ? Comme secrétaire ?

– Non.

– Dommage. Vous n'êtes pas une cliente, j'imagine ?

– Non.

– Alors… quoi ? Vous n'allez pas m'obliger à jouer au jeu des questions et des réponses ?

– Je viens de l'Université de Rummidge. Je, je participe en fait au… c'est-à-dire que je fais en quelque sorte une visite éducative."

L'homme s'arrête brusquement alors qu'il était en train de remettre son portefeuille dans sa poche. "Ne me dites pas que vous êtes le stagiaire de Vic Wilcox !

– Si."

Il reste bouche bée pendant quelques instants, puis éclate de rire en se tapant sur la cuisse. "Ça alors, Vic va avoir une drôle de surprise.

– Pourquoi ?

– Eh bien, il s'attendait… à quelqu'un de différent. De plus âgé. Il renifle et essaie de ne pas rire. De moins joli, aussi.

– On ferait mieux de partir, dit Robyn d'un ton glacial. Je vais être très en retard.

– Ça n'étonnera personne avec ce temps-là. Je suis moi-même un peu en retard. C'était la panique sur l'autoroute. Au fait, je m'appelle Brian Everthorpe, Directeur du Marketing chez Pringle." Il sort une petite carte du gousset de son gilet et la lui présente.

Robyn la lit à voix haute : "Tables de bronzage Riviera. Location à la journée ou à la semaine.

– Zut, ce n'est pas la bonne carte, elle s'est glissée parmi les miennes, dit Brian Everthorpe en échangeant la carte contre une autre. Une bonne petite entreprise, soit dit en passant, les Tables de bronzage Riviera. Je connais la maison. Je peux vous faire avoir une réduction si ça vous intéresse.

– Non, merci, dit Robyn.

– Ça vous donne un bronzage superbe. Aussi efficace qu'un voyage à Tenerife, et pour infiniment moins cher.

– Je ne me grille jamais au soleil, dit Robyn. Ça donne le cancer de la peau.

– Si on devait écouter les journaux, dit Brian

Everthorpe, tout ce qui fait plaisir est mauvais pour la santé. Il ouvre la porte de la boutique et laisse entrer un tourbillon de neige. Vous voyez la Granada, là-bas, à la pompe numéro deux, c'est la mienne. Collez-vous à moi et ne me lâchez pas, comme dit l'abeille au pollen."

Brian Everthorpe fit passer Robyn par un itinéraire tortueux, empruntant des rues bordées d'usines et d'entrepôts souvent désaffectés sur lesquels on voyait parfois des pancartes "A Vendre" ou "A Louer" ; certains étaient même déjà en ruines ou totalement délabrés, laissant passer la neige par les fenêtres brisées. Il n'y avait pas âme qui vive sur les trottoirs. Elle était contente qu'Everthorpe lui serve de guide, même si elle n'appréciait guère ses manières et sa façon autoritaire de régler la mise en scène de son arrivée chez Pringle. A l'entrée de l'usine, il eut une petite discussion avec l'homme qui surveillait la grille et descendit de sa voiture pour parler à Robyn. Elle baissa sa vitre.

"Désolé, mais le type de la sécurité insiste pour que vous signiez le registre des visiteurs. Il a peur que Vic l'engueule, autrement. C'est un véritable père-fouettard, Vic, il vaut mieux que vous le sachiez. Son regard tomba alors sur le petit tube qui traînait sur le tableau de bord. Superpiss ! C'est pour quoi faire ? dit-il en gloussant.

– C'est pour dégripper les serrures de voiture, dit Robyn qui s'empressa de le ranger dans la boîte à gants. Ça vient de Finlande.

– Je préfère utiliser le mien, dit Brian Everthorpe très fier de sa plaisanterie. Ça ne coûte rien et il n'y a qu'à tourner le robinet."

Robyn descendit de sa voiture et aperçut à travers les grilles, de l'autre côté du parking, un bâtiment administratif en briques et, derrière, un haut bâtiment sans fenêtres ; le spectacle était presque aussi déprimant que la prison qu'elle avait vue ce matin. Seul le tapis de neige parvenait à masquer la grisaille, mais un homme, au volant d'un petit tracteur muni d'une pelle, était en train de le rouler.

"Où sont les cheminées ? demanda-t-elle.

– Quelles cheminées ?

– Allons, vous savez bien. Ces grands machins d'où sort la fumée."

Brian Everthorpe éclata de rire. "On n'en a pas besoin. Tout marche au gaz et à l'électricité." Il la regarda d'un air narquois. "Vous êtes déjà entrée dans une usine ?

– Non, dit Robyn.

– Je vois. Vierge, quoi ! Du moins pour ce qui est des usines, je veux dire. Il fit un petit sourire et se caressa les favoris.

– Où est le registre des visiteurs ?" demanda Robyn froidement.

Après qu'elle l'eut signé, Brian Everthorpe la conduisit vers la partie du parking réservée aux visiteurs et l'attendit à l'entrée du bâtiment administratif. Il la fit entrer dans un hall surchauffé aux murs lambrissés.

"Je vous présente le Dr Penrose", dit-il aux deux femmes qui se trouvaient derrière le comptoir d'accueil. Elles la dévisagèrent comme si elle débarquait d'une autre planète tandis qu'elle enlevait la neige de son bonnet en fourrure et de sa veste matelassée. Je vais avertir M. Wilcox qu'elle est ici, dit Brian Everthorpe, et Robyn crut remarquer qu'il leur faisait un clin d'œil, mais elle ne comprit pas pourquoi. Asseyez-vous, dit-il en lui indiquant un divan élimé que Robyn aurait bien vu dans le foyer d'un cinéma d'autrefois. J'en ai pour une seconde. Puis-je prendre votre veste ? Remarquant la façon qu'il avait de l'examiner de la tête aux pieds, Robyn regretta de ne pas avoir gardé sa veste sur elle.

"Merci, je la garde avec moi."

Everthorpe s'éloigna et Robyn s'assit. Les deux femmes à l'accueil évitaient de croiser son regard. L'une était en train de taper à la machine et l'autre était au standard téléphonique. Toutes les deux ou trois minutes, l'opératrice débitait la même rengaine monotone : "J. Pringle and Sons, bonchour. Que puiche faire pour vous ?" puis aussitôt : "Ch'vous le passe", ou "Ch'ergrette, ça ne répond pas". Entre les appels, elle murmurait des choses incompréhensibles à sa compagne et caressait sa chevelure blonde platinée comme s'il s'agissait d'un petit animal malade. Robyn regarda autour d'elle. Il y avait des photographies et des certificats encadrés sur les murs lambrissés, et aussi des pièces de machines bien polies sous une vitrine en verre. Sur la table basse devant elle, il y avait des revues professionnelles de mécanique et un exemplaire du *Financial Times*. Nulle part au monde, se dit-elle, il ne pouvait y avoir d'endroit plus ennuyeux. Rien de ce qu'elle voyait ici ne suscitait en elle le moindre intérêt, mis à part un panneau d'affichage où, sous la date du jour, on avait inscrit avec des lettres mobiles en plastique le message suivant : *"J. Pringle and Sons souhaitent la bienvenue au Dr Robin Penrose de l'Université de Rummidge."* Voyant alors que les deux femmes la regardaient, Robyn sourit et dit : "C'est Robyn avec un 'y' et non avec un 'i'." A sa grande confusion, elles partirent toutes les deux d'un gros éclat de rire.

Vic Wilcox était en train de dicter une lettre à Shirley quand Brian Everthorpe frappa et glissa la tête à la porte, le visage mystérieusement illuminé d'un large sourire.

"Une visite pour toi, Vic.

– Ah ?

– Ton stagiaire.

– Il est en retard.

– Pas surprenant, tu sais, avec ce temps-là ! Et Brian Everthorpe entra dans la pièce sans y avoir été invité. C'était la panique sur l'autoroute.

– Tu devrais t'installer en ville, Brian.

– Oui, bien sûr, mais Beryl adore la campagne, tu comprends... Cette histoire de stage, comment ça se passe exactement ?

– Tu sais bien comment ça se passe. Le stagiaire me suit partout où je vais toute la journée.

– Comment, partout ?

– C'est ce qui est prévu.

– Même aux toilettes ?" Brian Everthorpe éclata de rire en posant cette question.

Vic le regarda d'un air intrigué puis jeta un coup d'œil en direction de Shirley qui fronça les sourcils et haussa les épaules, interloquée. "Tu vas bien, Brian ? demanda Vic.

– Tout à fait bien, merci, Vic, tout à fait bien." Everthorpe toussa, haleta et s'essuya les yeux avec un mouchoir en soie qu'il portait avec affectation dans sa poche de poitrine. "Tu es un veinard, Vic.

– De quoi tu causes ?

– De ton stagiaire. Que va dire ta femme ?

– Qu'est-ce que Marjorie a à faire là-dedans ?

– Attends de la voir !

– Marjorie ?

– Non, ta stagiaire. C'est une nana, Vic !"

Shirley poussa un petit cri, à la fois surprise et émoustillée. Vic écarquilla des yeux et écouta sans mot dire les explications de Brian.

"Une jolie rouquine sexy. Je préfère quand elles ont de plus gros nénés, personnellement, mais on ne peut pas tout avoir." Il fit un clin d'œil à Shirley.

"Robin ! s'exclama alors Shirley. Ça peut aussi être un nom de fille, n'est-ce pas ? L'orthographe est cependant différente. Il y a peut-être bien un 'y' alors.

– Dans la lettre, c'était bien Robin avec un 'i', dit Vic.

– Une erreur courante, dit Brian Everthorpe.

– Stuart Baxter n'a jamais dit qu'il s'agissait d'une femme, dit Vic.

– Je vais te l'amener. Il faut la voir pour le croire.

– Attends que je trouve cette lettre d'abord", dit Vic, en fouillant gauchement parmi les papiers de son courrier en instance, pour gagner du temps. Il sentait monter la colère dans ses veines et dans ses artères. Un Maître de Conférences en littérature anglaise, il fallait déjà le faire, mais en plus une *femme* Maître de Conférences en littérature anglaise ! C'était une erreur monumentale, ou peut-être une insulte délibérée – ça ne pouvait être que l'un ou l'autre – de lui envoyer cette personne comme stagiaire. Il avait envie de pester et de jurer, de gueuler dans le téléphone et de cracher des circulaires pleines de colère. Mais il y avait quelque chose dans le comportement de Brian Everthorpe qui l'en empêchait.

"Quel âge a-t-elle à peu près ? demanda Shirley à Brian Everthorpe.

– J'en sais rien. Jeune. Je dirais la trentaine. Est-ce que je l'amène ?

– Allez me chercher cette lettre d'abord", dit Vic en s'adressant à Shirley. Elle regagna son bureau et Brian Everthorpe la suivit, au grand soulagement de Vic. Everthorpe exploitait drôlement bien la situation, s'ingéniant à le rendre ridicule. Vic l'imaginait déjà en train de répandre la nouvelle partout dans l'usine. *"Vous auriez vu sa tête quand je lui ai annoncé la nouvelle ! Je ne pouvais*

pas m'empêcher de rire. Ensuite, il s'est mis à fulminer.
Shirley a été obligée de se boucher les oreilles..." Non, il
valait mieux limiter les dégâts, maîtriser sa colère, ne pas
en faire une histoire, ni montrer que ça l'ennuyait.

Il se leva de son bureau, traversa le vestibule et passa
dans le bureau de Shirley, où il y avait des panneaux vitrés
d'un côté, en haut de la cloison. Ceux-ci étaient recouverts
de peinture, mais quelqu'un avait gratté dans un endroit et
mis le verre à nu. Grimpée sur un classeur, en équilibre
précaire, Shirley était justement en train de regarder par le
trou tandis que Brian Everthorpe la retenait par les
hanches. "Hum, pas mal la nana, disait-elle. Faut aimer ce
genre.

– C'est la jalousie qui te fait parler, Shirley, dit Brian
Everthorpe.

– Moi, jalouse ? Tu es cinglé. Je dois dire qu'elle a de
jolies bottes.

– Qu'est-ce que vous faites là-haut, nom de Dieu ?" dit
Vic.

Brian Everthorpe et Shirley se retournèrent et le regardèrent.

"C'est un vieux truc inventé par ton prédécesseur, dit
Brian Everthorpe. Il aimait jeter un coup d'œil sur ses visiteurs avant de les rencontrer. Il trouvait que ça lui donnait
un avantage psychologique. Il enleva les mains de la
croupe de Shirley et l'aida à descendre.

– Je n'ai pas trouvé la lettre, dit-elle.

– Vous voulez dire qu'on voit dans le hall d'accueil de
là-haut ? dit Vic.

– Jette un coup d'œil", dit Brian Everthorpe.

Vic hésita puis monta sur le classeur. Il colla l'œil
contre le trou dans la peinture et examina, comme dans un
téléscope déjà mis au point sur la cible, la jeune femme
assise à l'autre bout du hall d'entrée. Elle avait les cheveux
cuivrés, coupés court derrière à la garçonne, et une toison
de boucles ramenées avec désinvolture sur le front. Elle
était confortablement assise sur le divan ; ses longues
jambes bottées, enveloppées dans un pantalon, étaient croisées au niveau des chevilles. Pourtant, son visage trahissait

la lassitude et l'arrogance. "Je l'ai déjà vue, dit-il.

– Ah, où ça ? dit Shirley.

– Je ne sais pas." C'était comme une silhouette entrevue dans un rêve dont il ne se souvenait pas très bien. Il fixa la touffe de boucles rousses pour essayer de se rappeler. Juste à ce moment-là, elle se mit à bâiller comme un chat, découvrant deux rangées de dents blanches et régulières, avant de mettre la main devant sa bouche. En faisant cela, elle leva la tête et donna l'impression de le regarder droit dans les yeux. Gêné et honteux d'avoir joué les voyeurs, Vic descendit maladroitement de son perchoir.

"Arrêtons toutes ces conneries, dit-il, en retournant à grandes enjambées dans son bureau. Faites-la entrer."

Brian Everthorpe ouvrit la porte du bureau de Vic Wilcox d'un air décidé et, d'un geste ostentatoire, fit signe à Robyn d'entrer. "Le Dr Penrose", annonça-t-il avec un sourire narquois.

L'homme qui se leva derrière le gros bureau verni au fond de la pièce et qui s'avança pour serrer la main de Robyn était plus petit et plus ordinaire qu'elle se l'était imaginé. L'expression "Directeur Général" avait fait surgir dans son imagination un personnage plus imposant, plus rustre, avec de bonnes joues rouges et des touffes de cheveux gris sur les côtés, avec un torse bombé enveloppé dans un costume sur mesure très cher, avec une épingle de cravate et des boutons de manchettes en or, serrant un cigare entre ses doigts aux ongles impeccables. Cet homme, en revanche, était trapu et raide, pareil à un fox-terrier court sur pattes ; son visage était pâle et tiré, son front marqué de deux rides verticales au-dessus du nez, et la mèche plate de cheveux bruns qui retombait sur son front n'avait manifestement jamais reçu les attentions d'un coiffeur très expert. Il avait enlevé sa veste, et sa chemise ne lui allait pas très bien : les manchettes boutonnées retombaient sur ses poignets comme celles d'un écolier à qui on aurait acheté des vêtements trop grands en se disant qu'il "les remplirait" un jour. Robyn eut presque un sourire de soulagement en découvrant la silhouette qui s'avançait vers elle ; elle s'imaginait déjà en train de décrire à

116

Charles ou à Penny ce "curieux petit homme". Cependant, la poignée de main vigoureuse et l'éclat de ses yeux marron foncé l'avertirent qu'elle ne devait pas le sous-estimer.

"Merci, Brian, dit-il à Everthorpe qui était toujours là. Je pense que tu as du travail à faire."

Everthorpe s'en alla, manifestement à contrecœur. "On se reverra, j'espère", dit-il à Robyn d'un air onctueux, en refermant la porte.

"Vous prenez du café ?" demanda Wilcox en prenant sa veste matelassée et en l'accrochant derrière la porte.

Robyn répondit qu'elle acceptait avec plaisir.

"Asseyez-vous. Il lui indiqua un fauteuil à dossier droit placé de travers devant son bureau et retourna à sa place. Il appuya sur un bouton de son interphone et dit : Deux cafés, s'il vous plaît, Shirley. Il tendit un paquet de cigarettes. Vous fumez ?"

Robyn fit non de la tête. Il alluma une cigarette pour lui, s'assit, pivota sur son fauteuil et se retrouva face à elle. "On ne se serait pas déjà rencontrés, par hasard ? dit-il.

— Non, pour autant que je sache.

— J'ai l'impression de vous avoir vue récemment.

— Je ne vois pas où ç'aurait pu être."

Wilcox continua de la dévisager à travers un nuage de fumée. S'il s'était agi d'Everthorpe, elle aurait interprété cette mise en scène comme une tentative de séduction maladroite, mais Wilcox semblait être hanté par un souvenir bien réel.

"Je regrette d'être un peu en retard, dit-elle. Les routes étaient affreuses, et je me suis perdue.

— Vous n'avez jamais qu'une semaine de retard, dit-il. Je vous attendais mercredi dernier.

— Vous n'avez pas reçu mon message ?

— Si, mais seulement en cours de matinée.

— J'espère que je ne vous ai pas compliqué les choses.

— En fait, si. J'avais annulé une réunion."

Il n'eut même pas un sourire pour atténuer le reproche. Devant cette grossièreté, Robyn sentit le sang monter à ses joues de dépit, reconnaissant cependant que sa propre conduite n'avait pas été totalement irréprochable. A l'origine, elle avait prévu, le mercredi précédent, de participer au piquet de grève une heure ou deux tôt le matin, et de se rendre ensuite à son rendez-vous chez Pringle. Mais pendant qu'elle était de planton, Bob Busby lui avait fait remarquer que le Système de Stage avait été organisé officiellement par l'Université et qu'elle serait une briseuse de grève si elle maintenait son rendez-vous. Il avait raison sur toute la ligne, bien sûr. *Stupida !* Elle se frappa la tête avec le poing en signe de remords. Elle était totalement novice pour tout ce qui concernait le protocole des grèves et des débrayages, en revanche elle était ravie de cette excuse pour repousser d'une semaine sa visite chez Pringle.

"Je suis désolée, dit-elle à Wilcox. C'était un peu la pagaille à l'université la semaine dernière. On a eu une journée de grève, vous comprenez. Le standard ne marchait pas normalement. Il m'a fallu une éternité pour téléphoner.

– Ah, voilà où je vous ai vue ! s'exclama-t-il, en se redressant sur son fauteuil et en pointant un doigt vers elle comme s'il tenait un revolver. Vous étiez devant la grille de l'université vers huit heures du matin, mercredi dernier.

– Oui, dit Robyn. C'est juste.

– Je passe par là tous les matins en venant au travail, dit-il. J'ai été bloqué là-bas mercredi dernier. Mon trajet a duré deux minutes de plus, à cause de cela. Vous teniez une pancarte." Il prononça ce mot comme s'il dénotait pour lui quelque chose de déplaisant.

"Oui, je participais au piquet de grève."

Ç'avait été très drôle ! Ils avaient bloqué les voitures et glissé des tracts aux conducteurs par les portières, ils avaient obligé les camions à faire demi-tour, brandi des pancartes pour se faire voir devant les caméras des télévisions locales, poussé des hourras chaque fois qu'un chauffeur de camion décidait de ne pas forcer le piquet de grève ; tout cela en se réchauffant les doigts autour d'un gobelet de café qui sortait d'une Thermos, et en partageant avec des collègues que l'on n'avait jamais rencontrés auparavant la douce chaleur de la camaraderie. Robyn ne s'était jamais sentie aussi exaltée depuis le fameux rallye organisé par les femmes à Greenham Common.

"Pourquoi faisiez-vous la grève ? Pour les salaires ?

– En partie. Mais aussi à cause des restrictions budgétaires.

– Ce que vous voulez, en somme, c'est des meilleurs salaires et pas de restrictions budgétaires ?

– En effet.

– Vous croyez que le pays peut se permettre ça ?

– Bien sûr, dit Robyn. Si on dépensait moins pour la défense…

– Notre compagnie a plusieurs contrats avec la défense, dit Wilcox. Nous fabriquons des boîtes de changement de vitesse pour les tanks Challenger, et des bielles pour véhicules blindés de transport de troupes. Si ces contrats étaient annulés, je serais obligé de licencier des ouvriers. Vos restrictions deviendraient alors les nôtres.

– Vous pourriez fabriquer autre chose, dit Robyn. Quelque chose de pacifique.

– Quoi ?

– Ce n'est pas à moi de vous dire ce que vous devez fabriquer, dit Robyn d'un ton excédé. Ce n'est pas mon affaire.

– Non, mais c'est la mienne", dit Wilcox.

Juste à ce moment-là, la secrétaire entra dans la pièce avec deux tasses de café qu'elle offrit dans un silence pesant en jetant des coups d'œil furtifs et curieux à l'un et à l'autre. Quand elle fut partie, Wilcox dit : "Qui cherchiez-vous à déranger ?

– A déranger ?

– Une grève doit bien déranger quelqu'un. Les patrons, le public. Sinon elle n'a aucun effet."

Robyn était sur le point de dire : "Le Gouvernement", mais elle vit le piège ; Wilcox n'aurait aucune peine à montrer que le Gouvernement n'avait nullement été dérangé par la grève. Le grand public non plus n'avait pas été beaucoup gêné, comme l'avait prédit Philip Swallow. Le Syndicat des étudiants avait soutenu la grève et ses membres ne s'étaient pas plaints de voir sauter les cours et d'avoir un jour de congé. Et l'université, alors ? Mais ce n'était pas l'université qui était responsable des restrictions ou de la dégradation des salaires des profs. Plus vite qu'un ordinateur, l'esprit de Robyn passa en revue toutes ces cibles potentielles qu'aurait pu viser la grève et elle les rejeta toutes : "On n'a fait grève qu'une journée, finit-elle par dire. C'était plutôt une manifestation, en fait. On a reçu le soutien de beaucoup d'autres syndicats. Plusieurs chauffeurs de camions ont refusé de franchir le piquet de grève.

– Qu'est-ce qu'ils étaient venus faire, livrer de la marchandise ?

– Oui.

– J'imagine qu'ils sont revenus le lendemain ou la semaine suivante ?

– J'imagine que oui.

– Et qui a payé les frais de livraison supplémentaires ? Je vais vous le dire, poursuivit-il en voyant qu'elle ne répondait pas. Votre université, dont vous dites qu'elle n'a pas d'argent. Elle en a encore moins, maintenant.

– Ils ont retenu nos salaires, dit Robyn. Ils peuvent payer les camionneurs là-dessus."

Wilcox poussa un grognement comme s'il reconnaissait la validité de l'argument, et elle en déduisit que c'était un tyran et qu'il avait besoin qu'on lui tienne tête. Elle n'estima pas nécessaire de lui dire que l'administration de l'Université avait dû faire circuler une note de service parmi tous les membres du personnel pour leur demander, au cas où ils auraient fait grève, de bien vouloir l'indiquer (il n'y avait pas d'autre moyen de le savoir) afin qu'on retienne leur salaire. Le bruit courait que le nombre de ceux qui avaient répondu était considérablement plus faible que le nombre des participants à la grève avancé par le SES. "Vous arrive-t-il d'avoir des grèves ici ? demanda-t-elle pour changer le cours de la conversation.

"Plus maintenant, dit Wilcox. Les ouvriers savent bien où se trouvent leurs intérêts. Ils regardent autour d'eux, ils voient les usines qui ont fermé ces dernières années, ils savent combien de gens sont au chômage.

– En somme, ils ont peur de faire grève ?

– Pourquoi feraient-ils grève ?

– Je ne sais pas, mais à supposer qu'ils le veuillent. Pour des augmentations de salaire, par exemple ?

– Notre industrie est très compétitive. Une grève nous plongerait tout de suite dans le rouge. La compagnie pourrait fermer l'usine. Les hommes le savent.

– Quelle compagnie ?

– Les Ateliers de Fonderie et de Mécanique Générale de la Compagnie des Midlands. On leur appartient.

– Je croyais que J. Pringle and Sons étaient les propriétaires."

Wilcox partit d'un gros rire bourru. "Oh, la famille Pringle s'en est débarrassée depuis bien des années. Elle a ramassé sa mise et s'est retirée, quand ça marchait encore bien. L'entreprise a été rachetée et vendue deux fois depuis." Il sortit une chemise en papier bulle d'un tiroir et la lui tendit. "Voilà des organigrammes qui vous montreront comment nous nous situons dans le conglomérat, et aussi la structure administrative de l'entreprise. Vous connaissez quelque chose au monde des affaires ?

– Rien du tout. Mais c'est précisément l'objet du programme, non ?

– L'objet de quoi ?

– Du Système de Stage.

– Je sais foutrement pas en quoi il consiste ce programme, dit Wilcox d'un ton acerbe. Ce n'est qu'une affaire de Relations Publiques, croyez-moi. Vous enseignez la littérature anglaise, c'est bien ça ?

– Oui.

– En quoi ça consiste ? Shakespeare, la poésie ?

– J'assure en effet un cours de première année qui comprend quelques...

– On a fait *Jules César* l'avant-dernière année du lycée, coupa Wilcox. Il a fallu apprendre des lampées par cœur. Ce que j'ai pu détester ça ! Le prof était un de ces types du sud plutôt prétentieux, il n'arrêtait pas de se fou... de se moquer de nous à cause de notre accent.

– Je suis spécialiste du roman du XIXe siècle, dit Robyn. Et aussi de littérature féminine.

– De littérature féminine ? répéta Wilcox en fronçant les sourcils. En quoi ça consiste ?

– Oh, l'écriture féminine. La représentation de la femme en littérature. La théorie critique féministe."

Wilcox renifla. "Vous donnez des diplômes pour ça ?

– Ce n'est qu'une partie du programme, dit Robyn en se raidissant. C'est une option.

– Plutôt facile, si je comprends bien, dit Wilcox. Enfin, j'imagine que c'est bon pour les filles.

– Les garçons s'inscrivent à ce cours eux aussi, dit Robyn. En fait il y a beaucoup de choses à lire dans ce cours.

– Les garçons ? dit Wilcox en faisant la moue. Des pédales ?

– Non, des jeunes gens tout à fait normaux, intelligents et comme il faut, dit Robyn en s'efforçant de maîtriser sa colère.

– Pourquoi n'apprennent-ils pas quelque chose d'utile, alors ?

– Comme la mécanique ?

– Par exemple."

Robyn soupira. "Vous voulez vraiment que je vous le dise ?

– Si ce n'est pas trop vous demander.

– Parce qu'ils s'intéressent davantage aux idées et aux sentiments qu'à la façon dont les machines marchent.

– Vous croyez que ça paiera leur loyer, toutes ces belles idées et ces sentiments ?

– Est-ce que l'argent est le seul critère ?

– Je n'en connais pas de meilleur.

– Et le bonheur ?

– Le bonheur ? Wilcox eut l'air étonné, se sentant pris en défaut pour la première fois.

– Oui, je ne gagne pas beaucoup d'argent mais je suis heureuse dans mon travail. Je le serais, en tout cas, si j'étais sûre de le garder.

– Ah, parce que vous n'êtes pas sûre ?"

Lorsque Robyn lui eut expliqué son cas, Wilcox eut l'air encore plus surpris par la sécurité d'emploi dont jouissaient ses collègues que par la précarité de sa situation à elle. "Comment, ils ont un boulot à vie ? dit-il.

– Eh bien, oui. Cependant, le Gouvernement a l'intention d'abolir la titularisation à l'avenir.

– Encore heureux.

– Mais c'est vital ! s'exclama Robyn. Sans cela, il n'y a pas de liberté intellectuelle. C'est une des choses pour lesquelles nous manifestions la semaine dernière.

– Attendez voir, dit Wilcox. Vous manifestiez, vous, pour que les autres professeurs puissent garder leur boulot à vie ?

– En partie, dit Robyn.

– Mais si on ne peut pas les déplacer, il n'y aura jamais de place pour vous, même si vous êtes infiniment meilleure qu'eux dans votre boulot."

L'idée lui avait déjà traversé l'esprit, mais elle l'avait trouvée ignoble et l'avait repoussée. "C'est le principe qui compte, dit-elle. D'ailleurs, c'est la faute de toutes ces restrictions budgétaires si je n'ai pas encore de poste stable. Nous devrions accepter davantage d'étudiants, alors que nous en acceptons moins.

– Vous estimez donc que les universités devraient se développer indéfiniment ?

– Pas indéfiniment, mais…

– Assez pour recevoir tous ceux qui veulent étudier la littérature féminine ?

– On pourrait le formuler comme ça, oui, répondit Robyn d'un air de défi.

– Et qui paye ?

– Vous ramenez toujours tout à l'argent.

– C'est ce qu'on apprend dans les affaires. Le pain ne vous tombe pas tout cuit dans le bec. Qui a dit ça ?"

Robyn haussa les épaules. "Je ne sais pas. Un économiste de droite, j'imagine.

– Quoi qu'il en soit, il avait la tête bien sur les épaules, celui-là. J'ai lu ça dans le journal quelque part. Le pain ne vous tombe pas tout cuit dans le bec. Il partit de nouveau d'un gros rire bourru. Il faut toujours que quelqu'un paye. Il jeta un coup d'œil à sa montre. Allons, je ferais peut-être mieux de vous faire visiter les lieux. Attendez-moi quelques minutes, vous voulez bien ? Il se leva, prit sa veste et l'enfila.

– Je croyais que j'étais censée vous suivre partout ? dit Robyn, se levant elle aussi.

– Je ne pense pas que vous puissiez me suivre là où je vais, dit Wilcox.

– Oh ! dit Robyn en rougissant. Puis, retrouvant son sang-froid, elle dit : Vous pourriez peut-être m'indiquer les toilettes des dames.

– Shirley va vous y conduire, dit Wilcox. On se retrouve ici dans cinq minutes."

Et Jésus pleura ! Ce n'était pas seulement un Maître de Conférences en littérature anglaise, pas seulement une *femme* Maître de Conférences en littérature anglaise, mais une féministe de gauche branchée, Maître de Conférences en littérature anglaise ! Et par-dessus le marché, elle était *grande,* cette féministe de gauche branchée Maître de Conférences en littérature anglaise ! Vic Wilcox s'engouffra dans les toilettes réservées aux directeurs comme si c'était un sanctuaire. C'était une grande pièce humide et glacée, déserte pour le moment, qui avait été richement équipée, en des temps plus prospères, de lavabos en marbre et de robinets en cuivre, et qui avait maintenant bien besoin d'être refaite. Il s'installa devant l'urinoir et pissa rageusement contre le mur blanc en céramique souillé de traînées jaunes laissées par les tuyaux rouillés. Qu'allait-il pouvoir faire de cette femme tous les mercredis pendant deux mois ? Il fallait que Stuart Baxter ait perdu la tête pour lui envoyer quelqu'un comme ça. Peut-être était-ce un complot ?

C'était bizarre, bizarre et troublant à la fois qu'il l'eût déjà vue devant l'université la semaine dernière. Ses cheveux, qui brillaient comme un brasero dans la brume du petit matin, ses grandes bottes et sa veste beige matelassée trop large d'épaules avaient attiré son regard tandis qu'il attendait impatiemment dans la file de voitures pendant que les grévistes argumentaient avec le conducteur d'un semi-remorque qui voulait pénétrer dans l'enceinte de l'Université. Elle était sur le trottoir et tenait une pancarte complètement idiote – *"Au secours ! On étrangle* l'*Education*", ou quelque chose du genre – elle parlait et riait tout excitée avec une femme à la poitrine généreuse, moulée dans une combinaison de ski écarlate et chaussée de grosses bottes fourrées roses, et il se souvenait qu'il s'était dit : une grève design ! ça devait finir par arriver. Les deux femmes, la rousse surtout, lui étaient apparues comme l'épitome de tout ce qu'il détestait le plus dans de telles manifestations : cette récupération des idées politiques de la classe ouvrière par le snobisme bourgeois. Et maintenant, voilà qu'il allait l'avoir sur le dos pendant deux mois.

Au centre de la pièce carrelée, il y avait une table en marbre qui supportait, tel un autel, tout un assortiment de brosses à habits et d'objets de toilette pour hommes – Vic n'avait jamais vu personne, depuis son arrivée chez Pringle, venir déranger cet arrangement symétrique. Dans sa rage et sa frustration, il saisit une longue brosse à habits incurvée et la plaqua contre le marbre de la table. Elle se cassa en deux.

"Merde !" s'exclama Vic à haute voix.

Et, juste à ce moment-là, une chasse d'eau se déclencha et la porte d'une cabine s'ouvrit sur George Prendergast, le Directeur du Personnel. Ce n'était pas vraiment une surprise, car Prendergast souffrait d'une irritation des intestins et se réfugiait souvent dans les toilettes réservées aux directeurs, mais Vic avait cru qu'il était seul, et il se trouvait maintenant plutôt stupide avec cette pièce à conviction, ce moignon de brosse qu'il tenait à la main comme une arme. Pour sauver les apparences, il prit une autre brosse et se mit à frotter les manches et les revers de son costume.

"Alors, on se fait beau pour la stagiaire, Vic ? dit Prendergast d'un air jovial. On dit qu'elle est très, enfin, que..." Voyant l'expression sur le visage de Vic, il bredouilla et se tut. Derrière ses lunettes sans monture, ses yeux bleu pâle observaient Vic d'un air craintif. C'était le plus jeune de tout le groupe des directeurs et il était plutôt intimidé par Vic.

"Tu l'as vue ? demanda Vic.

– Non, non, pas vraiment, mais Brian Everthorpe dit que...

– Ne t'occupe pas de ce que raconte Brian Everthorpe, il ne s'intéresse qu'à la taille de ses nichons. C'est une féministe pure et dure, tu te rends compte, et aussi une sale communiste, ça ne m'étonnerait pas. Elle porte un de ces badges du mouvement antinucléaire. Qu'est-ce que je fais, bon Dieu, dans cette... Il s'arrêta net – une idée venait de lui traverser l'esprit. George, est-ce que je peux utiliser ton téléphone ?

– Bien sûr. Le tien ne marche pas ?

– Si, mais je veux seulement avoir une conversation privée. Laisse-moi quelques minutes, tu veux ? Brosse-toi bien en attendant. Tiens ! Il mit la brosse à habits dans la main de Prendergast qui resta bouche bée, lui donna une tape sur l'épaule et fila vers le bureau du Directeur du Personnel en empruntant un circuit sinueux qui lui évitait de passer devant le sien.

– M. Prendergast vient juste de sortir, dit la secrétaire.

– Je sais, dit Vic, passant devant elle à grandes enjambées et fermant la porte de Prendergast derrière lui. Il s'assit au bureau et fit le numéro personnel de Stuart Baxter. Par bonheur, il était là.

– Stuart... C'est Vic Wilcox. Mon stagiaire vient d'arriver.

– Ah, oui ? Comment est-il ?

– Est-elle, tu veux dire, Stuart. Tu ne vas pas me dire que tu ne savais pas ?

– Parole d'honneur, dit Stuart Baxter quand il s'arrêta de rire. Je ne m'en serais jamais douté. Robyn avec un 'y', ça change tout. Est-elle jolie au moins ?

– Apparemment, il n'y a que ça qui intéresse les gens. Mes directeurs se conduisent comme des gigolos et les secrétaires crèvent de jalousie. C'était bien sûr une exagération mais il tenait à accentuer l'effet dévastateur que pouvait avoir la présence de Robyn Penrose. Je me demande bien ce qui va se passer quand je l'emmènerai dans l'atelier, dit-il.

– Alors, comme ça, elle est jolie.

– Pour certains, peut-être. Mais il y a plus grave : elle est communiste.

– Quoi ? Qu'est-ce qui te fait dire ça ?

– Une gauchiste, en tout cas. Tu sais comment ils sont tous ces universitaires, surtout en Lettres. Elle appartient au MAN !

– Ce n'est pas un crime, Vic.

– Non, mais nous avons des contrats avec le MD. Elle représente un risque.

– Hum, dit Stuart Baxter. Ce ne sont pas vraiment des armes secrètes que tu fabriques, voyons, Vic ? Des boîtes de vitesse pour chars, des pièces de moteurs pour camions… Est-ce que quelqu'un parmi vous a déjà été examiné par les RG ? As-tu signé l'engagement concernant le Secret Défense ?

– Non, reconnut Vic. Mais il vaut mieux prévenir que guérir. Je crois que tu devrais la faire rayer du programme."

Après un bref instant de réflexion, Stuart Baxter répondit : "Pas possible, Vic. Ça foutrait une sacrée pagaille si nous donnions l'impression de vouloir torpiller le programme de l'Année de l'Industrie simplement parce que cette nana appartient au MAN. Je vois d'ici les gros titres dans les journaux : UNE COMPAGNIE DE RUMMIDGE CLAQUE LA PORTE AU PETIT CHAPERON ROUGE. Si tu la surprends en train de voler des plans, fais-le-moi savoir et je ferai quelque chose.

– Merci quand même, dit Vic d'un ton sec. On peut au moins compter sur toi.

– Pourquoi être si négatif, Vic ? Détends-toi ! Profite de sa compagnie. Si seulement j'avais cette chance, moi !"

Stuart Baxter gloussa et reposa le combiné.

3

"Alors, qu'est-ce que vous en dites ?" demanda Vic Wilcox, une heure plus tard, quand ils furent de retour dans son bureau après cette "petite visite en coup de vent dans les ateliers", comme il avait dit.

Robyn se laissa tomber dans un fauteuil. "J'ai trouvé ça épouvantable, dit-elle.

– Epouvantable ? dit-il en fronçant des sourcils. Que voulez-vous dire par là ?

– Le bruit. La saleté. Ce travail idiot et répétitif. Le… enfin tout. Quand je pense que des hommes sont obligés de supporter ces conditions abrutissantes…

– Une minute, une minute…

– Des femmes, aussi. J'ai bien vu des femmes, n'est-ce pas ? Elle se souvenait confusément d'avoir vu des créatures à la peau basanée aux formes vaguement féminines mais totalement asexuées dans leurs salopettes et leurs pantalons gris et crasseux, qui travaillaient côte à côte avec les hommes dans certaines parties de l'usine.

– On en a quelques-unes. Je croyais que vous étiez pour l'égalité partout ?

– Pas pour l'égalité dans l'oppression.

– *L'oppression ?* Il partit d'un rire aigu et moqueur. Nous ne forçons pas les gens à venir travailler chez nous, vous savez. Pour chaque emploi de manœuvre que nous proposons, nous recevons cent demandes… plus de cent. Ces femmes sont heureuses de travailler ici… allez leur demander si vous ne me croyez pas."

Robyn ne répondit rien. Elle était troublée, abattue, épuisée par la masse d'impressions sensorielles dont elle avait été bombardée depuis une heure. Pour la première fois de sa vie, elle ne trouvait plus ses mots, elle n'était plus sûre des arguments qu'elle défendait. Elle avait toujours considéré que le chômage était un mal, une arme de Thatcher contre les classes laborieuses ; mais si c'était ça le travail, alors peut-être valait-il mieux être chômeur. "Mais tout ce bruit ! répéta-t-elle. Toute cette crasse !

– Les fonderies, c'est toujours crasseux. Le métal est un matériau bruyant à travailler. Vous vous attendiez à quoi ?"

A quoi s'attendait-elle, en effet ? Certainement pas à retrouver les moulins sataniques des débuts de la Révolution industrielle. L'image que Robyn se faisait de l'usine moderne lui venait surtout des publicités et des documentaires à la télévision : quelques plans bien faits sur des machines de couleurs vives et des chaînes de montage qui avançaient lentement, conduites par des ouvriers énergiques en salopettes impeccables, fabriquant en série des automobiles et des transistors avec du Mozart comme fond musical. Chez Pringle, il n'y avait pratiquement aucune couleur, pas une seule salopette propre, et, à la place de Mozart, une cacophonie démoniaque et assourdissante qui n'arrêtait jamais. Elle n'avait pas réussi à comprendre non plus ce qui se passait. Il semblait n'y avoir aucune logique, aucune cohérence dans toutes les activités de l'usine. Des individus ou des petits groupes travaillaient à des tâches distinctes qui ne semblaient avoir aucun lien entre elles. Il y avait des pièces détachées entassées un peu partout sur le sol de l'usine, comme le bric-à-brac dans un grenier. On avait l'impression que l'établissement était moins fait pour produire des marchandises destinées au monde extérieur que pour fabriquer de la misère pour ceux qui y vivaient. Ce que Wilcox avait appelé l'atelier des machines ressemblait à une prison, et la fonderie était l'image même de l'enfer.

"Nous avons deux branches d'activités", avait-il expliqué tandis qu'il l'accompagnait hors du bâtiment administratif, lui faisait traverser une cour fermée et triste où les pas des passants avaient fini par tracer un sentier en diagonale dans la neige, et qu'il la conduisait vers un mur aveugle en tôle ondulée. "La fonderie et l'atelier des

129

machines. Nous faisons aussi un peu d'assemblage, des petits moteurs et des boîtes de vitesse – j'essaie en tout cas de développer ce secteur – mais, pour l'essentiel, nous sommes une entreprise de mécanique générale, nous fournissons surtout des pièces à l'industrie automobile. Ou bien nous fabriquons les pièces dans la fonderie, ou bien nous les faisons venir et les usinons chez nous. On avait pas mal négligé la fonderie dans les années soixante-dix et Pringle s'était mis à s'approvisionner chez des fournisseurs extérieurs. J'essaie de rendre notre fonderie plus efficace. La fonderie nous fait perdre de l'argent, et la partie mécanique nous en fait gagner. Mais, si tout va bien, nous devrions réussir un jour à vendre nos pièces moulées à l'extérieur et à faire des bénéfices dessus. En fait, nous n'avons pas le choix, parce qu'une fonderie vraiment efficace doit produire davantage de pièces moulées que nous ne pouvons en utiliser nous-mêmes.

– Qu'est-ce que c'est exactement qu'une fonderie ?" demanda Robyn tandis qu'ils arrivaient devant une petite porte en bois tailladée qui s'ouvrait dans la paroi en tôle ondulée. Wilcox s'immobilisa, la main posée sur la porte. Il la toisa, l'air incrédule.

"Je vous ai dit que je ne savais rien de..." Elle allait dire de "l'industrie", mais elle comprit soudain qu'un tel aveu paraîtrait étrange venant d'une spécialiste du roman industriel. "De tout cela, finit-elle par dire. J'imagine que, de votre côté, vous ne savez pas grand-chose de la critique littéraire, est-ce que je me trompe ?"

Wilcox émit un grognement et poussa la porte pour la faire entrer. "La fonderie, c'est l'endroit où l'on fait fondre le fer ou tout autre métal, et où on le coule dans des moules pour faire des pièces moulées. Ensuite, dans l'atelier des machines, nous les usinons, les passons à la meule et forons des trous dedans pour qu'on puisse les assembler et en faire des produits plus complexes, des moteurs par exemple. Vous me suivez ?

– Je crois que oui", dit-elle froidement. Ils avançaient le long d'un large couloir, passant devant une enfilade de bureaux, séparés par des cloisons en verre et éclairés par la lumière sinistre de tubes au néon, où des hommes au teint plombé, en bras de chemise, avaient les yeux fixés sur des terminaux d'ordinateurs ou scrutaient des feuilles informatiques.

– Voici le centre de contrôle de la production, dit Wilcox. Je ne vois pas l'utilité de vous en expliquer le fonctionnement pour le moment."

Certains hommes dans les bureaux levèrent les yeux sur leur passage, saluèrent Wilcox de la tête et reluquèrent Robyn d'un air curieux. Il y en eut peu à sourire.

"Nous aurions en fait dû commencer par la fonderie, dit Wilcox, puisque c'est là la première étape de la fabrication. Mais, le chemin le plus court pour aller à la fonderie c'est de traverser la salle des machines, surtout par ce temps. Je vous montre donc le processus de production à l'envers." Il poussa une autre porte battante toute délabrée qu'il retint pour la laisser passer. Elle plongea dans le bruit comme si c'était un bassin d'eau.

L'atelier des machines était un immense hangar plein de machines et d'établis disposés en damier. Wilcox la fit passer par la grande allée centrale, en faisant des petits crochets à droite et à gauche pour lui montrer telle ou telle opération. Robyn renonça vite à suivre ses explications. Elle avait de la peine à les entendre à cause du vacarme, et les quelques mots et expressions qu'elle parvint à saisir : "précision au cinq millième de pouce", "alésage en biseau", "machine à contrôle numérique", "série d'indices", ne voulaient rien dire pour elle. Les machines étaient laides et crasseuses, et semblaient affreusement désuètes. L'opération typique se déroulait ainsi : un homme prenait un morceau de métal dans une caisse, le glissait dans une machine, fermait une sorte de cage de sécurité et tirait sur un levier. Ensuite, il ouvrait la cage, sortait la pièce (qui avait maintenant un aspect un peu différent) et la jetait dans une autre caisse. Tout cela en faisant le plus de bruit possible.

"Est-ce qu'il fait la même chose toute la journée ?" cria-t-elle à Wilcox, après qu'ils eurent regardé travailler un homme pendant quelques minutes. Il fit oui de la tête.

131

"Ça paraît affreusement monotone. Il n'y aurait pas moyen de faire ça automatiquement ?"

Wilcox la conduisit vers un coin de l'atelier légèrement plus calme. "Si nous avions le capital pour investir dans des machines neuves, oui. Et si nous réduisions le nombre des opérations… Pour le type de pièce que cet homme fabrique, il serait inutile d'avoir recours à l'automation. Les quantités sont trop petites.

– Vous ne pourriez pas lui faire faire un autre travail de temps en temps ? dit-elle, comme frappée d'une inspiration soudaine. Les faire tous changer de postes toutes les deux ou trois heures pour que ce soit moins monotone ?

– Comme dans un jeu de chaises ? dit Wilcox en faisant un petit sourire grimaçant.

– Ça m'a l'air si pénible de rester planté là jour après jour, heure après heure, à toujours faire la même chose.

– C'est ça le travail en usine. Les ouvriers ne demandent rien d'autre.

– J'ai de la peine à le croire.

– Ils n'aiment pas qu'on les déplace. Essayez un peu de les faire passer d'un poste à l'autre, et vous verrez, ils vont tous se plaindre et demander à être promus à un grade supérieur. Sans compter le temps perdu avec tous ces changements.

– C'est donc encore une fois une question d'argent.

– D'après mon expérience, on en revient toujours là.

– Vous ne vous inquiétez jamais de ce que veulent les hommes ?

– Ils préfèrent que ce soit comme ça, je vous assure. Ça leur permet de se déconnecter et de rêvasser. S'ils étaient assez intelligents pour s'ennuyer, ils ne seraient tout simplement pas là en train de faire ce boulot. Si vous voulez voir une unité de fabrication automatisée, venez par ici."

Il partit à grandes enjambées le long d'une allée latérale. Les ouvriers en bleus de travail réagissaient à son passage comme un banc de vairons devant un gros poisson. Ils ne levaient pas les yeux et n'essayaient pas non plus d'attirer son attention, mais on percevait dans les gestes des ouvriers autour de leurs établis un net frémisse-

132

ment, un subtil regain d'attention et de précision tandis que le patron passait. Les contremaîtres changeaient d'attitude. Ils s'approchaient avec des sourires obséquieux lorsque Wilcox s'arrêtait pour demander ce que faisait là une caisse de pièces portant le mot "CHUTES" écrit à la craie sur le côté, ou lorsqu'il s'accroupissait près d'une machine en panne pour discuter des causes de la panne avec un mécanicien aux mains pleines de cambouis. Wilcox ne chercha pas à présenter Robyn à qui que ce soit, et pourtant elle sentait bien qu'elle était un objet de curiosité dans cet environnement. De tous les côtés, elle ne voyait que des yeux vides et vitreux qui, brusquement, se braquaient sur elle comme des appareils photographiques lorsqu'ils se rendaient compte de sa présence, et elle surprit des sourires sournois et des murmures qu'on échangeait entre voisins d'établis. Elle n'avait aucune peine à deviner le sujet de ces commentaires, étant donné les pin-up qui étaient affichées partout sur les murs et sur les piliers – des feuilles arrachées à des revues érotiques et qui représentaient des femmes nues aux lèvres luisantes, aux fesses et aux seins plantureux, faisant la moue dans des postures indécentes.

"Vous ne pourriez pas faire quelque chose à propos de ces images ? demanda-t-elle à Wilcox.

– Quelles images ? Il regarda autour de lui, manifestement surpris par la question.

– Toutes ces pin-up porno.

– Oh, ça ! On s'y fait. On ne les remarque plus au bout d'un certain temps."

C'était bien en effet ce qu'il y avait de dégradant et de déprimant dans ces images. Pas seulement la nudité des filles, ni leurs poses, mais le fait que personne ne les remarquait, sauf elle. Il avait bien fallu qu'un jour ces images éveillent de la luxure, assez en tout cas pour que quelqu'un se donne la peine de les découper et de les coller au mur ; mais, après un jour ou deux, une semaine ou deux, les images avaient cessé d'être excitantes, elles étaient devenues familières, jaunies, déchirées et pleines de taches d'huile, disparaissant presque au milieu de la crasse et des déchets qui traînaient partout dans l'usine. Ça rendait tristement dérisoire le sacrifice qu'avaient fait ces modèles de leur modestie.

"Nous y voilà, dit Wilcox. Notre seule et unique machine CN.

– Comment dites-vous ?

– Machine à commandes numériques. Regardez à quelle vitesse elle change d'outil !"

Robyn jeta un regard à travers une vitre en plexiglas et vit des objets qui se déplaçaient, entraient et sortaient, agités de brusques soubresauts, lubrifiés par des jets d'un liquide qui ressemblait à du café au lait.

"Qu'est-ce qu'elle fait ?

– Elle façonne des têtes de cylindres. C'est beau, n'est-ce pas ?

– Pas vraiment le mot que je choisirais."

Il y avait quelque chose d'étrange, de quasi obscène, aux yeux de Robyn dans ces mouvements brusques, violents et cependant contrôlés de la machine qui s'élançait et se retirait, tel un reptile d'acier en train de dévorer sa proie ou de copuler avec un partenaire passif.

"Un jour, dit Wilcox, il y aura des usines sans lumière pleines de machines comme celle-ci.

– Pourquoi sans lumière ?

– Les machines n'ont pas besoin de lumière. Les machines sont aveugles. Une fois que vous avez construit une usine totalement informatisée, vous pouvez enlever les lampes, fermer la porte et la laisser fabriquer ses moteurs, ses aspirateurs ou ce que vous voulez, toute seule dans le noir. Vingt-quatre heures sur vingt-quatre.

– Ça donne la chair de poule.

– Ils ont déjà ça aux Etats-Unis, en Scandinavie.

– Et le Directeur Général ? Sera-t-il lui aussi un ordinateur, tout seul dans son bureau obscur ?"

Wilcox prit la question au sérieux. "Non, les ordinateurs ne pensent pas. Il faudra toujours qu'il y ait quelqu'un à la tête, au moins un homme qui décide ce qu'il faut fabriquer, et comment. Mais tous ces emplois (il montra de la tête toutes les rangées d'établis autour d'eux) n'existeront plus. Cette machine fait actuellement le travail qu'assuraient douze hommes jusqu'à l'an dernier.

– Le meilleur des mondes, quoi, dit Robyn, où seuls les PDG auront du travail."

Cette fois-ci, Wilcox perçut l'ironie. "Je n'aime pas licencier des hommes, dit-il, mais nous sommes pris dans une double contrainte. Si nous ne nous modernisons pas, nous perdons de notre compétitivité et sommes obligés de licencier des ouvriers, et si nous nous modernisons il faut que nous licenciions des hommes parce que nous n'avons plus besoin d'eux.

– Nous ferions mieux de dépenser davantage d'argent pour préparer les gens à avoir des loisirs plus créatifs, dit Robyn.

– Comme la littérature féminine ?

– Par exemple.

– Les hommes aiment le travail. C'est bizarre, mais c'est pourtant vrai. Peut-être qu'ils pestent contre le travail tous les lundis matin, et qu'ils manifestent pour avoir des journées de travail plus courtes et des vacances plus longues, mais ils ont besoin de travailler pour leur dignité personnelle.

– C'est une question de conditionnement. Les gens pourraient très bien s'habituer à vivre sans travailler.

– Vous le pourriez, vous ? Je croyais que vous aimiez votre travail.

– C'est différent.

– En quoi ?

– Eh bien, c'est un travail intéressant. Un travail qui a du sens, qui est gratifiant. Pas financièrement, bien sûr. Même sans salaire, il serait encore intéressant. Et les conditions dans lesquelles on travaille sont satisfaisantes, pas comme ici." Elle fit un grand geste qui englobait cette atmosphère imprégnée d'huile, ces machines rugissantes, le fracas du métal, le gémissement des chariots électriques, l'aspect usé et souillé de tout cet environnement laid.

– Si vous trouvez ça dur, qu'est-ce que vous allez dire quand vous verrez la fonderie ?" dit Wilcox, avec un sourire sinistre ; et il repartit de son petit trot énergique de fox-terrier.

Malgré cet avertissement, Robyn n'était pas préparée au choc qu'elle allait recevoir dans la fonderie. Ils traversèrent une autre cour où des carcasses de machines croupissaient, bavant des traînées sanguinolentes de rouille sur leur manteau de neige, et ils pénétrèrent dans un grand bâtiment voûté dont le toit se perdait très haut dans l'obscurité. Ce lieu résonnait d'un vacarme barbare comme jamais Robyn n'en avait entendu. Son premier réflexe fut de se boucher les oreilles, mais elle comprit bientôt que le bruit n'allait pas se calmer, alors elle laissa ses mains pendre à ses côtés. Le sol était couvert d'une substance noire qui ressemblait à de la suie mais qui crissait sous la semelle de ses bottes comme du sable. L'air empestait une odeur de résine et de sulfure, et une pluie fine de poussière noire, provenant du toit, leur tombait sur la tête. Ici et là, la porte ouverte d'un fourneau brasillait d'un rouge sinistre, et au fond du bâtiment une étrange coulée de lave fondue descendait du toit jusqu'au plancher le long d'un chenal incurvé. Le toit était lui-même percé par endroits, et de la neige fondue tombait sur le sol et s'étalait en flaques boueuses. C'était un lieu où régnaient des températures extrêmes : tantôt on frissonnait dans un courant d'air glacial provenant d'une brèche dans le mur extérieur, tantôt on recevait en pleine figure le souffle affreusement brûlant d'un fourneau. Partout, c'était le désordre, la crasse, le chaos le plus complet. Des moulages abandonnés, des outils brisés, des boîtes vides, de vieux morceaux de fer ou de bois jonchaient le sol. Partout régnait l'improvisation, le hasard, comme si les ouvriers avaient monté les machines neuves à l'endroit même où ils se trouvaient à ce moment-là, à côté des carcasses des anciennes. Comment pouvait-on croire que quelque chose de propre, de neuf et de techniquement efficace pût sortir de cet endroit ? Aux yeux de Robyn, tout cela ressemblait à une peinture du Moyen Age représentant l'enfer – même s'il était impossible de dire, en voyant les ouvriers, si c'étaient des démons ou des damnés. La plupart d'entre eux, comme elle put le remarquer, étaient des Asiatiques ou des Antillais, alors que dans l'atelier des machines la majorité des ouvriers étaient blancs.

Wilcox lui fit monter un escalier d'acier en colimaçon tout délabré qui menait à un bureau en préfabriqué dressé sur pilotis au milieu du bâtiment, et il la présenta au chef d'atelier, Tom Rigby, qui commença par la toiser et l'ignora complètement ensuite. Le jeune assistant de Rigby observa Robyn avec plus d'intérêt, mais il fut bientôt accaparé par une discussion sur les rythmes de production. Elle jeta un coup d'œil autour d'elle. Elle n'avait jamais vu une pièce qui eût un tel air de désolation et d'abandon. Les meubles étaient sales, abîmés et mal assortis. Le lino sur le plancher était éraflé et déchiré, les fenêtres presque opaques de crasse, et les murs semblaient ne jamais avoir été repeints depuis la construction du bâtiment. Les tubes au néon jetaient une lumière implacable sur tous les détails les plus sordides. La seule tache de couleur dans ce décor terne c'était l'inévitable pin-up sur le mur au-dessus du bureau du jeune assistant de Rigby : la page de décembre du calendrier de l'an dernier montrait un mannequin tout souriant, aux seins nus, en bottes de fourrure, attifée d'une culotte de bikini bordée d'hermine. En dehors de la pin-up, la seule chose qui ne paraissait pas vieille et désuète dans cette pièce, c'était l'ordinateur sur lequel étaient penchés les trois hommes en ce moment, discutant très sérieusement.

Gagnée par l'ennui, elle sortit du bureau et alla sur la passerelle en acier qui dominait le carreau de l'usine. Elle contempla la scène, avec l'impression croissante de se trouver comme Dante dans son Enfer. Ce n'était partout que bruit, fumée, exhalaisons et flammes. Des silhouettes en salopettes, portant des lunettes, des masques, des casques ou des turbans, se déplaçaient lentement à travers les ténèbres sulfureuses ou s'affairaient à leurs besognes mystérieuses à côté des fourneaux et des machines.

"Tenez... Tom dit que vous feriez mieux de mettre ça."

Wilcox venait de surgir à ses côtés. Il lui mit brusquement dans les mains un casque de sécurité en plastique bleu muni d'une visière transparente.

"Et vous ?" demanda-t-elle en le mettant. Il haussa les épaules et secoua la tête. Il n'avait même pas de manteau

137

ni de blouse pour protéger son complet veston. Fierté de macho, sans aucun doute. Le patron doit avoir l'air invulnérable.

"C'est obligatoire pour les visiteurs, dit Tom Rigby. Nous sommes responsables, vous comprenez ?"

Une sirène assourdissante se mit à rugir frénétiquement et fit sursauter Robyn.

Rigby sourit : "C'est la kw, ils ont réussi à la redémarrer.

– Qu'est-ce qui n'allait pas ? demanda Wilcox.

– Ce n'était qu'une soupape, je pense. Vous devriez la lui faire voir, dit-il, faisant un petit geste de la tête en direction de Robyn. Très intéressante à voir, la kw, quand elle tourne.

– Qu'est-ce que c'est que la kw ? demanda Robyn.

– La chaîne de moulage Kunkel Wagner, dit Wilcox.

– L'orgueil du patron, dit Rigby. Elle n'est installée que depuis quelques semaines. Vous devriez la lui faire voir, répéta Rigby en s'adressant à Wilcox.

– Chaque chose en son temps, dit Wilcox. D'abord l'atelier des formes."

L'atelier des formes était, en comparaison, un havre de paix et de tranquillité qui rappelait l'industrie artisanale et où des menuisiers fabriquaient les formes en bois, première étape du moulage. Après cela, elle vit des hommes faire des moules en sable, d'abord à la main, ensuite avec des machines qui ressemblaient à des gaufriers géants. C'est là qu'elle vit des femmes travailler côte à côte avec les hommes et soulever des moules apparemment très lourds qui puaient la résine chaude, puis les sortir des machines et les entasser dans des chariots. Elle écouta sans comprendre les explications techniques de Wilcox concernant les dragues, les chapes, les boîtes à noyaux et les creusets. "On va maintenant jeter un coup d'œil à la coupole, cria-t-il. Attention à la marche."

La coupole était en fait une sorte de chaudron gigantesque surélevé dans le coin du bâtiment d'où, elle l'avait déjà remarqué, s'écoulait une lave volcanique. "On le remplit continuellement de couches de coke et de fer – en fait de ferraille et de gueuse – on ajoute de la pierre à chaux et on brûle le tout avec de l'air oxygéné. Le fer fond et tire du coke juste ce qu'il lui faut de carbone, puis il coule par le robinet en dessous." Il lui fit escalader un autre escalier d'acier en colimaçon dont les marches étaient usées et déformées, la fit passer par des ponts improvisés et des passerelles branlantes, montant de plus en plus haut, et ils se retrouvèrent finalement accroupis à la source même de ce métal fondu. Le flot incandescent descendait le long d'un conduit ouvert quelque peu grossier qui passait à moins d'un mètre de la pointe des chaussures de Robyn. C'était comme une sorte de petit pinacle dans ce pandémonium obscur et brûlant, et les deux Sikhs accroupis, qui tournaient méchamment vers elle leurs pupilles blanches dilatées et leurs dents luisantes, tout en triturant sans raison apparente le métal fondu avec des barres d'acier, ressemblaient à des démons sur une fresque ancienne.

La situation était si troublante, si étrangère à son environnement habituel, que, malgré l'inconfort et le danger, elle ne pouvait s'empêcher d'éprouver une sorte d'ivresse pareille, se dit-elle, à celle que devaient éprouver les explorateurs dans un pays barbare et reculé. Elle pensa à ce que ses collègues et ses étudiants pouvaient être en train de faire ce mercredi matin – discuter doctement de la poésie de John Donne et des romans de Jane Austen ou de l'essence du modernisme dans des salles moquettées et bien chauffées. Elle pensa à Charles à l'Université du Suffolk en train de faire cours, sur les poètes paysagistes romantiques, peut-être, en montrant des diapositives. Penny Black devait être occupée à rentrer dans sa base de données d'autres statistiques sur les femmes battues dans les Midlands de l'Ouest, et la mère de Robyn servait sans doute une petite collation pour quelque cause charitable dans son salon, orné de rideaux Liberty, qui donnait sur la mer. Que diraient-ils tous s'ils la voyaient maintenant ?

"Qu'est-ce qu'il y a de drôle ?" lui cria Wilcox dans l'oreille, et elle se rendit compte que ses pensées intimes l'avaient fait sourire. Elle retrouva son sérieux et secoua la tête. Il lui lança un regard méfiant et poursuivit son commentaire : Le métal fondu passe alors dans ce fourneau de maintien là-bas. La température est maintenue électriquement, ce qui nous permet d'utiliser juste la quantité dont nous avons besoin. Avant que je l'aie fait installer, on était obligé d'utiliser tout le fer fondu, ou sinon de le laisser perdre. Il se redressa brusquement et, sans un mot d'explication, sans même faire un geste pour l'aider, il repartit et redescendit vers le carreau de l'atelier. Robyn avait de la peine à le suivre, dérapant avec ses bottes à talons hauts sur les surfaces glissantes que des générations d'hommes avaient polies en broyant le sable noir sous leurs pieds. Wilcox l'attendait avec impatience au pied du dernier escalier. Il lui dit : Maintenant, on peut jeter un coup d'œil à la KW, et il repartit à grandes enjambées. Faut qu'on se presse, ils vont bientôt débrayer pour le déjeuner.

"J'avais cru comprendre, en écoutant votre homme dans le bureau, M. Rigby, que c'était une machine neuve, commença par dire Robyn lorsqu'ils se retrouvèrent devant la masse énorme. Elle n'a pas l'air neuve.

– Elle n'est pas neuve, en effet, dit Wilcox. Je ne peux pas me permettre d'acheter une telle machine toute neuve. Je l'ai achetée d'occasion à une fonderie de Sunderland qui a fermé l'an dernier. Une bonne affaire.

– Que fait-elle de spécial ?

– Elle fait des moulages pour des blocs cylindres.

– Elle a l'air moins bruyante que les autres machines, dit Robyn.

– Elle ne marche pas pour l'instant, dit Wilcox, prenant Robyn en pitié. Qu'est-ce qui se passe ? demanda-t-il, en s'adressant à un ouvrier en bleu de travail debout à côté de la machine et qui lui tournait le dos.

– L'putain de cliquet est coincé, dit l'homme sans tourner la tête. Fitter s'en occupe.

– Surveille ton langage, dit Wilcox. Tu ne vois pas qu'il y a une dame ?"

L'homme se retourna et regarda Robyn d'un air ahuri. "J'vous demande pardon", murmura-t-il.

La sirène se déclencha de nouveau, toujours aussi stridente.

"Bon... c'est reparti", dit Wilcox.

L'ouvrier manipula quelques molettes et quelques leviers, referma une cage, recula et appuya sur un bouton du tableau de commande. L'énorme structure en acier s'ébranla. Quelque chose avança, quelque chose se retourna, une autre chose se mit à faire un vacarme absolument atroce, comme le bruit d'un marteau-piqueur plusieurs fois amplifié. Robyn se boucha les oreilles. Wilcox fit un geste de la tête pour indiquer qu'il fallait s'éloigner. Il lui fit monter des escaliers jusqu'à une passerelle métallique d'où, dit-il, ils pouvaient voir l'opération d'en haut. Ils dominaient une plate-forme où se tenaient plusieurs hommes. De la machine qui faisait le bruit affreux, jusqu'à la plate-forme, montait un tapis roulant sur lequel défilaient des boîtes contenant des moules en sable noir (Wilcox disait qu'ils étaient verts). Les hommes mettaient des moules en sable orange dans les boîtes que l'on retournait alors et que l'on accolait aux autres boîtes contenant l'autre moitié du moule (le fond s'appelait la drague et le couvercle la chape – ce furent les premiers éléments de jargon qu'elle parvint à maîtriser) et le tout avançait sur le tapis roulant jusqu'au lieu du moulage. Deux hommes apportaient le métal fondu d'un fourneau de maintien jusqu'aux moules. Ils le transportaient dans d'énormes louches suspendues à des treuils qu'ils guidaient en appuyant sur des boutons de commandes, situés à l'extrémité de câbles électriques qu'ils tenaient d'une main. De l'autre main, ils tenaient une sorte d'énorme volant fixé sur le côté de la louche qu'ils tournaient pour déverser le métal fondu dans les petits trous des boîtes de moulage. Les deux hommes travaillaient par rotation, tournaient et retournaient, se déplaçant d'un pas lent et mesuré tels des astronautes ou des plongeurs sous-marins. On ne voyait pas leur visage car ils portaient des masques et des lunettes – précaution indispensable, car lorsqu'ils renversaient les louches, le métal incandescent giclait comme de la pâte à crêpes dans une poêle et des étincelles fusaient dans tous les sens.

"Est-ce qu'ils font cela toute la journée ? demanda Robyn.

– Toute la journée, et tous les jours.

– Il doit faire horriblement chaud !

– C'est pas si mal en hiver. Mais en été... la température peut monter jusqu'à près de cinquante degrés.

– Rien ne les oblige à travailler dans de telles conditions ?

– Evidemment. Le personnel de bureau commence à grogner quand il fait plus de vingt-six degrés. Mais ces deux types-là, ce sont des hommes. Wilcox prononça ce mot avec solennité, puis il ajouta, en montrant du doigt : Le tapis roulant fait un coude à quatre-vingt-dix degrés là-bas, et les moulages passent par un tunnel de refroidissement. A la fin, ils sont encore chauds, mais ils sont durs. On les fait alors passer dans un vibreur qui les débarrasse de leur gangue de sable."

Le vibreur méritait bien son nom. Robyn fut littéralement assommée. C'était, pensa-t-elle, comme l'anus de l'usine tout entière : un tunnel noir qui éjectait les moulages, encore enveloppés de sable noir, pareils à des étrons de fer encore tout chauds et puants, et les déposait sur une grille en métal qui était agitée en permanence de violents tremblements, afin de faire tomber le sable. Un Antillais géant, dont le visage noir luisait de sueur, se tenait arc-bouté, jambes écartées, au milieu des exhalaisons, de la chaleur et du vacarme ; il retirait de la grille, à l'aide d'une tige en acier, les moulages pesants pour les attacher à des crochets suspendus à un câble mobile qui les emportait, telles des carcasses de viande, vers une autre séquence de refroidissement.

Elle n'avait encore jamais vu de sa vie un endroit aussi horrible. En prononçant mentalement ce mot, elle recouvra soudain le sens originel du mot horrible : ce qui provoque l'horreur, une sorte de terreur, même. Elle se mettait à la place de cet homme qui se débattait avec ces lourds morceaux de métal difficiles à manipuler dans ce maelström de chaleur, de poussière et de puanteur, rendu sourd par le bruit indescriptible de cette grille vibrante, et qui travaillait là heure après heure, jour après jour... Et il était noir, comble de la déchéance : le cœur de Robyn s'émut devant le symbolisme puissant de ce spectacle. C'était le bon sauvage, le Noir enchaîné, l'archétype même de l'humanité exploitée, la victime par excellence du système industriel, impérialiste, capitaliste. Elle dut se retenir pour ne pas se précipiter vers lui et lui prendre la main en un geste de sympathie et de solidarité.

"Vous avez beaucoup d'Asiatiques et d'Antillais qui travaillent dans la fonderie, mais beaucoup moins dans l'autre partie, fit observer Robyn lorsqu'ils retrouvèrent le calme, la sérénité et le luxe tout relatif du bureau de Wilcox.

– Le travail est dur et sale, dans la fonderie.

– J'ai remarqué.

– Les Asiatiques et certains Antillais veulent bien le faire. Les gens d'ici refusent. Je n'ai pas à me plaindre d'eux. Ils travaillent dur, surtout les Asiatiques. Tom Rigby dit que, quand ils travaillent bien, c'est un véritable enchantement. Encore faut-il savoir les manier. Ils font bloc. Si l'un d'entre eux fiche le camp, ils foutent tous le camp.

– J'ai l'impression que toute votre organisation est raciste, dit Robyn.

– Stupide !" dit Wilcox, irrité. Il ne dit pas "stupide" mais "chtupide", avec un gros accent de Rummidge. "Le seul problème de race que nous ayons, c'est entre les Indiens et les Pakistanais, ou entre les Hindous et les Sikhs.

– Vous venez vous-même de reconnaître que les Noirs font tout le vilain travail, le travail le plus dur et le plus sale.

– Il faut bien que quelqu'un le fasse. C'est la loi de l'offre et de la demande. Si nous lancions une offre d'emploi aujourd'hui – pour un travail de manœuvre dans la fonderie – je vous garantis que nous aurions deux cents visages noirs ou basanés à la grille demain matin, pour peut-être un seul visage blanc.

– Et si c'était pour un emploi d'o.s. ?

– Nous avons tout un tas de gens de couleur comme O.S. Comme contremaîtres, aussi.

– Des directeurs de couleur ?" demanda Robyn.

Wilcox sortit une cigarette de sa poche, l'alluma et rejeta la fumée par les narines, tel un dragon en colère. "Ce n'est pas à moi de résoudre tous les problèmes de la société, dit-il.

– Qui va les résoudre, alors, dit Robyn, sinon les gens qui ont du pouvoir, comme vous ?

– Qui a dit que j'avais du pouvoir ?

– Je pensais que c'était évident, dit Robyn en faisant un grand geste qui englobait toute la pièce et ses meubles.

– Oui, bien sûr, j'ai un grand bureau, une secrétaire et une voiture de fonction. Je peux embaucher des gens, et, avec plus de mal, les licencier. Je suis le plus gros engrenage de cette machine. Mais seulement un petit engrenage dans cette grande machine qu'est la Compagnie des Midlands. Ils peuvent se débarrasser de moi quand ils veulent.

– N'existe-t-il pas une super-prime de départ quand on est licencié ? demanda sèchement Robyn.

– Je toucherais une année de salaire, deux avec un peu de chance. Ça ne va pas bien loin, et il n'est jamais facile de se motiver et de chercher un autre boulot après avoir été flanqué à la porte. J'ai vu tout un tas de PDG à qui c'est arrivé. Ce n'était pas de leur faute, généralement, si leur compagnie marchait si mal, mais on leur a fait porter le chapeau. Vous pouvez toujours avoir les meilleures idées du monde pour améliorer la compétitivité, mais, pour les exécuter, vous dépendez d'un tas d'autres gens, du directeur le plus haut en grade jusqu'au simple manœuvre.

– Peut-être que si tout le monde avait un intérêt à l'affaire, ça marcherait mieux, dit Robyn.

– Que voulez-vous dire ?

– Eh bien, s'ils recevaient tous une part des bénéfices.

– Et des pertes, aussi ?"

Robyn réfléchit à ce point délicat. "Oui, dit-elle en haussant les épaules, c'est bien là tout le problème avec le capitalisme, n'est-ce pas ? C'est une loterie. Il y a ceux qui gagnent et ceux qui perdent.

– C'est bien là tout le problème de la vie, dit Wilcox en jetant un coup d'œil à sa montre. On ferait mieux d'aller déjeuner."

Le déjeuner fut, comme tout le reste dans l'usine, un vrai supplice. A la grande surprise de Robyn, il n'y avait rien de prévu spécialement pour les directeurs. "Autrefois, chez Pringle, il y avait une salle à manger pour les directeurs, et un cuisinier particulier", expliqua Wilcox en la faisant passer par les couloirs sinistres du bâtiment administratif et puis dehors par la cour où la neige fraîche couvrait déjà le sentier que l'on avait dégagé. "Je venais y déjeuner parfois quand je travaillais chez Lewis et Arbuckle ; la bouffe était excellente. Et il y avait aussi un restaurant spécial pour les cadres. Tout cela a disparu avec les premières vagues de licenciements. Maintenant, il n'y a plus que la cantine.

– Au moins, c'est plus démocratique, approuva Robyn.

– Pas vraiment, dit Wilcox. Mes cadres supérieurs vont au pub du coin, et les ouvriers préfèrent apporter leur casse-croûte. Si bien que c'est surtout le personnel technique et administratif qui mange à la cantine." Il la fit entrer dans une cantine lugubre éclairée au néon, avec des tables en formica et des chaises en plastique empilables. Les fenêtres étaient couvertes de buée, et il flottait dans l'air une odeur nauséabonde qui rappelait à Robyn ses repas à la cantine de l'école. Comme on pouvait s'y attendre, la nourriture était plutôt bourrative – hachis Parmentier ou poisson pané, frites, choux bouillis et petits pois en conserve, génoise avec de la crème anglaise – mais le prix était dérisoire : cinquante pence le menu. Robyn se demandait pourquoi il n'y avait pas plus d'ouvriers à en profiter.

"Parce qu'il leur faudrait enlever leur salopette, dit Wilcox, et ils ne veulent pas s'en donner la peine. Ils préfèrent rester sur place dans leurs ateliers et manger leur casse-croûte sans avoir à se laver les mains. Il ne faut pas trop faire de sentiments avec les employés, vous savez, poursuivit-il. Ce sont tous des rustres. Ils semblent aimer la saleté. On a installé des w.-c. neufs dans l'atelier d'ébarbage en novembre dernier. Deux semaines plus tard, tout était saccagé. C'est lamentable ce qu'ils ont fait à ces toilettes.

– C'était peut-être une forme de vengeance, dit Robyn.

– De vengeance ? dit Wilcox en la dévisageant. Contre qui ? Contre moi qui les ai fait installer ?

– Une vengeance contre le système.

– Quel système ?

– Le système de l'usine. Il doit engendrer beaucoup de rancœur.

– Personne ne les oblige à travailler ici, dit Wilcox, en plongeant sa fourchette dans son hachis Parmentier.

– C'est ce que je disais, c'est le retour du refoulé. Tout cela est inconscient.

– Ah ? Qui a dit ça ? demanda Wilcox, en fronçant son sourcil.

– Freud, le premier, dit Robyn. Sigmund Freud, l'inventeur de la psychanalyse.

– J'ai entendu parler de lui, dit Wilcox d'un ton sec. Je ne suis pas totalement ignare, vous savez, même si je travaille dans une usine.

– Je n'ai jamais dit que vous l'étiez, dit Robyn en rougissant. Vous avez donc lu Freud ?

– Je n'ai pas tellement le temps de lire, dit Wilcox, mais je sais vaguement ce qu'il a raconté. Il a dit que tout se ramenait au sexe, je me trompe ?

– C'est une façon peut-être assez simpliste de dire les choses, dit Robyn en extrayant un morceau de poisson trop cuit d'une carapace de croûte orange.

– Mais juste pour l'essentiel ?

– En tout cas pas totalement fausse, dit Robyn. Le Freud des débuts croyait en effet que la libido était le moteur principal du comportement humain. Plus tard, il a changé d'avis et dit que l'instinct de mort était plus important.

– L'instinct de mort... qu'est-ce que c'est que ça ?

Wilcox, qui allait porter à sa bouche un morceau de viande, interrompit son geste pour poser cette question.

– C'est difficile à expliquer. Pour l'essentiel, ça revient à dire qu'inconsciemment nous désirons tous la mort, le non-être, parce que la vie est trop pénible.

– C'est un sentiment que j'éprouve souvent à cinq heures du matin, dit Wilcox. Mais, en me levant, je m'en débarrasse bien vite."

Peu après leur retour dans le bureau de Wilcox, Brian Everthorpe apparut à la porte. Il avait le visage un peu rouge et on remarquait que son gilet avait légèrement plus de peine à contenir sa bedaine.

"Salut, Vic. Nous espérions te voir au Cosmonaute. Tu as sans doute préféré déjeuner en tête-à-tête dans un endroit un peu plus raffiné ? A la Couronne, peut-être ?" Il lança un coup d'œil à Robyn et mit la main devant la bouche pour dissimuler un renvoi.

"Nous avons mangé à la cantine", dit Wilcox d'un ton glacial.

Everthorpe recula d'un pas, feignant de paraître très surpris. "Tu ne l'as tout de même pas emmenée dans ce bouge, Vic ?

– C'est pas si mal que ça, dit Wilcox. C'est propre et bon marché.

– Comment avez-vous trouvé la nourriture ? demanda Everthorpe en s'adressant à Robyn. Ce n'est pas de la grande cuisine, n'est-ce pas !"

Robyn s'installa dans un fauteuil. "Ça va avec tout le reste dans l'usine, j'imagine.

– Très diplomate. La prochaine fois... j'espère qu'il y aura une prochaine fois, non ? La prochaine fois, demandez à Vic de vous emmener au *grill* de la Couronne. S'il ne le fait pas, c'est moi qui vous emmènerai.

– Tu avais quelque chose de spécial à me dire ? dit Wilcox d'un ton excédé.

– Oui, il m'est venu une petite idée. Je pense que nous devrions avoir un calendrier. Enfin, quelque chose à donner à nos clients à la fin de l'année. Une excellente pub

147

pour la compagnie. Ça reste au mur 365 jours de l'année.

– Quelle espèce de calendrier ? demanda Wilcox.

– Enfin, tu vois, le truc habituel. Des nanas avec de gros nénés. Il regarda en direction de Robyn et lui adressa un clin d'œil. Quelque chose de raffiné, pas trop vulgaire. Comme le calendrier Pirelli. Ce sont des objets de collection, tu sais.

– Tu dérailles, ou quoi ? dit Wilcox.

– Je sais ce que tu vas dire, dit Everthorpe, en faisant avec ses mains roses et charnues un geste pour le calmer. "On ne peut pas se le permettre financièrement." Mais je n'ai jamais eu l'intention de louer les services du comte de Lichfield ou d'une bande de mannequins de Londres. On peut trouver le moyen de le faire pour pas cher. Tu sais que Shirley a une fille qui est mannequin ?

– Et qui ne demande que ça, tu veux dire ?

– Tracey a tout ce qu'il faut pour cela, Vic. Tu devrais voir son album photo.

– Je l'ai vu. Elle me fait penser à une double ration de blanc-manger rose bonbon, aussi excitante, presque. C'est Shirley qui t'a mis ça dans la tête ?

– Non, Vic, c'est moi qui ai eu l'idée, dit Everthorpe, l'air offensé. Bien sûr, j'en ai parlé avec Shirley. Elle est tout à fait pour.

– Oh, ça ne m'étonne pas.

– L'idée est simple : on utilise la même fille – Tracey en l'occurrence – pour chaque mois, mais sur un fond différent selon la saison.

– Très original. Le photographe risque d'avoir sa petite idée là-dessus lui aussi, tu ne crois pas ?

– Ah, voilà justement où intervient l'autre partie de mon projet. Comme tu le sais, j'appartiens à un club-photo...

– Excusez-moi", dit Robyn en se relevant. Les deux hommes, qui, dans le feu de la discussion, avaient momentanément oublié qu'elle était là, tournèrent la tête vers elle et la regardèrent. Elle s'adressa à Everthorpe : "Dois-je comprendre que vous cherchez à promouvoir vos produits avec un calendrier qui avilit la femme ?

– Il n'avilira pas la femme, ma chère, au contraire, il...
Everthorpe cherchait ses mots.

– Il la glorifiera ? lui suggéra Robyn.

– C'est cela.

– Oui, j'ai déjà entendu ça quelque part. Si j'ai bien
compris, vous proposez d'utiliser des photos de femmes
nues, ou d'une femme nue – comme les pin-up qui tapis-
sent les murs de votre usine ?

– Eh bien, oui, mais en plus raffiné. Quelque chose de
bon goût, vous comprenez. Pas de poils, comme dans
Penthouse. Rien que des fesses et des nichons.

– Pourquoi pas quelques pénis, aussi ?" dit Robyn.

Robyn vit avec plaisir qu'Everthorpe était pris au
dépourvu. "Quoi ? dit-il.

– Eh bien, statistiquement, au moins dix pour cent de
vos clients doivent être pédés. N'ont-ils pas droit eux aussi
à un peu de porno ?

– Ha ! Ha ! s'exclama Everthorpe en partant d'un rire
gêné. Pas beaucoup de tapettes dans notre métier, pas vrai,
Vic ?"

Wilcox, qui écoutait attentivement et semblait trouver
la conversation très amusante, ne répondit rien.

"Vous avez pensé aux femmes qui travaillent dans les
bureaux où on va suspendre vos calendriers ? poursuivit
Robyn. Pourquoi seraient-elles obligées de regarder des
femmes nues tout le temps ? Ne pourriez-vous pas consacrer quelques mois de l'année à des hommes nus ? Peut-
être aimeriez-vous poser vous aussi, avec Tracey ?"

Vic Wilcox pouffa de rire.

"Vous vous méprenez complètement, ma chère, dit
Everthorpe, en s'efforçant de garder son calme. Les
femmes ne sont pas comme ça. Elles ne s'intéressent pas
aux photos d'hommes nus.

– Moi si, dit Robyn. Je les aime avec la poitrine velue
et des pénis de vingt-cinq centimètres. Everthorpe la regardait bouche bée. Vous êtes choqué, n'est-ce pas ? Vous
pensez sans doute qu'il est parfaitement normal de parler
des nichons et des fesses de femmes et de coller ces photos
partout. Eh bien, ce n'est pas normal. C'est dégradant pour

les femmes qui posent, pour les hommes qui les regardent, pour le sexe tout simplement.

– Tout cela est passionnant, dit Wilcox en regardant sa montre, mais j'ai une réunion ici dans près de cinq minutes avec mon directeur technique et tout son personnel.

– Je t'en reparlerai plus tard, dit Brian Everthorpe d'un ton bourru. Quand on sera un peu plus tranquilles.

– Il ne tient pas la route, ton projet, dit Wilcox.

– Stuart Baxter n'est pas de cet avis, dit Everthorpe, en frisant ses favoris du revers de la main.

– Je me fiche comme d'une queue de babouin, de ce que pense Stuart Baxter, dit Wilcox.

– Je t'en reparlerai quand ta stagiaire, ou ton ange gardien, ou je ne sais quoi me permettra d'en placer une.
Everthorpe s'empressa de quitter le bureau.

A court d'adrénaline, Robyn sentit soudain ses jambes flageoler et se rassit. Wilcox, qui avait mitraillé Everthorpe du regard tandis qu'il sortait, se retourna en souriant presque. "J'ai bien aimé la petite scène, dit-il.

– Vous êtes de mon avis ?

– Je crois que nous nous ridiculiserions.

– Je voulais dire au niveau des principes. L'exploitation du corps de la femme.

– Je n'ai pas beaucoup de temps pour penser à tout ça, en ce qui me concerne, dit Wilcox. Mais il y a des hommes qui ne deviennent jamais adultes.

– Vous pourriez y remédier, dit Robyn. Vous êtes le patron. Vous pourriez interdire toutes les pin-up dans l'usine.

– Je pourrais, si j'étais assez fou. Vous me voyez avec une grève sauvage sur les bras à cause des pin-up ?

– Vous pourriez au moins montrer l'exemple. Il y a un calendrier porno dans le bureau de votre secrétaire.

– C'est vrai ?" Wilcox eut l'air sincèrement surpris. Il se leva d'un bond de son fauteuil tournant et se rendit dans le bureau d'à côté. Quelques instants plus tard, il revint, en se grattant le menton d'un air songeur. "Curieux, je ne l'avais jamais remarqué. Il nous a été donné par les Pompes Gresham.

– Vous allez demander qu'on l'enlève, alors ?

– Shirley prétend que le représentant de chez Gresham aime le voir là quand il vient nous voir. Pas la peine de vexer un client."

Robyn hocha la tête avec mépris. Elle était déçue : elle se voyait déjà rentrant chez elle après cette expédition en plein cœur de ce néant culturel, et faisant à Charles et à Penny Black le récit de quelque haut fait méritoire.

Wilcox alluma quelques lampes au-dessus de la table du conseil à l'autre bout de la pièce. Il se rendit à la fenêtre où, déjà, la lumière du jour commençait à pâlir, et glissa un œil à travers les pans verticaux du store. "Il neige encore. Vous feriez peut-être mieux de rentrer chez vous. Les routes ne vont pas être faciles.

– Il n'est que deux heures et demie, dit Robyn. Je croyais que je devais rester avec vous toute la journée.

– Comme vous voudrez, dit-il en haussant les épaules. Mais, je vous avertis, je travaille très tard."

Robyn hésitait encore lorsque le bureau commença à se remplir d'hommes en costumes ternes et cravates tristes qui avaient tous ce teint terreux que semblaient avoir tous ceux qui travaillaient dans l'usine. Ils entrèrent timidement, saluèrent Wilcox avec respect d'un geste de la tête et jetèrent un regard furtif à Robyn. Ils s'assirent autour de la table et sortirent des paquets de cigarettes, des briquets et des calculettes de leurs poches, disposant le tout avec précaution devant eux comme si c'étaient là les instruments nécessaires au jeu qu'ils s'apprêtaient à jouer.

"Où dois-je m'asseoir ? dit Robyn.

– Où vous voulez, dit Wilcox.

Robyn prit place à l'autre bout de la table, face à Wilcox. "Je vous présente le Dr Robyn Penrose, de l'Université de Rummidge", dit-il. Les hommes tournèrent tous la tête vers elle en même temps, comme si on venait de les autoriser à la regarder. "Vous avez tous entendu parler de l'Année de l'Industrie, je suppose. Et vous savez tous ce qu'est un stagiaire. Eh bien, le Dr Penrose est ma stagiaire dans le Programme de l'Année de l'Industrie."

Il parcourut des yeux son auditoire comme pour voir si

quelqu'un oserait sourire. Personne n'osa. Il expliqua brièvement le principe du Système de Stage et conclut : "Faites comme si elle n'était pas là."

Ils n'eurent aucune difficulté à suivre son conseil, une fois la réunion commencée. A l'ordre du jour : le gaspillage. Wilcox commença par déclarer que le pourcentage de produits refusés par leurs propres inspecteurs était de cinq pour cent, ce qui était beaucoup trop selon lui, et que, par ailleurs, les clients renvoyaient à l'usine un autre pour cent. Il cita plusieurs causes possibles : machines défectueuses, travail mal fait, surveillance insuffisante, tests de laboratoire erronés, et il demanda à chacun des chefs d'ateliers de dire quelles étaient les principales causes de gaspillage dans leurs domaines respectifs. Robyn trouva la discussion difficile à suivre. Les cadres parlaient un langage cryptique et plein d'allusions, utilisant un jargon technique totalement obscur pour elle. Elle avait de la peine à les comprendre avec leur accent chuintant, et la fumée de leurs cigarettes lui brûlait les yeux. L'ennui la gagna, elle regarda par la fenêtre et vit pâlir la lumière hivernale et voleter les flocons de neige. La neige recouvrait Rummidge de son blanc manteau, songea-t-elle, faisant des variations sur un passage célèbre de James Joyce pour passer le temps. La neige tombait sur tous les quartiers de cette conurbation tentaculaire et ténébreuse, sur le macadam des autoroutes et les sites industriels où il n'y avait pas un seul arbre, elle tombait doucement sur les pelouses du campus et, plus loin à l'ouest, sur les eaux tumultueuses et sombres du Canal Rummidge-Wallsbury. Tout à coup, son attention fut à nouveau mobilisée.

Ils discutaient d'une machine qui tombait constamment en panne. "C'est la faute de l'ouvrier, disait l'un des cadres. Il n'est pas à la hauteur, tout simplement. Il ne règle pas la machine correctement, alors elle se bloque sans arrêt.

— Comment s'appelle-t-il ? demanda Wilcox.

— Ram. C'est un Pakistanais, dit l'un.

— Non, ce n'est pas vrai, il est indien, dit un autre.

— Enfin, peu importe. Comment faire la différence ? Ils

l'appellent Danny. Danny Ram. On l'a mis sur ce poste quand on n'avait personne l'hiver dernier, et on l'a fait passer o.s.

– On n'a qu'à se débarrasser de lui, alors, dit Wilcox. Il a créé un goulet d'étranglement. Terry... tu t'en charges, tu veux bien ?"

Terry, un gros homme robuste qui fumait, retira sa pipe de sa bouche et dit : "Nous n'avons aucune raison sérieuse de le mettre à la porte.

– Ridicule. On l'a formé, n'est-ce pas ?

– Je n'en suis pas sûr.

– Vérifie. Sinon, forme-le, même s'il n'y comprend rien. Tu me suis ?"

Terry fit oui de la tête.

"Ensuite, chaque fois qu'il ne parvient pas à régler correctement la machine, tu lui donnes un avertissement en bonne et due forme. Et, la troisième fois, on le jette dehors. Ça ne devrait pas prendre plus d'une quinzaine de jours. D'accord ?

– D'accord, dit Terry en remettant sa pipe entre ses dents.

– La question suivante, dit Wilcox, concerne le contrôle de qualité dans l'atelier des machines. Voyons voir : j'ai quelques chiffres ici...

– Excusez-moi, dit Robyn.

– Oui, qu'est-ce que c'est ? dit Wilcox, en levant les yeux de la feuille étalée devant lui, l'air agacé.

– Dois-je comprendre que vous allez exercer une pression sur un ouvrier pour qu'il fasse des fautes afin de pouvoir le limoger ?"

Wilcox dévisagea Robyn. Il y eut un long moment de silence comme dans ces scènes de westerns, juste avant une bagarre. Les autres hommes ne pipaient mot, et osaient encore moins bouger. Ils ne semblaient même pas respirer. Robyn elle-même respirait vite, elle haletait presque.

"Je ne pense pas que ça vous regarde, Dr Penrose, finit par dire Wilcox.

– Oh mais si ! répondit Robyn avec fougue. Ça regarde tous les gens soucieux de vérité et de justice. Vous ne voyez donc pas que c'est très mal de piéger ce pauvre homme pour qu'il perde son boulot ? dit-elle, en regardant tout le monde autour de la table. Comment pouvez-vous rester là à ne rien dire ?" Les hommes tripotèrent leur cigarette et leur calculette d'un air gêné, en évitant de croiser son regard.

"C'est une question de gestion où vous n'avez aucune compétence, dit Wilcox.

– Ce n'est pas une question de gestion, c'est une question de morale", dit Robyn.

Wilcox était maintenant livide de colère. "Dr Penrose, dit-il, j'ai l'impression que vous ne comprenez pas très bien quel est votre rôle ici. Vous êtes stagiaire, et non inspectrice. Vous êtes ici pour apprendre, et non pour intervenir. Je suis obligé de vous demander de vous taire ou de quitter la réunion.

– Très bien, alors, je pars", dit Robyn. Elle ramassa ses affaires dans un silence pesant et quitta la pièce.

– La réunion est terminée ? demanda Shirley avec un grand sourire de pure convenance.

– Non, elle se poursuit, dit Robyn.

– Vous préférez partir de bonne heure, comme ça ? Vous avez bien raison, avec le temps qu'il fait. Vous revenez demain ?

– La semaine prochaine, dit Robyn. Tous les mercredis... c'est ce que prévoit le programme. Elle se demandait bien si le programme allait se poursuivre, mais elle préférait ne pas évoquer la petite scène qui venait d'avoir lieu. Connaissez-vous un ouvrier dans l'usine qui s'appelle Danny Ram ? demanda-t-elle d'un ton neutre.

– J'crois pas. Qu'est-ce qu'il fait comme boulot ?

– Je ne sais pas très bien. Il fait marcher une machine quelconque.

– C'est ce qu'ils font tous, plus ou moins, pas vrai ? dit Shirley en riant. Ça doit vous changer, non, ce genre d'endroit ? Surtout après l'université.

– Oui, ça me change beaucoup.

– Ce Ram, c'est un de vos amis ? Robyn avait piqué sa curiosité et peut-être même sa méfiance.

154

– Non, mais je pense que c'est le père d'un de mes étudiants, dit Robyn en improvisant.

– Demandez donc plutôt à Betty Maitland aux Services Financiers, dit Shirley. Deux portes plus loin dans le couloir.

– Merci", dit Robyn.

Betty Maitland eut la gentillesse de bien vouloir chercher Danny Ram sur le registre des salaires (son nom était en fait Danyatai Ram) et d'informer Robyn qu'il travaillait à la fonderie. Le seul chemin qu'elle connaissait pour se rendre à la fonderie étant celui qu'elle avait suivi pendant sa visite guidée plus tôt dans la journée, elle n'eut d'autre choix que de le reprendre.

Dans l'atelier des machines, maintenant que Victor Wilcox n'était plus avec elle, Robyn, avec ses bottes chic, son pantalon en velours côtelé et sa veste matelassée beige, ne passa pas inaperçue. Un animal rare, une biche blanche ou une licorne débarquant dans ce lieu étrange n'eût pas fait plus grosse impression. Des sifflements admiratifs ou moqueurs, parfaitement audibles malgré le vacarme des machines, la poursuivirent tandis qu'elle traversait l'usine à toute vitesse. Plus les hommes sifflaient, plus leurs remarques étaient paillardes, et plus elle marchait vite. Mais plus elle marchait vite, et plus elle devenait un objet sexuel, une proie sexuelle, tournant et retournant entre les rangées d'établis (car elle perdit bientôt son chemin), trébuchant contre des tas de pièces en métal, dérapant sur le sol huileux ; ses joues devenaient aussi rouges que ses cheveux, les ailes de son nez viraient au blanc, elle regardait droit devant elle, refusant de croiser le regard de ses bourreaux. *"Salut, chérie, tu me cherches ? T'as vu ça, Enoch ? Fais-nous voir tes jambes ! Viens par là et prends mon outil, tu veux ?"*

Elle parvint finalement à trouver la porte à l'extrémité de l'immense hangar, et sortit en courant dans la cour obscure qui, comme elle se souvenait après sa visite du matin, était encombrée de carcasses de machines abandonnées. Elle s'arrêta un instant sous une pâle lumière électrique pour reprendre ses esprits, aspirant à pleins poumons l'air pur et glacé, avant de replonger dans le troisième cercle de cet enfer industriel. Maintenant que la lumière du jour ne pénétrait plus à l'intérieur de la fonderie, celle-ci ressemblait plus que jamais à un enfer, avec ses fourneaux qui brasillaient dans l'obscurité fuligineuse. Là, il y avait moins d'ouvriers que dans l'atelier des machines, et ils étaient plus timides – peut-être parce qu'ils étaient asiatiques pour la plupart. Ils évitaient de la regarder et se détournaient à son approche comme si sa présence les inquiétait quelque peu. "Danny Ram ? cria-t-elle. Savez-vous où travaille Danny Ram ?" Ils firent tous non de la tête, roulèrent des yeux, ricanèrent nerveusement et continuèrent de vaquer à leurs besognes mystérieuses. Finalement, elle rencontra un Européen qui allumait nonchalamment une cigarette à une flamme de trente centimètres jaillissant d'un brûleur à gaz et qui voulut bien répondre à sa question. "Danny Ram ? dit-il, en penchant la tête d'un côté pour ne pas se brûler. Ouais, je le connais. C'est pour quoi faire ?

– J'ai un message pour lui.

– C'est ce type, là-bas", dit l'homme en se redressant et en montrant un Asiatique fluet, l'air assez déprimé, qui se tenait à côté d'une machine apparemment très complexe. Elle faisait tant de bruit et accaparait tellement son attention qu'il ne vit pas Robyn s'approcher de lui.

"Monsieur Ram ?" dit-elle, en lui touchant la manche.

Il sursauta et se retourna brusquement. "Oui ? articula-t-il, en la dévisageant.

– J'ai une information importante à vous communiquer, cria-t-elle.

– Une information ? répéta-t-il, l'air étonné. Qui êtes-vous, s'il vous plaît ?"

Heureusement, la machine arriva en fin de cycle juste à ce moment-là et elle put poursuivre la conversation d'une voix plus normale : "Peu importe qui je suis. L'information est confidentielle, mais je pense qu'il faut que vous le sachiez. Ils vont essayer de vous mettre à la porte." L'homme se mit à trembler légèrement dans sa salopette raidie par la graisse et la crasse. "Ils vont faire tout leur possible pour vous prendre en défaut dans votre travail et pour vous donner des avertissements, afin de vous mettre à la porte. Comprenez ? A bon entendeur, salut. Ne dites à personne que je vous l'ai dit." Elle sourit comme pour lui redonner courage et elle lui tendit la main. "Au revoir."

L'homme s'essuya les mains tant bien que mal sur son pantalon et lui donna une poignée de main molle. "Qui êtes-vous ? dit-il. Comment savez-vous ça ?

– Je suis stagiaire", dit Robyn.

L'homme parut mystifié et comme frappé de stupeur, s'imaginant peut-être que le mot désignait une sorte de messager surnaturel. "Merci", dit-il.

Pour éviter d'avoir à affronter à nouveau l'atelier des machines, Robyn retourna vers le parking en contournant le bâtiment, mais les sentiers étaient couverts d'une neige compacte qui rendait sa marche difficile. Elle se perdit dans le labyrinthe des cours et des venelles entre les innombrables bâtiments, la plupart désaffectés et délabrés apparemment, qui étaient dispersés sur le site de l'usine, et elle ne trouva personne pour la renseigner. Finalement, après avoir tourné en rond pendant une vingtaine de minutes, les pieds trempés dans ses bottes qui prenaient l'eau, les muscles endoloris à force de patauger dans la neige, elle arriva au parking devant le bâtiment administratif et retrouva sa voiture. Elle enleva l'épaisse couche de neige qui recouvrait le pare-brise et, poussant un soupir de soulagement, prit place au volant. Elle tourna la clé de contact. Il ne se passa rien.

"Connerie, dit Robyn à voix haute, seule au milieu de ce parking gelé. Fesses. Nichons."

Si c'était la batterie, elle avait dû rendre l'âme car le démarreur n'émit pas le moindre souffle ni le moindre murmure. Quoi qu'il en soit, elle ne pouvait rien y faire toute seule, car elle n'avait pas la moindre idée de ce qui pouvait se passer sous le capot de sa petite Renault. Elle s'extirpa péniblement de la voiture, traversa d'un pas pesant le parking pour se rendre au hall d'accueil, et là elle demanda à la standardiste aux cheveux décolorés à l'eau oxygénée si elle pouvait téléphoner à l'Automobile Club. Pendant qu'elle faisait le numéro, Wilcox, qui passait dans le couloir derrière, la vit, s'arrêta et entra.

"Toujours là ?" dit-il, en redressant son sourcil.

Robyn fit oui de la tête, serrant le combiné contre son oreille.

"Elle téléphone à l'AC, dit la blonde décolorée. Sa voiture ne veut pas démarrer.

– Quel est le problème ? dit Wilcox.

– Rien ne se passe quand je tourne la clé de contact. La batterie est complètement morte.

– On va y jeter un coup d'œil, dit Wilcox.

– Non, non, dit Robyn. Ne vous donnez pas cette peine, je vous en prie. Je vais m'en tirer.

– Allez, venez. Il fit un geste de la tête en direction du parking. Avec ce temps, vous allez devoir attendre des heures avant que l'AC arrive."

Le téléphone sonnait toujours occupé dans l'oreille de Robyn. Reconnaissant le bien-fondé de ce jugement, elle reposa le combiné à contrecœur. Elle ne voulait surtout pas, en l'occurrence, devoir quelque chose à Wilcox.

"Vous ne feriez pas mieux de prendre votre manteau ?" demanda-t-elle tandis qu'ils franchissaient les portes battantes et plongeaient dans l'air glacé.

Wilcox secoua la tête, agacé. "Où est votre voiture ?

– C'est la Renault rouge là-bas."

Wilcox partit tout droit vers la voiture, sans prêter attention à la neige qui recouvrait ses souliers noirs en cuir fin et qui s'accrochait à ses jambes de pantalon.

"Pourquoi avez-vous acheté une voiture étrangère ? dit-il.

– Je ne l'ai pas achetée ; mes parents me l'ont donnée quand ils ont changé de voiture.

– Pourquoi l'ont-ils achetée, alors ?

– Je ne sais pas. Maman l'aimait bien, j'imagine. C'est une bonne petite voiture.

– La Métro aussi. Pourquoi ne pas acheter une Métro si vous voulez une petite voiture ? Ou encore une Mini ? Si tous ceux qui ont acheté une voiture étrangère ces dix dernières années avaient acheté une voiture britannique à la place, il n'y aurait pas dix-sept pour cent de chômeurs dans la région." Il fit un grand geste de la main qui embrassait toute cette étendue désolée d'usines abandonnées à l'extérieur des grilles.

En tant que lectrice de *Marxism Today,* Robyn se sentait parfois coupable de se rendre au travail en voiture au lieu d'y aller à bicyclette, mais jamais jusque-là on ne l'avait critiquée d'avoir une voiture étrangère. "Si les voitures britanniques étaient aussi bonnes que les voitures étrangères, les gens les achèteraient, dit-elle. Mais tout le monde sait, malheureusement, qu'elles ne sont pas fiables.

– Stupide, dit Wilcox. *Chtupide.* C'était vrai autrefois, je vous l'accorde, sur certains modèles, mais maintenant nos contrôles de qualité valent bien les autres. Le problème, c'est que les gens se moquent des produits britanniques. Après cela, ils ont l'audace de se plaindre à cause du taux de chômage. Son haleine fumait comme si sa colère se condensait dans l'air glacé. Qu'est-ce qu'il a comme voiture, votre père ? dit-il.

– Une Audi", répondit Robyn.

Wilcox eut un grognement de mépris, s'attendant manifestement à cette réponse.

Ils arrivèrent à la Renault. Wilcox lui dit de s'asseoir au volant et de relâcher le loquet du capot. Il ouvrit le capot et disparut derrière. Au bout de quelques instants, elle l'entendit crier : "Tournez la clé de contact" ; elle obéit et le moteur démarra.

Wilcox rabaissa le capot et le ferma en appuyant dessus avec la paume de la main. Il s'approcha de la portière côté chauffeur en secouant la neige de son costume.

"Merci bien, dit Robyn. Qu'est-ce que c'était ?

– Un fil électrique qui s'était défait, dit-il. Comme si on avait arraché la tête du Delco, en fait.

– Arraché ?

– Nous avons nous aussi nos petits vandales et nos petits farceurs. Est-ce que la voiture était fermée à clé ?

– Peut-être pas toutes les portes. Enfin, je vous remercie. J'espère que vous n'allez pas attraper froid", dit-elle, l'invitant à repartir. Mais il restait appuyé à la vitre, empê-chant Robyn de la relever.

"Je regrette, j'ai été un peu sec à la réunion cet après-midi, dit-il d'un ton bourru.

– Ce n'est pas grave", dit Robyn.

En fait, c'était grave, se dit-elle, très grave même. Elle tripota le bouton du starter pour ne pas avoir à le regarder.

"Parfois, vous comprenez, il nous faut utiliser des méthodes un peu douteuses pour le bien de la compagnie.

– Je crois que nous ne pourrons jamais nous entendre sur ce point, dit Robyn. Mais ce n'est pas vraiment le moment ni le lieu…" Du coin de l'œil, elle aperçut un homme en veste blanche qui pataugeait dans la neige et se dirigeait vers eux, et elle eut le pressentiment qu'il valait mieux qu'elle s'en aille tout de suite.

"Oui, vous feriez mieux de partir. A mercredi, donc ?"

Avant que Robyn eût pu répondre, l'homme en veste blanche avait crié : "Monsieur Wilcox ! Monsieur Wilcox ! et Wilcox se retourna vers lui.

– Monsieur Wilcox, on vous demande à la fonderie, dit l'homme tout essoufflé en s'approchant. Il vient d'y avoir un débrayage.

– Au revoir", dit Robyn et elle relâcha l'embrayage.

La Renault fit une embardée, dérapa d'un côté puis de l'autre dans la neige tandis que Robyn fonçait vers la grille. Dans son rétroviseur, elle vit les deux hommes qui regagnaient bien vite le bâtiment administratif.

III

– Les zens ont besoin de z'amuzer. Ils ne peuvent pas touzours être en train d'apprendre, touzours en train de travailler. Ils ne zont pas faits pour za.

Charles Dickens : *Temps difficiles*

1

"Le retour a été affreux, dit Robyn. La neige tour-billonnait. Les routes étaient de vraies patinoires. Il y avait des voitures abandonnées un peu partout. Il m'a fallu deux heures et demie pour rentrer.

– Mon Dieu ! dit Charles avec compassion.

– J'étais complètement éreintée et dégoûtante ; mes pieds étaient trempés, mes vêtements sentaient aussi mauvais que leur odieuse usine, et mes cheveux étaient pleins de suie. Je n'avais qu'une hâte, c'était de me faire un shampooing et de prendre un grand bain bien chaud. Je venais juste de m'y plonger – quel délice ! – quand on a sonné à la porte. Je me suis dit, tant pis, je ne vais pas y aller. Je n'avais aucune idée de qui ça pouvait bien être. Mais ça ne voulait pas s'arrêter de sonner. Je me suis dit alors que c'était peut-être une urgence. Finalement, je n'ai pas pu supporter de rester allongée dans ma baignoire pen-dant que cette sacrée sonnette me serinait aux oreilles, alors je suis sortie de mon bain, je me suis séchée bien vite, j'ai passé un peignoir et suis descendue ouvrir la porte. Devine qui c'était !

– Wilcox ?

– Bravo, tu as deviné. Il était dans une rage pas pos-sible, il est entré dans la maison sans que je l'invite, et sans même se donner la peine d'essuyer ses pieds pleins de neige qui laissaient de grosses traces mouillées sur le tapis du vestibule. Quand je l'ai fait passer dans le salon, il a même eu l'impertinence de tout passer en revue autour de lui et de bredouiller, assez fort pour que je l'entende : Quel taudis !"

Charles éclata de rire. "Il faut reconnaître, ma chère, que tu n'es pas la plus ordonnée des ménagères.

– Je n'ai jamais prétendu le contraire, dit Robyn. J'ai

des choses plus importantes à faire que le ménage.

– Oh, évidemment ! dit Charles. Que voulait donc Wilcox ?

– C'était bien sûr à propos de Danny Ram. Apparemment, juste après mon départ, il avait été raconter à ses copains de travail ce que mijotait la direction et ils avaient tous débrayé en signe de protestation. C'était un peu stupide de sa part. Tu penses bien qu'il n'a pas fallu longtemps à Wilcox pour comprendre qui l'avait averti.

– Alors, comme ça, Wilcox est venu tout droit chez toi pour se plaindre ?

– Pas seulement pour se plaindre. Il a exigé que je retourne à l'usine le lendemain matin pour dire à Danny Ram et à ses copains que je m'étais trompée, et qu'il n'y avait pas de complot pour le mettre à la porte.

– Grand Dieu, il ne manque pas de culot ! Tu veux bien te pousser un peu ?"

Robyn, qui était allongée dans le lit, toute nue sur le ventre, se tortilla un peu pour revenir vers le centre du matelas. Charles, également nu, se mit à califourchon sur ses jambes et versa de l'huile aromatique du Body Shop sur ses épaules et tout le long de son dos. Puis il reboucha la bouteille avec précaution, la reposa et commença à masser le cou et les épaules de Robyn de ses longs doigts souples et délicats. Le week-end qui avait suivi cette première visite chez Pringle, Charles était venu voir Robyn ; et c'était ainsi qu'ils avaient l'habitude de conclure leur soirée du samedi, après avoir vu un film en matinée au Ciné-Club et pris un excellent dîner pas trop cher dans l'un des restaurants asiatiques du quartier. Ça commençait par un massage en bonne et due forme pour se transformer imperceptiblement en caresses érotiques. Robyn et Charles avaient momentanément banni de leur vie sexuelle toute pénétration, pas à cause du SIDA (qui ne constituait pour les hétérosexuels, en cet hiver 1986, qu'un petit nuage à l'horizon, à peine plus gros que la main d'un homme) mais pour des raisons à la fois idéologiques et pratiques. La théorie féministe approuvait cette technique qui résolvait en même temps le problème de la contraception, Robyn

ayant maintenant cessé de prendre la pilule pour des raisons de santé et Charles considérant les préservatifs
comme peu esthétiques (pourtant Robyn, comme toutes les
jeunes femmes vraiment libérées, en avait toujours un
paquet à portée de la main, au cas où le besoin s'en ferait
sentir). Pour le moment, ils n'en étaient encore qu'à
l'étape du massage non érotique. La chambre était éclairée
d'une lumière tamisée et baignait dans une chaleur
douillette, un radiateur électrique apportant un supplément
de confort au chauffage central. Robyn, la tête dans la
main sur le côté, le bras appuyé à un oreiller, bavardait
avec Charles par-dessus son épaule tandis que celui-ci
massait et caressait.

"Tu as refusé, j'imagine ? dit Charles.

– Au début, oui.

– Seulement au début ?

– Au bout d'un moment, tu comprends, il a cessé de
me harceler, voyant que ça ne servait à rien, et il s'est mis
à utiliser des arguments plus sérieux. Il m'a dit que si le
débrayage se transformait en grève, c'était toute l'usine
qui tomberait au point mort. Les ouvriers asiatiques ont
l'esprit de clan, m'a-t-il dit, et ils sont très têtus. Quand ils
ont une idée dans la tête, il est difficile de les faire changer
d'avis.

– Le laïus raciste, quoi, dit Charles.

– Oui, je sais, dit Robyn. Mais ils sont tous de vrais
primitifs dans ce domaine, tous ces cadres, si bien qu'au
bout d'un certain temps on ne remarque plus que les cas de
racisme les plus flagrants. Enfin, m'a dit Wilcox, une
grève pourrait durer plusieurs semaines. La fonderie cesse-
rait d'approvisionner l'atelier des machines. L'usine cesse-
rait toute activité. La Compagnie des Midlands pourrait
bien alors tenter de réduire ses pertes en la fermant purement et simplement. Alors, des centaines d'ouvriers se
trouveraient au chômage, avec très peu d'espoir de retrouver du boulot. Et tout cela à cause de moi ; il ne l'a pas dit
mais c'était implicite. Bien sûr, je lui ai dit que c'était sa
faute à lui au départ. S'il n'avait pas cherché à piéger
Danny Ram pour lui faire perdre son boulot, rien ne serait
arrivé.

– Absolument, dit Charles, en faisant de rapides massages le long des vertèbres de Robyn avec le tranchant de ses mains.

– Il a fini par me troubler, je dois reconnaître. Enfin, je n'avais rien fait d'autre que de mettre Danny Ram en garde, je n'avais pas voulu déclencher un conflit industriel aussi important.

– Est-ce que Wilcox a reconnu qu'il avait tort ?

– C'était, en effet, le point crucial. Je lui ai dit : Ecoutez, vous voulez que je mente, que je dise que ce que j'ai raconté était faux, alors que ça ne l'était pas, c'est bien cela ? Et vous, de votre côté, qu'allez-vous faire ?

– Et qu'a-t-il répondu ?

– 'Tout ce que vous voulez, dans les limites du raisonnable.' Eh bien, je lui ai dit, d'accord. Je veux que vous reconnaissiez que se débarrasser d'un ouvrier comme vous alliez le faire avec Danny Ram est parfaitement immoral, et je veux que vous vous engagiez à ne plus recommencer. Il avait l'air écœuré, je te jure, mais il a ravalé sa salive et dit qu'il était d'accord. J'avais donc accompli quelque chose, malgré tout, à la fin de ma journée. Mais quelle journée !

– Tu es sûre qu'il va tenir parole ?"

Robyn réfléchit un moment. "Oui, je le crois, en fait.

– Malgré ce qu'il mijotait de faire à l'Indien ?

– Avant que je proteste, il ne voyait absolument pas que c'était immoral, tu comprends. Il est assez courant, apparemment, de se débarrasser des gens de cette manière. Rien n'est prévu pour recycler les gens. Si quelqu'un a été promu à un rang supérieur, et s'il n'est pas à la hauteur, il n'y a pas moyen de résoudre le problème. C'est incroyable, tu ne trouves pas ?

– Pas vraiment, ça s'appliquerait aussi à de nombreux professeurs titulaires de l'Université du Suffolk, je pense, dit Charles. Sauf qu'on ne peut pas les mettre à la porte."

Robyn ricana.

"Je sais ce que tu veux dire... Toujours est-il que j'ai réussi à ce qu'il accepte de proposer une sorte de recyclage à Danny Ram.

– Vraiment, ça alors ! Charles s'arrêta au beau milieu de ses manipulations, une main posée sur chacune des fesses bien fermes et bien arrondies de Robyn. Tu es vraiment une fille formidable, Robyn.

– Une femme", reprit Robyn, mais sans animosité.

Elle était ravie de son petit succès et assez contente du rôle héroïque qu'elle avait joué dans cette histoire. Elle avait dissimulé à Charles certains scrupules qu'elle avait eus en collaborant ainsi à toute cette mise en scène à propos de Danny Ram. S'il s'était agi d'une séquence dans un roman victorien, elle aurait sûrement jugé le cas comme un exemple typique de collaboration de classe entre deux bourgeois pour se sortir du pétrin, mais elle s'était persuadée sans peine que c'était pour le bien général des ouvriers de l'usine – pas pour sauver la mise à Wilcox – qu'elle avait menti ; et les conditions qu'elle avait imposées à Wilcox étaient une garantie de sa bonne foi.

"Voilà le scénario sur lequel nous nous sommes mis d'accord : j'allais donc dire à Danny Ram que j'avais mal pigé pendant la réunion, que je n'avais pas compris la discussion, et qu'il s'agissait en fait de lui donner une formation spéciale, et non de le mettre à la porte.

– Et tu l'as fait ? Charles, qui était encore à califourchon sur les cuisses de Robyn, changea de position pour masser ses jambes. Il pétrit les muscles le long des cuisses, caressa les mollets, fit jouer les chevilles, lui frotta la plante des pieds et, écartant doucement ses orteils, passa ses doigts huileux entre eux.

– Bien sûr. Le lendemain matin, à sept heures et demie précises, Wilcox était à ma porte avec son énorme Jaguar pour me conduire à l'usine. Il ne m'a pas adressé la parole pendant tout le trajet. Il m'a emmenée bien vite dans son bureau ; les secrétaires et tout le monde déguerpissaient devant lui comme des lapins apeurés et me dévisageaient comme si j'étais en quelque sorte une espèce de terroriste qu'il venait d'arrêter par ses propres moyens. Ensuite, lui et deux de ses hommes m'ont conduite à une réunion avec les ouvriers asiatiques de la fonderie, dans les locaux de la cantine. Ils devaient être près de soixante-dix, y compris

Danny Ram, tous en tenue de ville, et non en bleu de travail. Danny Ram m'a adressé un curieux sourire craintif quand je suis entrée. Il y avait aussi quelques Européens. Wilcox m'a dit que c'étaient des délégués d'ateliers qui étaient venus comme observateurs pour décider s'ils allaient officialiser la grève ou non. J'ai alors débité mon laïus à Danny, m'adressant à tout le monde en fait. Je dois reconnaître que ça passait mal quand j'ai dû présenter mes excuses, mais je l'ai quand même fait. Ensuite, on s'est retiré dans une autre pièce, le bureau de la directrice de la cantine, je pense, tandis que les Asiatiques délibéraient. Vingt minutes plus tard, ils ont envoyé une délégation nous dire qu'ils étaient disposés à reprendre le travail à condition qu'on garantisse à Danny qu'il retrouverait son travail après sa période de formation et qu'on leur accorde à tous cinq minutes rémunérées pour se doucher à la fin de leur service. Puis ils sont sortis, et Wilcox et ses hommes se sont réunis. Wilcox était furieux, il a dit que cette histoire de douche n'avait rien à voir avec ce conflit et que les délégués d'ateliers leur avaient tous monté la tête, mais les deux autres ont répondu qu'il fallait bien que les ouvriers tirent un avantage de ce débrayage, sinon ils perdaient la face, alors il fallait bien accepter. Au bout d'un moment, Wilcox consentit à offrir deux minutes puis accepta finalement d'en donner trois, mais à contrecœur, je peux te le dire. Et moi qui avais accepté de mentir pour le tirer de ce mauvais pas, alors que je n'en avais pas du tout envie, je n'ai pas reçu le moindre mot de remerciement, pas la moindre parole. Il est sorti bien vite de la pièce à la fin de la réunion sans même me dire au revoir. Le Directeur du Personnel m'a ramenée à l'Université ; c'est un type affreusement ennuyeux qui m'a parlé d'un bout à l'autre de ses irritations intestinales. Je suis arrivée à l'Université juste à l'heure pour mon séminaire de dix heures sur *Middlemarch*. Je me sentais toute bizarre, je dois le dire. Ce doit être l'impression qu'on a, me suis-je dit, après avoir travaillé toute la nuit. La journée commençait à peine dans le Département ; les étudiants bâillaient encore et frottaient leurs yeux lourds de sommeil, mais moi j'avais l'impression d'être debout depuis des heures et des heures. J'étais moralement éprouvée, je crois, après toute cette mise en scène et ces négociations. J'avais une envie stupide de tout raconter aux étudiants, mais je ne l'ai pas fait malgré tout. Ça n'a pas été un de mes meilleurs séminaires, je le reconnais. J'avais l'esprit ailleurs."

Robyn se tut. Le massage en était arrivé à sa phase érotique. Sans qu'on le lui demandât, elle se retourna et s'allongea sur le dos. L'index expérimenté de Charles fouilla et caressa doucement ses zones les plus sensibles. Bien vite, elle éprouva un orgasme fort agréable. Puis ce fut le tour de Charles.

La technique de massage de Robyn était plus énergique que celle de Charles. Elle déversa un flot d'huile le long de son dos et se mit à le frapper vigoureusement avec le tranchant de la main. "Aïe ! Ouille !" s'exclama-t-il avec plaisir, tandis que ses fesses plutôt plantureuses tressaillaient sous cet assaut.

"Tu as un affreux bouton sur le derrière, Charles, dit-elle. Je vais le vider de son pus.

– Oh, non, ne le fais pas, grogna-t-il. Tu me fais si mal quand tu fais ça." Mais la protestation n'avait pas l'air bien sincère.

Robyn pinça le bouton entre ses deux index et serra très fort. Charles hurla et ses yeux se remplirent de larmes. "Ça y est, c'est fini", dit Robyn en tamponnant le pus avec un tampon d'ouate. Elle s'arrêta de lui marteler le dos et se mit à caresser et à lisser l'arrière de ses cuisses. Charles cessa de pleurnicher sur son oreiller. Il ferma les yeux et son souffle devint régulier. "Est-ce que tu vas y aller encore la semaine prochaine ? murmura-t-il. A l'usine, je veux dire ?

– Je ne crois pas, dit Robyn. Retourne-toi, Charles."

2

Presque à la même heure, ce soir-là, Vic Wilcox, regardait, un peu tendu, la télévision avec son fils cadet, Gary, dans le salon de la maison de style "néo-géorgien" de la rue Avondale, avec ses cinq chambres et ses quatre w.-c. Marjorie était en haut, déjà couchée, en train de lire *Bien vivre sa ménopause,* ou encore, plus vraisemblablement, elle s'était endormie sur son livre. Raymond était sorti picoler quelque part avec sa bande de copains, et Sandra était en discothèque avec Cliff le boutonneux. Gary était trop jeune pour sortir le samedi soir et Vic était… pas trop vieux, bien sûr, mais n'en avait pas envie. Il n'appréciait pas du tout l'atmosphère bruyante, faussement joviale des pubs et des clubs ; il avait toujours considéré que le cinéma était un refuge idéal pour les amoureux pendant les mois d'hiver, et il avait cessé d'y aller peu après son mariage ; il n'avait jamais été, non plus, grand amateur de théâtre ou de concerts. A l'époque où il travaillait chez Vanguard, Marjorie et lui appartenaient à une bande assez joyeuse de jeunes cadres qui se retrouvaient en couples régulièrement les uns chez les autres le samedi soir ; mais il s'avéra que ça baisouillait pas mal pendant, après ou entre ces soirées, si bien que le petit cercle finit par éclater dans un climat de scandale et de récrimination. Depuis lors, Vic avait franchi plusieurs échelons dans l'échelle sociale et en était arrivé à un point où il ne semblait plus avoir d'amis, seulement des relations d'affaires, et toute sa vie sociale n'était que le prolongement de son travail. Sa distraction favorite le samedi soir, c'était de s'asseoir devant la télé, une bouteille de whisky à portée de la main, et de regarder "Le Match du Jour" tout en discutant des subtilités du jeu avec son fils cadet.

Mais, cet hiver, il n'y avait pas de "Match du Jour" en

170

raison d'un conflit entre la Fédération de Football et les chaînes de télévision. La Fédération de Football était devenue gourmande et demandait des droits de diffusion exorbitants, et les chaînes de télévision avaient refusé de se soumettre à ce chantage. Certes, Vic en avait profité pour donner une leçon d'économie à son fils, mais ce n'était là qu'une maigre satisfaction au regard de sa frustration. Le football à la télévision était pratiquement la seule forme de détente qui lui restait, et c'était aussi l'un des rares sujets sur lesquels il pouvait avoir une discussion relativement amicale avec ses fils. Quand Raymond était tout gosse, il l'emmenait voir jouer l'équipe de Rummidge, mais il avait cessé de le faire quand, dans les années soixante-dix, les terrains de football avaient commencé à être envahis par des hordes d'affreux délinquants juvéniles. Maintenant, même le football télévisé lui était interdit, et il était obligé de rester avec Gary le samedi soir à regarder de vieux films ou des dramatiques ennuyeuses et embarrassantes.

La dramatique qu'ils regardaient maintenant, mortellement ennuyeuse jusqu'à présent, semblait justement prendre un tour embarrassant. Le héros et l'héroïne dansaient joue contre joue, au son de la stéréo, dans l'appartement de la fille. En entendant ce genre de musique et en voyant leurs airs langoureux, on devinait qu'avant peu ils allaient se retrouver ensemble au lit, dans le plus simple appareil, à se tortiller sous les couvertures, ou encore par-dessus, en poussant les plaintes et gémissements d'usage. Le déclin du football et l'étalage de la sexualité dans les médias semblaient être les symptômes, liés réciproquement l'un à l'autre, du déclin national, mais Vic pensait parfois qu'il était le seul à avoir remarqué cette coïncidence. On voyait des choses maintenant à la télévision qui, lorsqu'il était gosse, auraient été classées pornographie clandestine. Regarder la télévision en famille était devenu une aventure angoissante et gênante. "Tu tiens vraiment à regarder ça ? dit-il à Gary, avec une désinvolture feinte.

– C'est pas mal, dit Gary, avachi dans un fauteuil, sans quitter l'écran des yeux. Sa main faisait la navette entre un paquet de chips et sa bouche.

« – Voyons voir ce qu'il y a sur les autres chaînes.

– Non, papa, non ! »

Ignorant les protestations de Gary, Vic s'amusa à zapper avec la télécommande. Sur les autres chaînes passaient, respectivement : un documentaire sur les chiens de berger, une rediffusion d'une série policière américaine (Vic s'en souvenait) sur l'assassinat d'une prostituée, et un long métrage où le héros et l'héroïne étaient déjà ensemble au lit et se débattaient avec ardeur sous les couvertures. Vic s'empressa de revenir au programme du début où, justement, la fille était en train de déboutonner son corsage lentement devant une glace tandis que l'homme regardait par-dessus son épaule d'un œil lascif. Un de ces jours, en zappant, se dit Vic, je vais gagner le gros lot de la pornographie : des scènes de copulation simulées sur les quatre chaînes en même temps.

« Tu ne vas pas regarder cette merde, dit-il en appuyant sur le bouton d'arrêt.

– Oh, papa, je t'en supplie !

– D'ailleurs, il est temps que tu ailles te coucher, dit Vic. Il est onze heures et demie passées.

– On est samedi, papa, pleurnicha Gary.

– Ça ne change rien. Tu as besoin de beaucoup de sommeil à ton âge.

– Dis plutôt que tu veux rester tout seul devant la télé ! dit Gary d'un air sournois.

Vic eut un rire moqueur.

– Moi, regarder cette connerie ? Non, je vais me coucher, et toi aussi. »

Vic était maintenant obligé de suivre son fils et de monter se coucher, bien qu'il n'eût pas sommeil, et eût aimé, livré à lui-même, continuer à regarder le film, histoire de rester dans le coup et d'observer le déclin des mœurs dans la nation. Pour comble de malchance, Marjorie était encore éveillée quand il arriva dans la chambre et elle semblait vouloir bavarder. Elle se mit à lui causer à travers la porte ouverte de la salle de bains tandis qu'il se brossait les dents, et lui dit son intention de redécorer le salon et d'acheter des housses amovibles pour le canapé et les fauteuils ; et, lorsqu'il revint dans la chambre pour mettre son pyjama, elle lui demanda s'il aimait sa nouvelle chemise de nuit. C'était une de ces chemises en nylon semi-transparent, couleur pêche, avec de fines bretelles et un décolleté plongeant qui ouvrait de larges horizons sur la poitrine pâle et pleine de taches de rousseur de Marjorie. Les aréoles sombres autour de ses mamelons aplatis faisaient comme des taches à travers le tissu mince. Il sentait qu'il y avait encore quelque chose de changé en elle, mais il ne voyait pas ce que c'était.

"Ce n'est pas un peu léger pour la saison ? dit-il.

– Comment tu la trouves ?

– C'est pas mal.

– C'est le style *Dynastie*", paraît-il.

Vic poussa un grognement. "Ne me parle pas de télévision.

– Pourquoi, qu'est-ce que tu regardais ?

– La même merde que d'habitude. Vic se mit au lit et éteignit sa lampe de chevet. Tu es plutôt bavarde ce soir, fit-il remarquer. Le Valium ne te fait plus d'effet ?

– Je n'en ai pas encore pris", dit Marjorie, éteignant la lampe de son côté. Il comprit tout de suite la raison lorsqu'il sentit une main se poser sur sa cuisse sous les couvertures. Au même instant, il se rendit compte qu'elle s'était arrosée d'un parfum capiteux et comprit que ce qu'il avait trouvé de différent en la voyant assise dans le lit, c'était le fait qu'elle ne portait pas de bigoudis. Vic, dit-elle. Ça fait longtemps qu'on... enfin tu sais."

Il fit semblant de ne pas comprendre. "Quoi ?

– Tu sais bien." Marjorie lui caressa la cuisse avec le dos de la main. C'était une de ses petites habitudes quand ils se fréquentaient, et son membre se durcissait alors comme une barre de fer. Maintenant, il ne s'excitait plus pour si peu.

"Je croyais que tu avais perdu l'habitude, murmura-t-il.

– Je suis passée par une période, oui. On passe par des étapes dans la vie. C'est ce qu'on dit dans ce livre. Elle ralluma sa lampe de chevet et prit son livre, *Bien vivre sa ménopause*.

– Je t'en prie, Marjorie ! grommela-t-il. Qu'est-ce que tu fais ?

– Où sont mes lunettes...? Ah, tiens, les voilà. Ecoute un peu : *'Il se peut que vous éprouviez de la révulsion envers les rapports conjugaux pendant un temps. C'est tout à fait normal, et il ne faut pas s'en inquiéter. Avec le temps, de la patience et un partenaire compréhensif, votre lib, votre libi...'*

– Libido, dit Vic. C'est Freud qui a inventé ce truc-là avant de découvrir l'instinct de mort.

– *'Votre libido reviendra, plus forte que jamais.'* Marjorie reposa le livre sur la table de chevet, enleva ses lunettes, éteignit la lampe et se glissa dans le lit à côté de lui.

– Tu veux dire que la tienne est revenue ? demanda Vic imperturbablement.

– Je ne sais pas vraiment, dit-elle. Enfin, je ne le saurai jamais, tu comprends, si je n'essaie pas ? Je crois qu'on devrait réessayer, Vic.

– Pourquoi ?

– C'est tout de même naturel pour un couple marié. Tu voulais toujours… La voix de Marjorie tremblotait bizarrement.

– Il y a une fin à tout, dit-il désespéré. On n'est plus très jeunes.

– Mais on n'est pas si vieux que ça non plus, Vic. Le livre dit…

– Je m'en fous de ton livre", dit Vic.

Marjorie se mit à pleurer.

Vic soupira et ralluma la lampe de chevet. "Excuse-moi, ma chérie, dit-il. Comment veux-tu que je sois… intéressé, comme ça, tout d'un coup ? Je croyais que nous avions dépassé ce stade. Ce n'est donc pas le cas ? Bon, laisse-moi au moins le temps de me réhabituer. D'accord ?"

Marjorie fit oui de la tête et se moucha délicatement avec un Kleenex.

"J'ai mes propres problèmes, moi aussi, dit-il.

– Je sais, Vic, dit Marjorie. Je sais que tu as tout un tas de soucis au travail.

174

– Cette petite garce de l'université m'a mis dans un pétrin pas possible... et puis, il y a Brian Everthorpe avec son idée stupide de lancer un calendrier, une idée que Stuart Baxter approuve, paraît-il. Pourquoi Brian Everthorpe est-il dans les petits secrets de Stuart Baxter ? Je me le demande.

– Heureusement que ce n'est pas à cause de moi", dit Marjorie en reniflant.

Il se pencha vers elle et lui donna un rapide baiser sur la joue avant d'éteindre la lampe de nouveau. "Bien sûr que ce n'est pas à cause de toi", dit-il.

C'était à cause d'elle, bien sûr. Il y avait des années qu'il n'éprouvait plus aucun désir spontané envers Marjorie, et maintenant il ne pouvait même plus se forcer à en avoir. Quand elle avait donné des signes de ne plus désirer de relations sexuelles, sous prétexte qu'elle en était arrivée à cette étape de sa vie, il s'était senti secrètement soulagé. La jeune fille gironde et pleine de fossettes qu'il avait épousée était maintenant devenue un petit boudin vieillissant qui se colorait les cheveux et se maquillait trop. Son corps potelé le mettait mal à l'aise quand par hasard il le voyait nu, et, son esprit, lorsqu'elle se risquait à l'exhiber, le mettait presque aussi mal à l'aise. Il eût été futile de s'en plaindre, car on ne voyait pas maintenant comment elle pouvait changer et devenir soudain intelligente, spirituelle ou sophistiquée, pas plus qu'on ne voyait comment elle pouvait devenir grande, mince et athlétique. Il avait épousé Marjorie pour ce qu'elle était, une jeune femme simple, dévouée et docile, une de ces beautés joufflues qui a trop vite tendance à devenir grassouillette, et il avait bien fallu qu'il l'acceptât telle qu'elle était. Vic avait des idées vieillottes sur le mariage. Une femme, ce n'était pas comme une voiture : pas question de faire un échange-standard quand la nouveauté s'émousse ou que la carrosserie commence à tomber en morceaux. Si vous vous rendez compte que vous avez fait une erreur, tant pis pour vous, vous n'avez qu'à prendre votre mal en patience. Rien ne vous oblige, en revanche, se disait-il tristement, à faire votre devoir conjugal.

Même cette féministe arrogante et emmerdeuse venue de l'Université le branchait davantage que cette pauvre vieille Marjorie. Certes, ses idées étaient un peu loufoques, mais au moins elle en avait, tandis que Marjorie ne pensait qu'à acheter de la tapisserie ou des housses amovibles. Bien sûr, elle était jeune, ce qui est toujours un gros avantage, et même plutôt jolie à sa façon, du moins quand on aime, ce qui n'était pas son cas, ce style de coiffure, cette nuque rasée à la garçonne, et si on veut bien oublier cette tenue de Cosaque ridicule. Il l'avait déjà trouvée un peu mieux avec son peignoir quand, fou furieux, il s'était rendu chez elle ce soir-là, prenant des risques insensés au volant de sa Jaguar sur la glace et la neige – il avait presque failli défoncer sa porte.

Il n'avait d'autres intentions en se rendant chez elle que de lui foutre la frousse et de soulager sa colère. Il était fermement décidé à lui dire que le Système de Stage, c'était fini, et qu'il s'en expliquerait avec l'Université. Mais, une fois devant elle, il avait trouvé qu'il valait mieux essayer de la persuader de réparer le mal qu'elle avait fait. Il avait eu de la chance, sans doute, que juste à ce moment-là elle prenne un bain. N'étant pas habillée correctement, elle s'était trouvée en position d'infériorité.

Vic gardait en mémoire une image étonnamment vivante de Robyn Penrose, de ses boucles rousses toutes mouillées, de ses pieds nus, de son corps enveloppé dans un peignoir blanc en éponge qui s'était entrebâillé quand elle s'était penchée pour allumer le radiateur à gaz dans son salon en désordre – il avait alors entrevu le galbe d'un sein et le profil d'un mamelon rose, devinant qu'elle devait être nue sous son peignoir. A sa grande surprise, à sa stupeur presque, son pénis se raidit en se rappelant la scène. Juste à ce moment-là, Marjorie, qui cherchait sans doute sa main pour la serrer gentiment dans la sienne, trouva comme par hasard son pénis, gloussa et murmura : "Oh, ça t'intéresse après tout ?"

Il n'avait plus le choix et dut s'exécuter ; pourtant, tandis que Marjorie hoquetait et grognait sous lui, il ne put éjaculer qu'en imaginant qu'il faisait l'amour avec Robyn

Penrose : celle-ci était étendue sur le tapis devant le radiateur à gaz, elle avait enlevé son peignoir, révélant en effet qu'elle ne portait rien en dessous – oui, une belle revanche contre cette sale prétentieuse qui l'avait ridiculisé devant Brian Everthorpe, qui avait interrompu la réunion avec ses questions stupides pour aller ensuite raconter des bobards dans l'atelier, anéantissant presque tous les efforts qu'ils avaient faits pendant six mois pour rendre la fonderie plus performante – oui, c'était bon de l'avoir là sur le plancher au milieu de cet indescriptible fatras de livres, de tasses à café et de verres à vin tout sales, de pochettes de disques et de numéros de *Spare Rib* et *Marxism Today,* oui, toute nue, sa toison d'un rouge aussi ardent que sa petite tignasse, en train de se débattre et de se tordre sous son corps comme les actrices dans les films de télévision, oui c'était bon d'entendre ses gémissements de plaisir qu'elle ne pouvait retenir tandis qu'il poussait et poussait encore.

Lorsqu'il se laissa retomber sur le côté, Marjorie poussa un soupir – était-ce de satisfaction ou de soulagement ? Il ne pouvait le dire – elle tira sur sa chemise de nuit et se dirigea en se dandinant vers la salle de bains. Quant à lui, il n'éprouvait que culpabilité et abattement, comme autrefois après s'être masturbé quand il était gamin. Il n'était déjà pas bien fier d'avoir fait l'amour à Marjorie en évoquant des fantasmes grossiers liés à une femme qu'il avait toutes les raisons de détester ; mais, ce qu'il y avait de pire, c'était de se dire que si Robyn Penrose avait su ce qu'il venait de faire, elle aurait sûrement hoché la tête d'un air suffisant devant pareille confirmation de tous ses préjugés féministes. Vic ne venait pas de prendre sa revanche, non, il venait de subir un échec moral. Ça n'avait pas été une très bonne semaine, se dit-il tristement en entendant Marjorie barboter dans le bidet et se verser ensuite un verre d'eau au lavabo pour avaler son Valium. Il faillit lui crier d'en apporter un pour lui aussi.

Au moment même où Marjorie revenait dans la chambre, il entendit la porte d'entrée se refermer et il se releva d'un bond dans le lit. "C'est Sandra ? dit-il.

– Je crois que oui, pourquoi ?

– Je l'avais totalement oubliée."

Il avait l'habitude d'attendre le retour de Sandra le samedi soir, d'abord pour se rassurer qu'elle était rentrée saine et sauve, ensuite pour s'assurer que Cliff, l'as de l'acné, avait vidé les lieux. Mais, comme Gary, par ses petites manœuvres, l'avait obligé à se coucher de bonne heure, il avait totalement oublié sa fille.

"Ne t'inquiète pas. Cliff la raccompagne toujours.

– C'est bien justement ce qui m'inquiète. Il est sûrement en bas à l'heure qu'il est." Il rejeta les couvertures et fouilla sous le lit pour prendre ses pantoufles.

"Où vas-tu ? demanda Marjorie.

– Je descends.

– Laisse-les tranquilles, je t'en prie, Vic, dit Marjorie, faisant soudain preuve de caractère. Tu vas te ridiculiser. Ils sont seulement en train de prendre une tasse de café ou quelque chose. Tu ne lui fais pas confiance à ta fille ?

– C'est à Cliff que je ne fais pas confiance", dit Vic. Mais, après avoir hésité quelques instants au bord du lit, il se glissa de nouveau entre les draps et éteignit la lampe, au moins pour la quatre-vingt-dix-septième fois ce soir-là, pensa-t-il. Il ajouta : "Les jeunes de son espèce ne s'intéressent qu'à une seule chose.

– Cliff est un garçon bien. Et puis c'est bien à toi de dire quelque chose. Marjorie ricana et lui donna un coup de coude. Tu y as été de bon cœur tout à l'heure."

Vic ne répondit rien ; heureusement que, dans l'obscurité, on ne pouvait pas voir son visage.

"C'était bon, quand même, non ?" murmura Marjorie d'un ton endormi.

Vic acquiesça vaguement en poussant un grognement qui sembla la satisfaire. Le Valium, venant s'ajouter à ces exercices sexuels tout à fait inhabituels, eut un effet immédiat. La respiration de Marjorie devint profonde et régulière. Elle dormait.

Vic avait dû s'assoupir lui aussi. Il fut soudain réveillé par un bruit qui ressemblait aux battements de son propre cœur, et quand il vérifia l'heure au réveil, les chiffres lumineux l'informèrent qu'il était une heure quinze. Les battements de cœur, il le comprit tout de suite, provenaient en fait du martèlement des basses d'un disque que quelqu'un passait sur la chaîne dans le salon. Une séquence du film qu'il avait vu plus tôt dans la soirée surgit soudain dans son imagination, Sandra et Cliff jouant le rôle des deux amoureux transis qui dansaient joue contre joue. Il s'extirpa du lit, chercha ses pantoufles à tâtons et, ses yeux s'accommodant peu à peu à l'obscurité, prit sa robe de chambre derrière la porte de la salle de bains, puis quitta doucement la chambre. Le palier et le hall d'entrée étaient dans l'obscurité complète, mais la petite lumière au-dessus du tableau du système d'alarme lui permit de descendre l'escalier. Il entendait toujours le bruit de la musique, mais il n'y avait pas de lumière dans le salon. Il ouvrit la porte et entra.

Vic eut l'impression d'être comme un de ces explorateurs européens tombant par hasard sur une caverne où aurait bivouaqué une tribu nomade pendant la nuit. La seule lumière dans la pièce était la flamme du radiateur à gaz qui léchait la bûche artificielle dans le foyer et projetait une lumière vacillante sur une demi-douzaine de corps allongés, disposés en demi-cercle sur le plancher. Il alluma le plafonnier. Six jeunes gens, dont Raymond, qui avaient tous à la main des canettes de bière et des cigarettes allumées, clignèrent des yeux et le regardèrent d'un air ahuri.

"Salut, P'pa, dit Raymond de ce ton bonasse qui indiquait généralement qu'il avait bu.

— Qu'est-ce qui se passe ici ? demanda Vic, serrant le cordon de sa robe de chambre.

— J'ai ramené une p'tite bande de copains, c'est tout", dit Raymond.

Vic les avait tous vus un jour ou l'autre, mais il ne connaissait pas leur nom car Raymond ne se donnait jamais la peine de les présenter, et eux-mêmes semblaient bien incapables de se présenter. Ils ne se relevèrent même pas, et ne manifestèrent aucun signe de respect ni de gêne, non plus. Ils étaient allongés sur le plancher dans leurs manteaux minables et leurs bottes Doc Martens qu'ils ne semblaient jamais quitter, et, par-dessous leur tignasse

179

gluante de punks, ils le regardaient bouche bée, d'un air hébété. C'étaient des jeunes qui, comme Raymond, avaient tous abandonné la fac, ou qui n'avaient jamais eu l'énergie d'y rentrer. Ils vivaient avec leur indemnité de chômage ou encore aux crochets de leurs parents, et passaient leur temps à boire dans des pubs ou à demander le prix des amplis dans les magasins de musique de Rummidge ; car tous faisaient de la musique et avaient des guitares électriques de toutes les formes et de toutes les tailles, et rêvaient de créer un jour un "groupe", bien qu'aucun d'entre eux ne fût en mesure de déchiffrer la musique ; le bruit qu'ils faisaient à eux tous était si atroce qu'ils avaient de la peine à trouver un endroit où répéter. En les voyant là comme ça, Vic avait envie de se mettre en campagne pour demander le rétablissement du service militaire obligatoire et la réouverture des hospices ou des bagnes – enfin n'importe quoi qui puisse inciter ces petits branleurs à se remuer les fesses et à prendre un boulot décent.

"Où est Sandra ? demanda-t-il à Raymond. Elle est rentrée ?

– Elle est couchée. Y a pas longtemps qu'elle est rentrée.

– Et l'autre ?

– Cliff est rentré chez lui."

Comme toujours, Raymond refusait de regarder Vic droit dans les yeux quand il lui parlait, et fixait le bout de ses pieds en balançant la tête légèrement au rythme de la musique. Vic regarda autour de lui et se sentit soudain mal à l'aise dans son pyjama et sa robe de chambre – aucun de ces gosses, il en était presque sûr, n'avait dû porter de tels vêtements depuis qu'ils avaient atteint l'âge de la puberté.

"C'est ma bière blonde ? demanda-t-il, se sentant aussitôt mesquin d'avoir posé cette question.

– Ouais, ça t'fait rien ? dit Raymond. J't'en achèterai d'autres quand je recevrai mon prochain chèque.

– Ça m'est égal que tu boives la bière, dit Vic, du moment que tu ne dégueules pas partout sur le tapis.

– C'était Wiggy, dit Raymond, en reconnaissant tout de suite l'allusion à un incident survenu il y a quelques mois. Il ne sort plus avec nous.

– Il s'est mis un peu de plomb dans la tête ?

– Naan. Il s'est marié."

Raymond ricana et lança un regard furtif à ses copains qui avaient tous l'air de trouver l'idée aussi saugrenue que lui. Ils rotaient et pouffaient de rire, ou riaient silencieusement en secouant les épaules.

"Que Dieu protège sa femme, c'est tout ce que je peux dire, dit Vic. Il passa par-dessus plusieurs paires de jambes allongées, se dirigea vers la chaîne stéréo et baissa le volume et les basses. Ne mets pas la musique si fort, dit-il, ou tu vas réveiller ta mère.

– D'ac", dit Raymond d'un ton conciliant, bien qu'il sût pertinemment, tout comme Vic, que seule une bombe pourrait maintenant réveiller Marjorie. Il ajouta, voyant Vic se diriger vers la porte : "Tu veux bien éteindre, P'pa ?"

En remontant l'escalier, Vic crut entendre des rires étouffés venant du salon. Il avait de plus en plus de mal à supporter ça.

Le lendemain matin, tandis qu'il enlevait le sel collé sous sa voiture avec un jet à haute pression devant le garage, Vic assista au départ des nomades de la nuit ; il obligea même deux d'entre eux à marmonner un bonjour en les fixant droit dans les yeux. Aux termes d'un accord passé quelque temps auparavant, Raymond avait le droit de garder des amis à la maison pour la nuit à la condition expresse qu'ils dorment dans sa chambre. Cette clause, destinée à réduire le nombre de ses invités, n'avait malheureusement pas eu l'effet escompté car, quel que fût leur nombre, ils arrivaient toujours à s'entasser dans l'espace disponible, recroquevillés sur le plancher dans des sacs de couchage ou enveloppés dans leurs manteaux, dans un empilement ronflant, pétant et rotant que Vic n'avait aucune peine à imaginer. Pendant la matinée du dimanche, ils surgissaient un à un à intervalles réguliers de ce nid fétide pour aller pisser, avec un certain manque de précision la plupart du temps, dans un des w.-c. de la maison, et pour aller dans la cuisine se servir copieusement en cornflakes, avant de filer vers leur prochain rendez-vous dans un pub. Comme toujours, Raymond était le dernier à se lever ce matin ; il était même encore en train de prendre son petit déjeuner quand Vic partit en voiture chercher son père pour le déjeuner.

Depuis que Joan, la sœur aînée de Vic, avait épousé un Canadien et était partie vivre à Winnipeg vingt-cinq ans auparavant, c'était à lui, Vic, que revenait la charge de s'occuper de leurs parents. M. Wilcox père avait pris sa retraite en 1975 après avoir travaillé toute sa vie, d'abord comme outilleur, ensuite comme surveillant des entrepôts dans une des plus grandes compagnies de mécanique de Rummidge. La mère de Vic était morte d'un cancer six ans plus tard, mais M. Wilcox avait tenu à rester dans leur petite maison en terrasse de la rue Ebury où il était venu s'installer à son mariage, bien qu'elle fût totalement désuète et dépourvue de confort. Aller le chercher et le ramener rue Avondale pour le déjeuner du dimanche faisait partie du rituel familial.

Quand Vic arrivait rue Ebury, le quartier lui paraissait chaque fois un peu plus morne, mais, en ce dimanche de janvier, avec ce ciel couvert et ce lent dégel, il avait l'air particulièrement déprimant. La décadence s'était attaquée aux deux extrémités de la rue, comme si, sur une rangée de dents, les molaires avaient été les premières à tomber, et, peu à peu, elle avait gagné le milieu où quelques vieux occupants, comme son père, demeuraient encore fermement enracinés. Certaines maisons étaient occupées par des squatters, d'autres avaient leurs ouvertures barricadées, et d'autres encore étaient habitées par des émigrés sans le sou. M. Wilcox avait une attitude étrangement ambiguë envers ces derniers. Il parlait avec beaucoup de chaleur et de respect de ceux qu'il connaissait personnellement ; les autres, il les maudissait, les traitant de "sales Noirs et de sales métèques" et les accusant d'avoir provoqué la ruine du quartier. Vic avait bien tenté à maintes reprises d'expliquer à son père que leur présence dans la rue Ebury était un effet et non une cause – et que la cause c'était l'autoroute qui enjambait les toits à moins de trente mètres de là sur ses énormes piles en béton galbées – mais l'explication n'avait servi à rien. A bien y réfléchir, il n'avait jamais réussi à le faire changer d'avis sur quoi que ce soit.

Vic se rabattit dans le caniveau, encore obstrué par des paquets de neige sale, et se gara devant le numéro 59. Quelques enfants antillais qui se lançaient des boules de neige mouillée s'interrompirent quelques instants pour admirer la grosse voiture étincelante – pourquoi pas après tout ? La Jaguar avait un air d'opulence quasi obscène à côté des guimbardes garées dans la rue, de vieilles Escorts et de vieilles Marinas rongées par la rouille et écrasées sur leurs amortisseurs fatigués. Vic aurait été plus à l'aise au volant de la Métro de Marjorie, mais il savait que son père était aux anges quand on venait le chercher avec la Jag. C'était un message pour les voisins : *Regardez, mon fils est riche et a réussi dans la vie. Je ne suis pas comme vous, rien ne m'oblige à vivre sur ce tas de merde. Je peux déménager quand je veux. Il se trouve que j'aime vivre dans ma maison, celle où j'ai toujours vécu, c'est comme ça.*

Vic frappa à la porte d'entrée. Son père ouvrit presque aussitôt et apparut dans ses plus beaux habits du dimanche : veste sport à carreaux et pantalon gris en flanelle, gilet de laine sous sa veste, faux-col et cravate, et des chaussures marron foncé qui luisaient comme des châtaignes que l'on viendrait juste de ramasser. Ses cheveux gris et clairsemés étaient lissés avec de la gomina ; la gomina semblait revenir à la mode, se dit Vic, en se rappelant les amis de Raymond – mais la mode n'y était pour rien dans le cas de Mr. Wilcox.

"Je n'ai plus qu'à prendre mon manteau, dit-il. Je l'ai aéré. Tu veux rentrer ?

– Pourquoi pas ?" dit Vic.

L'air semblait presque aussi humide et glacé dans le vestibule que dehors sur le trottoir. "Pourquoi tu ne veux pas que je fasse mettre le chauffage central dans cette maison ?" demanda Vic, tandis qu'il suivait son père – silhouette trapue et carrée comme la sienne, mais avec moins de chair sur les os – dans le vestibule. Connaissant la réponse à l'avance, il articula les mots en silence en même temps que son père.

"Je ne supporte pas le chauffage central.

– Tu ne serais plus obligé d'aérer tes habits devant la cuisinière.

– C'est pas bon pour les meubles."

Mr. Wilcox avait acquis la conviction, on ne savait trop comment, que le chauffage central desséchait la colle des meubles et que ceux-ci finissaient par se disloquer et par tomber en morceaux. Le fait que les meubles de Vic étaient encore intacts après des années dans une maison chauffée au chauffage central n'avait pas ébranlé sa conviction, et, bien évidemment, personne n'aurait osé faire remarquer à Mr. Wilcox que ses propres meubles, achetés pour la plupart à la Coop dans les années trente, méritaient peu qu'on se préoccupe à ce point de leur sort.

La cuisine à l'arrière était, elle au moins, chaude et confortable ; encore heureux, car Mr. Wilcox y passait pour ainsi dire tout l'hiver, assis dans son fauteuil à dossier droit devant la cuisinière, avec sa télévision perchée en équilibre précaire sur le buffet et, à portée de la main, un tas de vieux livres et de vieux magazines qu'il achetait à des ventes de charité. La porte de la cuisinière à charbon était ouverte et, devant, le manteau bleu marine jeté sur le dossier d'une chaise ressemblait à un ivrogne avachi. Mr. Wilcox claqua la porte de la cuisinière et Vic l'aida à passer son manteau.

"Tu aurais bien besoin d'un manteau neuf, dit-il, en voyant les manchettes élimées.

– On ne trouve plus de tissu comme ça, dit Mr. Wilcox. Ce machin que tu portes n'a pas l'air d'être bien chaud."

Vic portait un gilet matelassé par-dessus un épais chandail. "C'est plus chaud que ça en a l'air, dit-il. C'est bien pour conduire : ça laisse les bras libres.

– Combien tu l'as payé ?

– Quinze livres, dit Vic, divisant le prix de moitié.

– Seigneur !" s'exclama Mr. Wilcox.

Chaque fois que son père lui demandait le prix de

184

quelque chose, Vic divisait toujours de moitié. Il avait découvert que, grâce à ce stratagème, le vieil homme était agréablement scandalisé sans être vraiment choqué.

"J'ai trouvé un livre intéressant hier, dit Mr. Wilcox, brandissant un volume un peu sale et abîmé avec une couverture rouge toute molle. Je l'ai eu pour cinq pence. Jette un coup d'œil."

C'était le *Guide Automobile Club des Hôtels et Restaurants de 1958*. "Emporte-le, papa, dit Vic. Il faut qu'on y aille, sinon le déjeuner va être trop cuit.

— Tu savais qu'en 1958 on pouvait avoir une chambre et le petit déjeuner dans un hôtel une étoile à Morecambe pour sept shillings et six pence ?

— Non, papa, je ne savais pas.

— Combien crois-tu que ça pourrait coûter maintenant ? Sept livres ?

— Facile, dit Vic. Plus du double.

— Je ne sais pas comment les gens peuvent s'en tirer de nos jours", dit Mr. Wilcox, d'un air de contentement sinistre.

Le déjeuner du dimanche, ou plutôt le dîner comme Vic aimait à dire par égard pour son père, n'avait guère changé depuis des années, toujours par égard pour Mr. Wilcox : un rôti de bœuf ou d'agneau avec des pommes de terre grillées et des choux de Bruxelles ou des petits pois, et ensuite une tarte aux pommes ou une tarte au citron meringuée. Un jour, Marjorie avait essayé une recette de coq au vin prise dans une revue, et Mr. Wilcox avait soupiré tristement quand on avait mis son assiette devant lui ; il avait dit un peu plus tard que c'était très bon mais qu'il n'avait jamais été très porté sur la cuisine étrangère et que, pour lui, il n'y avait rien de tel que le bon vieux rôti anglais. Marjorie avait compris ce que ça voulait dire.

Après le déjeuner, ils s'installèrent dans le salon et Mr. Wilcox s'amusa – croyant naïvement aussi amuser le reste de la famille – à lire à voix haute des passages du *Guide AC des Hôtels et des Restaurants,* leur faisant deviner le tarif de 1958 pour une semaine en demi-pension dans le plus grand hôtel de l'Ile de Wight, ou le prix d'une chambre avec petit déjeuner dans une pension de catégorie A à Rhyl. "Je ne sais même pas ce que ça représente, sept shillings et six pence, grand-père", dit Sandra excédée, et l'on dut arrêter Gary qui allait donner à son grand-père une leçon condescendante sur l'inflation. Sandra et Gary se chamaillèrent à propos de la télé : Sandra voulait regarder la série *Eastenders* et Gary voulait faire un jeu vidéo. Il avait bien un poste noir et blanc dans sa chambre, mais ce jeu nécessitait justement la couleur. Lorsque Vic prit le parti de Sandra, Gary bouda et déclara qu'il serait temps qu'il eût un poste couleur à lui. Mr. Wilcox demanda combien coûtait le poste dans le salon et Vic, jetant un regard furibond à tout le reste de la famille, dit deux cent cinquante livres. Marjorie lisait attentivement et presque sans remuer les lèvres une brochure de vente par correspondance qui était arrivée avec le relevé de sa carte de crédit et qui proposait toute une série de gadgets inutiles : un porte-clés qui faisait bip-bip quand on le sifflait, un réveil qui s'arrêtait de faire bip-bip quand on poussait un cri, un oreiller gonflable pour dormir en avion, un porte-cravates télescopique marchant à piles, un épilateur à cire à contrôle thermostatique, et un kit pour transformer votre baignoire en jacuzzi. Les questions interminables de Mr. Wilcox sur le prix des hôtels en 1958 avaient fini par lui faire penser aux vacances d'été et elle s'était mise à parcourir les journaux du dimanche et les guides de télévision, et découpait des bons de commande pour recevoir des brochures. Sandra déclara qu'elle en avait assez des vacances en famille et demanda pourquoi ils n'achèteraient pas un appartement en Espagne ou à Majorque, comme ça ils pourraient tous partir séparément et y rester avec leurs amis respectifs, proposition que s'empressa d'appuyer Raymond qui sortait justement de la cuisine où il venait de prendre son déjeuner réchauffé – comme d'habitude, il était rentré trop tard du pub pour prendre son repas avec les autres. Il en profita aussi pour demander à Vic s'il voulait bien leur prêter, à lui et à ses copains, deux cent cinquante livres pour faire faire une "bande de démonstration" de leur groupe, mais Vic repoussa catégoriquement la demande avec un malin plaisir.

Pris dans ce feu croisé entre un père qui considérait toute dépense non indispensable comme une forme de turpitude morale et une femme et des enfants capables à eux tous de dépenser cinq fois son salaire annuel si on les laissait faire, Vic n'essaya même pas de lire les journaux du dimanche et préféra sortir et aller dégager la neige fondue devant l'entrée du garage pour se calmer les nerfs. Rien ne le déprimait plus que de penser aux vacances d'été : deux semaines d'oisiveté forcée, à flâner sous la pluie dans une station balnéaire anglaise totalement sinistre, ou à chercher un peu d'ombre sur une plage méditerranéenne étouffante. Les week-ends n'étaient déjà pas drôles. Arrivé à ce stade du dimanche après-midi, il n'avait qu'une hâte, c'était de retourner à l'usine.

3

Pour Robyn et pour Charles, les week-ends étaient réservés au travail et à la détente, et ces deux activités avaient parfois tendance à se combiner l'une avec l'autre. Etait-ce du travail ou de la détente, par exemple, que de feuilleter l'*Observer* ou le *Sunday Times* et de classer mentalement des informations sur les derniers livres, les dernières pièces et les derniers films, ou encore sur la mode et le mobilier (car rien de sémiotique n'est étranger à la critique académique moderne) ? La promenade, qu'ils faisaient d'un pas alerte en bottes de caoutchouc pour aller nourrir les canards du parc du quartier, était de la détente pure, évidemment ; après un déjeuner léger (Robyn faisait cuire l'omelette et Charles préparait la sauce pour la salade), ils s'installaient quelques bonnes heures pour travailler dans le salon-bureau très encombré, en attendant le moment où Charles allait devoir repartir pour le Suffolk. Robyn avait une pile de dissertations à corriger, et Charles lisait un livre sur le déconstructionnisme dont il avait accepté de faire la critique pour une revue universitaire. Le radiateur à gaz sifflait et grésillait dans le foyer. Un concerto pour clavecin de Haydn tintinnabulait sur la chaîne stéréo. Dehors, tandis que la lumière faiblissait dans le ciel d'hiver, la neige fondante gouttait des rebords du toit et dégoulinait dans les gouttières. Levant les yeux de la dissertation tant attendue de Marion Russell sur *Tess d'Urberville* qu'elle venait de corriger (ce n'était finalement pas si mal que ça ; peut-être que ce travail de mannequin n'était pas une si mauvaise idée, après tout), Robyn croisa le regard distrait de Charles et sourit.

"C'est bon ? demanda-t-elle, en montrant le livre d'un geste de la tête.

– Pas mauvais. Excellent, même, sur le décentrement

du sujet. Tu te souviens de ce merveilleux passage de Lacan ? Charles lut une citation : *'Je pense où je ne suis pas, donc je suis où je ne pense pas... Je ne suis pas, là où je suis le jouet de ma pensée ; je pense à ce que je suis, là où je ne pense pas penser.'*

– C'est merveilleux, reconnut Robyn.

– Il y a là une excellente discussion sur ce point.

– Ce n'est pas le passage où Lacan raconte quelque chose d'intéressant sur le réalisme ?

– Si : *'Ce mystère à deux faces rejoint ce fait que la vérité ne s'évoque que dans cette dimension d'alibi par où tout 'réalisme' dans la création prend sa vertu de la métonymie.'*

Robyn fronça les sourcils : "Qu'est-ce que ça veut dire exactement, d'après toi ? Est-ce que le mot 'vérité' est utilisé de manière ironique ?

– Oh, je crois que oui. C'est ce qu'implique le mot 'alibi', j'imagine ! Il n'y a pas de 'vérité', au sens absolu, pas de signifié transcendantal. La vérité n'est qu'une illusion rhétorique, un tissu de métonymies et de métaphores, comme disait Nietzsche. Tout cela remonte à Nietzsche, en fait, comme le montre ce type-là. Charles tapota le livre qui était sur ses genoux. Ecoute. Lacan poursuit : *le sens ne livre son accès qu'au double coude de la métaphore, quand on a leur clef unique : le S et le s de l'algorithme saussurien ne sont pas dans le même plan, et l'homme se leurrait à se croire placé dans leur axe commun qui n'est nulle part.'*

– Mais ne fait-il pas ici une distinction entre 'vérité' et 'sens' ? La vérité est au sens ce que la métonymie est à la métaphore.

– Comment cela ? C'était maintenant au tour de Charles de froncer les sourcils.

– Eh bien, prends Pringle, par exemple.

– Pringle ?

– L'usine.

– Ah, je vois. Tu as l'air d'être obsédée par cette boutique.

– Je dois reconnaître qu'elle occupe une place très

importante dans mon esprit. Tu pourrais représenter l'usine de manière réaliste par une série de métonymies : crasse, bruit, chaleur et ainsi de suite. Mais tu ne peux saisir le *sens* de l'usine que par métaphore. L'endroit est un enfer. L'ennui avec Wilcox, c'est qu'il ne le voit pas. Il n'a pas de vision métaphorique.

– Et Danny Ram ? demanda Charles.

– Oh, ce pauvre vieux Danny Ram, je ne pense pas qu'il ait non plus de vision métaphorique, autrement il serait incapable de tenir le coup. L'usine pour lui n'est qu'une série de métonymies et de synecdoques : un levier à tirer, la salopette graisseuse qu'il porte, un chèque à la fin de la semaine. Voilà la vérité de son existence, mais ça n'en est pas le sens.

– Qui est...?

– Je viens de te le dire : l'enfer. L'aliénation, si tu préfères voir les choses en termes marxistes.

– Mais… dit Charles. Mais il fut interrompu par le carillon insistant de la sonnette d'entrée.

– Qui est-ce que ça peut bien être ? se demanda Robyn, se relevant d'un bond.

– Pas encore ton copain Wilcox, j'espère, dit Charles.

– Pourquoi veux-tu que ce soit lui ?

– Je ne sais pas. Tu l'as représenté de manière un peu... Charles, contrairement à son habitude, ne trouvait pas l'épithète qu'il cherchait.

– Allons, ne fais pas cette tête-là, dit Robyn en souriant. Il ne te mangera pas. Elle se dirigea vers la fenêtre et jeta un coup d'œil en direction du porche d'entrée. Seigneur, s'exclama-t-elle. C'est Basil !

– Ton frère ?

– Oui, avec une fille." Robyn fit un saut, une cabriole et enjamba les objets qui traînaient sur le plancher et alla ouvrir la porte, tandis que Charles, déçu d'avoir été interrompu, marqua l'endroit où il en était dans son livre et rangea celui-ci dans sa serviette. Le peu qu'il savait sur Basil lui laissait prévoir que la conversation avait peu de chance de tourner autour du déconstructionnisme pendant les quelques heures qui allaient suivre.

Lorsque Basil avait annoncé à sa famille incrédule, pendant la dernière année de ses études à Oxford, qu'il avait décidé de rentrer à la City, ça n'avait pas été une vaine menace. Il était entré dans une banque de commerce après sa licence et, moins de trois ans plus tard, il gagnait déjà plus que son père, lequel en avait informé Robyn à Noël avec un mélange de fierté et de ressentiment. Basil, quant à lui, n'était pas rentré à la maison pour Noël mais était allé faire du ski à Saint-Moritz. Il y avait longtemps, en fait, que Robyn n'avait pas revu son frère, car, pour faire plaisir à leurs parents, ils s'arrangeaient pour aller les voir chacun leur tour et jamais ensemble, et ils n'avaient pas trop envie de se rencontrer ailleurs. Elle fut frappée de voir à quel point il avait changé : son visage était devenu plus épais, ses cheveux ondulés et blonds comme les blés avaient une coupe impeccable, et il s'était apparemment fait refaire les dents – signes manifestes de son aisance récente. Tout chez lui comme chez son amie respirait l'argent : leurs luxueux manteaux en peau de mouton bien épaisse, d'un ton pastel, qui semblaient occuper toute l'entrée lorsque Robyn ouvrit la porte, et la BMW avec sa plaque minéralogique rouge d'immatriculation récente, garée au bord du trottoir derrière la Golf de Charles vieille de quatre ans. Sous son manteau en peau de mouton, Basil portait un gilet sport en cachemire de chez Aquascutum, et son amie, qui s'appelait Debbie, portait sous le sien un ensemble qui ressemblait à s'y méprendre à l'ensemble dessiné par Katherine Hamnett présenté dans le *Sunday Times* du jour. Ces vêtements élégants s'expliquaient en partie par le fait qu'ils étaient allés à un bal de chasse dans le Shropshire la veille au soir et qu'ils avaient brusquement décidé de faire une petite visite à Robyn avant de rentrer à Londres.

"Un bal de chasse ? répéta Robyn en relevant un sourcil. Est-ce bien là le même homme qui, autrefois, passait des nuits blanches à écouter un groupe punk dans une salle au-dessus d'un pub ?

– On grandit tous dans la vie, Rob, dit Basil. Et puis, c'était aussi en partie pour les affaires. J'ai établi quelques contacts utiles.

191

– Qu'est-ce qu'on s'est marrés ! dit Debbie, une jolie fille au teint pâle et aux cheveux blonds, coiffée comme Lady Di, et dont la silhouette était d'une minceur quasi anorexique. C'était dans une espèce de château. Comme dans un film d'horreur, s'pas ? dit-elle à Basil. Des armures et des têtes d'animaux empaillés, enfin tout le bataclan."

Au début, Robyn crut que l'accent cockney de Debbie était une facétie, mais elle se rendit compte bientôt qu'il était bien authentique. Malgré ses habits et sa coiffure style Sloane Square, Debbie était tout ce qu'il y avait de plus populaire. Lorsque Basil signala qu'elle travaillait dans la même banque que lui, Robyn crut comprendre qu'elle était secrétaire ou dactylo, mais son frère, qui l'avait suivie dans la cuisine où elle était allée préparer le thé, rectifia les choses aussitôt.

"Seigneur, ce n'est pas ça du tout, dit-il. Elle est cambiste. Elle est très futée, elle gagne plus que moi.

– Et tu gagnes combien ? demanda Robyn.

– Trente mille livres, sans les primes", dit Basil, les bras croisés sur la poitrine, l'air suffisant.

Robyn le dévisagea. "Papa m'avait dit que tu puais le fric, mais je ne savais pas que c'était à ce point. Qu'est-ce que tu fais pour gagner tout cet argent ?

– Je suis dans le marché des capitaux. J'organise des échanges.

– Des échanges ?" Le mot lui rappela l'époque où son petit frère Basil, un garçon dégingandé qui avait toujours des chaussures éraflées et un blazer taché, triait des châtaignes ou couvait des yeux sa collection de timbres.

"Oui. Imagine qu'une société ait emprunté x milliers de livres à un taux d'intérêt fixe. Si elle pense que les taux d'intérêts vont chuter, elle peut effectuer une transaction aux termes de laquelle nous lui payons un taux fixe et elle nous paie le TIBL, c'est-à-dire le Taux Interbancaire de la Bourse de Londres qui, lui, est variable…"

Tandis que Basil lui communiquait tous ces renseignements sur les échanges qui ne l'intéressaient pas, ou qu'elle ne comprenait pas, Robyn préparait les tasses à thé, faisant de son mieux pour dissimuler son ennui. Il tenait surtout à ce qu'elle sache que s'il gagnait moins que Debbie, c'était parce qu'il avait commencé plus tard. "Elle n'est pas passée par l'université, tu comprends.

– J'avais déjà cru le comprendre.

– Peu d'agents sur le marché du disponible sont diplômés, en fait. Généralement, ils ont quitté l'école à seize ans et sont tout de suite entrés dans la banque. Puis, tout à coup, quelqu'un se rend compte qu'ils ont les qualités requises et leur donne leur chance."

Robyn demanda alors quelles étaient les qualités requises.

"Il faut avoir, dit-on, le talent d'un marchand des quatre saisons : l'esprit vif et la boulimie des affaires. Avec les obligations, c'est différent, il faut de la patience, passer beaucoup de temps à préparer son coup. Il y a des accalmies. Je ne tiendrais pas une demi-heure dans le bureau où travaille Debbie – ils sont cinquante avec tous au moins six téléphones dans chaque main, qui gueulent d'un bout à l'autre de la pièce des choses comme : *'Six cents millions de yens le 9 janvier !'* Et cela toute la journée. C'est une maison de fous, mais Debbie adore ça. Elle vient d'une famille de bookmakers de Whitechapel.

– C'est sérieux, comme ça, entre toi et Debbie ?

– Qu'est-ce que tu veux dire par sérieux ? dit Basil, avec un sourire mielleux qui laissait voir sa nouvelle dentition. Nous n'avons personne d'autre, elle et moi, si c'est ça que tu veux dire.

– Je te demandais seulement si vous viviez ensemble ?

– Pas au vrai sens du terme. Nous avons chacun notre maison. Il était plus sage pour l'un et l'autre d'acheter et d'emprunter, vu ce que sont devenus les prix de l'immobilier à Londres. A propos, tu peux me dire combien tu as payé cette maison ?

– Vingt mille livres.

– Bon Dieu, elle coûterait quatre fois plus à Stoke Newington. Debbie a acheté une petite maison dans un lotissement il y a deux ans, juste comme celle-ci, pour quarante mille livres, et elle en vaut maintenant quatre-vingt-dix mille...

– Alors comme ça l'instinct de propriété passe avant l'instinct sexuel dans la City maintenant ?

– Est-ce que ça n'a pas toujours été le cas, selon Saint Karl ?

– C'était avant que les femmes se libèrent.

– Pour tout te dire, on est si éreintés après le boulot qu'on a juste l'énergie suffisante pour avaler une bouteille de vin ou prendre un bain bien chaud, rien d'autre. La journée est longue. Douze heures… et quelquefois même plus, si les affaires marchent fort. Debbie est généralement à son bureau à sept heures du matin.

– Pour quoi faire ?

– Elle fait beaucoup d'affaires avec Tokyo… Tu vois, nous travaillons très dur chacun de notre côté toute la semaine et nous nous défoulons ensemble pendant le week-end. Et comment ça va entre toi et Charles ? Il ne serait pas temps de vous mettre en ménage ?

– Pourquoi tu dis ça ? demanda Robyn.

– Je me disais, en vous apercevant par la fenêtre quand on est arrivés, que vous aviez l'air d'un couple marié, bien installé dans la vie.

– On n'a pas tellement envie de convoler.

– Fichtre, on parle encore comme ça dans votre pays pourri ?

– Ne joue pas au snob de la ville, Basil.

– Excuse, dit-il, en minaudant d'un air peu contrit. Vous avez été très fidèles l'un à l'autre, quoi qu'il en soit.

– On n'a personne d'autre, si c'est ce que tu veux dire, dit-elle sèchement.

– Et comment va le travail ?

– Aléatoire'', dit Robyn, en le ramenant vers le salon.

Debbie, assise sur l'accoudoir du fauteuil de Charles, avec ses cheveux qui retombaient sur ses yeux, était en train de montrer à celui-ci un petit gadget qui ressemblait à un réveil de poche à quartz.

"Le Lapsang Souchong, ça va pour tout le monde ?" demanda Robyn, en posant le plateau et en se disant que Debbie préférerait sûrement une marque de thé recommandée à la télé par des chimpanzés ou des théières animées, un thé si épais que la cuillère tiendrait toute seule dedans.

"Je l'adore", dit Debbie. Décidément, elle avait l'art de surprendre.

"Très intéressant", dit Charles poliment en rendant le gadget à Debbie. Avec ce gadget, elle savait, apparemment, la situation des principales monnaies mondiales vingt-quatre heures sur vingt-quatre, mais, comme ça ne marchait que dans un rayon de quatre-vingts kilomètres autour de Londres, le cadran à cristaux liquides n'affichait rien.

"Je deviens très nerveuse quand je ne suis plus dans le périmètre, dit-elle. Chez moi, la nuit, je l'ai toujours sous l'oreiller, comme ça, si je me réveille au milieu de la nuit, je peux vérifier le taux de change entre le dollar et le yen.

– Dis-moi, qu'est-ce qui ne va pas avec ton boulot ?" demanda Basil à Robyn.

Robyn expliqua brièvement sa situation et Charles ajouta une glose plus émotionnelle. "L'ironie dans l'affaire, c'est qu'elle est, et de loin, la personne la plus brillante du Département, dit-il. Les étudiants le savent, Swallow le sait, les autres enseignants aussi. Mais personne n'y peut rien, apparemment. Voilà ce que ce gouvernement est en train de faire aux universités : il les tue à petit feu.

– Quel dommage ! dit Debbie. Pourquoi pas essayer què'que chose d'autre ?

– Comme le marché des changes ?" demanda Robyn d'un air sardonique, tandis que Debbie semblait prendre la suggestion très au sérieux.

"Non, ma petite, c'est trop tard, j'en ai bien peur. Dans ce petit jeu, on est fichu à trente-cinq ans, à ce qu'ils disent. Mais il doit bien y avoir què'que chose d'autre que tu peux faire. Lance une petite entreprise !

– Une entreprise ? Robyn éclata de rire tant l'idée lui paraissait saugrenue.

– Ouais, pourquoi pas ? Basil pourrait trouver les capitaux, hein, mon chou ?

– Pas de problème.

– Et tu peux aussi obtenir une subvention du gouvernement, quarante livres par semaine plus un stage gratuit d'un an pour apprendre la gestion, dit Debbie. C'est ce qu'une de mes copines a fait après avoir été licenciée. Elle a ouvert un magasin de chaussures de sport à Brixton avec un prêt bancaire de cinq mille livres. Elle l'a vendu deux ans après pour cent cinquante unités et elle est allée habiter dans l'Algarve. Elle a toute une chaîne de magasins, maintenant, dans des stations chic.

– Mais je n'ai pas du tout envie de tenir un magasin de chaussures ni d'habiter dans l'Algarve, dit Robyn. Ce que je veux, c'est enseigner la littérature féminine, le post-structuralisme et le roman du XIXe siècle, et aussi écrire des livres là-dessus.

– Et combien gagnes-tu à faire ce boulot ? demanda Basil.

– Douze mille livres par an, approximativement.

– Seigneur, pas plus ?

– Je ne fais pas ça pour l'argent.

– Non, je le vois bien.

– En fait, dit Charles, il y a tout un tas de gens qui vivent avec la moitié de ça.

– Je veux bien le croire, dit Basil, mais je n'en connais pas. Et toi ?"

Charles ne répondit pas.

"Moi si, dit Robyn.

– Qui ? demanda Basil. Donne-moi le nom d'une personne que tu connais personnellement, quelqu'un à qui tu as parlé cette semaine, qui gagne moins de six mille livres par an. Son expression, à la fois amusée et belliqueuse, rappela à Robyn les discussions qu'ils avaient eues autrefois quand ils étaient plus jeunes.

– Danny Ram", dit Robyn. Elle savait justement qu'il gagnait cent dix livres par semaine, parce qu'elle avait posé la question à Prendergast, le Directeur du Personnel chez Pringle.

"Et qui est Danny Ram ?

– Un Indien qui travaille en usine." Robyn éprouva un plaisir fou à articuler cette phrase qui parut avoir un effet immédiat sur le cynisme arrogant de Basil ; mais, naturellement, il lui fallait maintenant expliquer comment elle avait connu Danny Ram.

"Eh bien, eh bien, dit Basil, lorsqu'elle eut fini de raconter brièvement son expérience chez Pringle. Comme ça, tu as fait ce que tu as pu pour rendre l'industrie britannique encore moins compétitive qu'elle n'est.

– J'ai fait ce que j'ai pu pour y apporter un peu de justice sociale.

– Certes, ça ne changera pas grand-chose à long terme, dit Basil. Les compagnies comme Pringle partent perdantes. Maggie a totalement raison : l'avenir de notre économie est dans les industries de services et peut-être aussi dans certaines technologies de pointe.

– La finance fait partie des industries de services ? s'enquit Charles.

– Mais bien sûr, dit Basil en souriant. Et vous n'avez encore rien vu. Attendez le Big Bang et vous verrez.

– Qu'est-ce que c'est que ça ?" dit Robyn.

Basil et Debbie se regardèrent et éclatèrent de rire. "C'est incroyable, dit Basil. Vous ne lisez pas les journaux ?

– Pas les pages financières, dit Robyn.

– C'est un changement dans les règles de fonctionnement de la Bourse de Londres, dit Charles, qui permettra à des gens comme Basil de gagner encore plus d'argent qu'ils n'en gagnent actuellement.

– Ou d'en perdre aussi, dit Basil. Il ne faut pas oublier qu'il y a un élément de risque dans notre boulot. Pas comme dans la littérature féminine et la théorie critique, ajouta-t-il en faisant un clin d'œil à Robyn. C'est ce qui rend les choses plus intéressantes, évidemment.

– Ce n'est rien d'autre qu'un jeu ultra-sophistiqué, en somme ? dit Charles.

– Exactement. Debbie joue avec des mises de dix à vingt millions de livres tous les jours de la semaine, pas vrai ma chérie ?

– Tout à fait vrai, dit Debbie. Evidemment, c'est pas comme quand on mise sur un cheval. On voit jamais l'argent, et de toute façon c't'argent n'est pas à nous mais à la banque.

197

– Vingt millions de livres ! dit Charles, visiblement ébranlé. C'est presque le budget annuel de mon université.

– Tu devrais voir Debbie quand elle est au travail, Charles, dit Basil. Ça t'ouvrirait les yeux. Toi aussi, Rob.

– Ouais, pourquoi pas ? dit Debbie. J'pourrais sans doute vous arranger ça.

– Ça pourrait être instructif, dit Charles, à la grande surprise de Robyn.

– Je regrette, ça ne m'intéresse pas du tout", dit-elle.

Basil jeta un coup d'œil à sa montre, tendant le poignet pour bien montrer que c'était une Rolex. "Il est temps que nous partions."

Il insista pour qu'ils sortent dans la rue boueuse admirer sa BMW. Il y avait un autocollant sur la vitre arrière où on lisait LES COURTIERS LE FONT DOS À DOS. Robyn demanda ce que ça voulait dire.

Debbie gloussa.

"Dos à dos, c'est comme quand on fait un prêt libellé dans une monnaie et qu'on le compense avec un prêt de même valeur dans une autre monnaie.

– Oh, je vois, c'est une métaphore.

– Quoi ?

– Peu importe, dit Robyn, en serrant ses bras autour de sa poitrine pour se protéger de l'air glacé et humide du soir.

– C'est aussi une blague, dit Basil.

– Oh, j'ai bien compris que c'était une blague, dit Robyn. Tu ne crois pas que ça doit un peu dégoûter les gens qui te suivent sur l'autoroute ?

– Personne ne reste très longtemps derrière moi, dit Basil. C'est une voiture très rapide. Eh bien, au revoir, ma grande sœur."

A contrecœur, Robyn laissa Basil puis Debbie l'embrasser sur la joue. Après un moment d'hésitation et un petit rire gêné, Debbie alla finalement coller sa joue contre celle de Charles puis, brusquement, s'installa sur le siège à côté du chauffeur. Charles et Basil échangèrent un vague salut en se séparant.

"Tu n'as tout de même pas envie d'aller visiter cette

banque ? dit Robyn en rentrant à la maison.

– J'ai pensé que ça pouvait être intéressant, dit Charles. Peut-être que je pourrais écrire quelque chose là-dessus.

– Oh, alors, c'est différent, dit Robyn en fermant la porte et en suivant Charles dans le salon. Pour quelle revue ?

– Je ne sais pas, *Marxism Today,* peut-être. Ou le *New Statesman.* Ces derniers temps, il m'est souvent venu à l'idée que je pourrais arrondir mes fins de mois en faisant du journalisme freelance.

– Tu n'as encore jamais rien fait de semblable, dit Robyn.

– Il y a un début à tout."

Robyn passa par-dessus les tasses à thé sales qui traînaient sur le plancher et alla s'accroupir près du radiateur à gaz pour se réchauffer. "Qu'est-ce que tu penses de Debbie ?

– Elle m'intrigue plutôt.

– Elle t'intrigue ?

– Elle est si puérile, à bien des égards, mais quand tu penses qu'elle manie des millions de livres tous les jours...

– Maman va sûrement trouver Debbie très 'vulgaire', comme elle dit – à supposer bien sûr que Basil ose l'amener à la maison.

– On a plutôt eu l'impression que c'était toi qui la trouvais très vulgaire.

– Moi ? dit Robyn, l'air indigné.

– Tu as été très condescendante avec elle.

– Ridicule !

– Tu ne le crois peut-être pas, dit Charles calmement. Mais c'est pourtant vrai."

Robyn n'aimait pas se voir accuser de snobisme, mais elle n'avait pas vraiment la conscience tranquille. "Allons, de quoi veux-tu parler avec des gens comme ça ? dit-elle, sur la défensive. D'argent ? De vacances ? De voitures ? Basil ne vaut guère mieux. Il est même devenu parfaitement odieux.

– Hum.

– Ne devenons surtout jamais riches, Charles, dit

199

Robyn, s'empressant soudain de colmater la petite brèche qui venait de s'ouvrir entre eux.

– Il n'y a vraiment pas de risque, je crois", dit Charles d'un ton qui parut plutôt amer à Robyn.

IV

– Je sais si peu de choses sur les grèves, le niveau des salaires, le capital, et les travailleurs, que je ferais mieux de ne pas parler avec un économiste comme vous.

– Allons, raison de plus, dit-il avec empressement. Je me ferais un plaisir de vous expliquer tout ce qui peut paraître anormal ou mystérieux à quelqu'un qui vient de l'extérieur ; surtout à une époque comme la nôtre où tous nos faits et gestes sont appelés à être analysés par n'importe quel scribouillard capable de tenir une plume.

Elizabeth Gaskell : *Nord et Sud*

1

Le mercredi matin suivant, Robyn fut assez étonnée de se retrouver dans le bureau de Vic Wilcox, et celui-ci parut plus étonné encore à en juger par l'expression qui apparut sur son visage lorsque Shirley la fit rentrer.

"Encore vous ?" dit-il, levant les yeux de son bureau.

Robyn ne rentra pas dans la pièce mais resta dans l'embrasure de la porte, et se mit à enlever ses gants. "C'est mercredi, dit-elle. Vous ne m'avez pas fait dire de ne pas venir.

– A vrai dire, je ne pensais pas que vous oseriez vous montrer de nouveau ici.

– Je peux repartir, si vous voulez, dit Robyn, qui n'avait encore enlevé qu'un gant. Rien ne me ferait plus plaisir."

Wilcox se remit à farfouiller dans un dossier qui était ouvert sur son bureau. "Pourquoi êtes-vous venue alors ?

– Je me suis engagée à venir tous les mercredis jusqu'à la fin du trimestre. Je regrette de l'avoir fait, mais c'est comme ça. Si vous voulez annuler le contrat, surtout ne vous gênez pas."

Wilcox la toisa du regard. Après un long moment de silence, il dit : "Puisque vous êtes là, vous n'avez qu'à rester. Ils seraient capables de m'envoyer quelqu'un d'encore pire que vous".

Cette grossièreté constituait une provocation suffisante pour qu'elle s'en aille, mais Robyn hésita. Elle avait déjà consacré beaucoup de temps et d'énergie ces derniers jours à se demander si oui ou non elle devait retourner chez Pringle, s'attendant d'un instant à l'autre à recevoir un message de Wilcox ou du bureau du Président qui résoudrait définitivement le problème. Mais aucun message n'était venu. Penny Black, auprès de qui elle avait pris

conseil après la partie de squash le lundi soir, l'avait vivement encouragée à y retourner – "si tu ne le fais pas, il
croira qu'il a gagné" – alors elle y était retournée. Et maintenant, la voix de la prudence lui recommandait de rester.
Wilcox ne s'était manifestement pas plaint officiellement
de sa conduite de mercredi dernier, mais si elle abandon-
nait maintenant le Système de Stage, tout éclaterait au
grand jour. Bien qu'elle n'eût pas honte d'être intervenue
en faveur de Danny Ram (Penny avait été très impressionnée), il y avait eu, comme elle le reconnaissait en son for
intérieur, quelque chose de don-quichottesque dans sa
conduite, et elle ne voyait pas comment elle pourrait expliquer et justifier tout cela devant Philip Swallow ou le
Président. Elle s'avança de quelques pas dans la pièce et
enleva son deuxième gant.

"Mais comprenons-nous bien, dit Wilcox. Tout ce que
vous voyez et entendez pendant que vous êtes ma stagiaire
doit rester confidentiel.

– D'accord, dit Robyn.

– N'enlevez pas votre veste... on va peut-être sortir. Il
parla avec Shirley par l'interphone. Téléphonez à
Foundrax et demandez à Norman Cole s'il peut me consacrer quelques minutes ce matin, vous voulez bien ?"

Cette fois-ci, Wilcox mit son manteau, un luxueux
manteau en poil de chameau qui, comme la plupart de ses
autres vêtements, semblait avoir été taillé pour un homme
plus long de bras et de jambes. Dans le hall d'entrée, ils
croisèrent Brian Everthorpe qui arrivait en fanfaronnant du
parking, soufflant, haletant et frottant ses mains rosées
l'une contre l'autre. Robyn ne l'avait pas revu depuis mercredi dernier – Dieu merci, il n'avait pas été présent à la
réunion avec les ouvriers asiatiques, mais il avait dû en
entendre parler.

"Salut, Vic, je vois que ta jolie stagiaire est de retour ;
il faut qu'elle soit un peu maso. Comment allez-vous, ma
chère ? Vous êtes bien rentrée chez vous, la semaine dernière ?

– Ç'a été", dit Robyn froidement.

Il y avait un je-ne-sais-quoi dans son sourire grimaçant qui fit comprendre à Robyn que c'était peut-être lui qui avait trafiqué sa voiture.

"Dur-dur sur l'autoroute ce matin, Brian ? dit Wilcox en jetant un coup d'œil à sa montre.

– Affreux.

– Je m'en doutais.

– Toujours pareil, le mercredi matin.

– A bientôt", dit Wilcox en s'engouffrant entre les portes battantes.

Il sortit et Robyn le suivit. Après le dégel partiel du week-end, le temps était redevenu très froid. La neige qui était restée après le blizzard de la semaine dernière avait gelé et s'était transformée en plaques de glace bosselées sur le parking, mais la Jaguar de Wilcox était juste à l'entrée du bloc administratif, dans un emplacement qui avait été soigneusement gratté et nettoyé. La voiture était longue et basse et luxueusement capitonnée à l'intérieur. Lorsque Wilcox tourna la clé de contact, on entendit une chanteuse entonner d'une voix claire et éclatante, comme si elle était cachée, avec tout son orchestre, sur la banquette arrière : *Je ne suis peut-être qu'une rêveuse qui a perdu la tête...*" Wilcox, visiblement gêné de révéler ainsi ses goûts musicaux, éteignit la stéréo d'un geste brusque. La voiture démarra en douceur, faisant craquer la glace sous ses pneus. En roulant, il lui expliqua tout ce qu'il fallait savoir pour comprendre ce rendez-vous d'affaires qu'ils avaient ce matin avec le Directeur Général d'une firme nommée Foundrax, située non loin de là.

Pringle et Foundrax fournissaient tous les deux des pièces à un fabricant de pompes diesels, Rawlinson – Pringle fournissant les blocs cylindres, Foundrax les têtes de cylindres. Récemment, Rawlinson avait demandé à Pringle de baisser leurs prix de cinq pour cent, prétendant avoir eu une offre d'une autre firme à ce prix-là. "Bien sûr, ce n'est peut-être que du bluff. Sûrement, en tout cas, pour ce qui est du pourcentage de rabais. Les prix devraient normalement monter et non descendre, avec le prix de la gueuse et de la ferraille ces temps-ci. Mais la concurrence est si féroce qu'il est possible qu'une autre compagnie essaie de prendre une partie du marché en offrant un prix ridicule. Toute la question est de savoir quel prix ils offrent ! Et qui est notre concurrent ? C'est pour ça que je vais voir Norman Cole. Je veux savoir si Rawlinson lui demande le même rabais sur ses têtes de cylindres."

Les bureaux de l'usine Foundrax avaient, comme ceux de Pringle, l'air d'appartenir à un autre âge, de sortir tout droit des années cinquante ou du début des années soixante. Il y avait le même hall d'accueil sinistre en lambris teintés chêne clair et meublé de tables et de chaises fatiguées, aux pieds écartés, les mêmes revues professionnelles étalées sur les tables basses, les mêmes pièces de mécanique (du moins pour les yeux inexperts de Robyn) qui brillaient dans des vitrines poussiéreuses, les mêmes indéfrisables sur les têtes des secrétaires, y compris celle qui, après avoir jeté des regards curieux à Robyn, les conduisit au bureau de Norman Cole. Ce bureau était, tout comme celui de Wilcox, une pièce vaste et terne, avec un bureau directorial à un bout et, à l'autre, une longue table de conseil à laquelle Cole les invita à s'asseoir.

Cole était un homme corpulent et chauve dont les yeux clignaient en permanence derrière ses lunettes et qui fumait la pipe – ou plutôt, il la fourgonnait, la raclait, soufflait dedans, tirait dessus et la rallumait sans cesse avec des allumettes. Malgré toute cette activité fébrile, il en sortait peu de fumée. Il se dégageait en revanche de cet homme un faux air de bonhomie. "Ah, ah !" s'exclama-t-il lorsque Wilcox eut expliqué pourquoi Robyn était là. "Je veux bien te croire, Vic. Tout un tas de gens ne te croirait pas." Il se tourna vers Robyn : "Et qu'est-ce que vous faites à l'université, Mademoiselle...

– Docteur, dit Wilcox, Dr Penrose.

– Oh, comme ça vous êtes dans la médecine ?

– Non, j'enseigne la littérature anglaise, dit Robyn.

– Et la littérature féminine, dit Wilcox, en faisant une petite grimace.

– Je ne suis pas très porté sur la littérature féminine, ah ! ah ! dit Cole. Mais j'aime bien un bon livre. Actuellement, je suis en train de lire *Les oiseaux se cachent pour mourir*." Il regarda Robyn, attendant sa réaction.

– Je regrette, je ne l'ai pas lu, dit Robyn.

– Alors, comment vont les affaires, Norman ? dit Wilcox.

– Faut pas se plaindre", dit Cole.

Pendant quelques minutes, ils eurent une conversation un peu décousue sur leur travail. La secrétaire apporta du café et des biscuits sur un plateau. Vic évoqua une collecte d'argent pour une cause charitable dans laquelle ils étaient impliqués tous les deux. Cole jeta un coup d'œil à sa montre. "Tu voulais me demander quelque chose, Vic ?

– Non, je fais seulement quelques visites pour donner une idée à cette jeune dame de ce qu'est notre métier, dit Vic. On ne va pas abuser davantage de ton temps. Ah, pendant que j'y suis… tu n'aurais pas reçu une lettre du service d'achats de chez Rawlinson ces temps-ci ?"

Cole fronça un sourcil et jeta un clin d'œil en direction de Robyn.

"Non, tu peux parler, dit Wilcox. Le Dr Penrose sait parfaitement que tout ce que nous disons ici ne devra jamais sortir de cette pièce."

Cole sortit de sa poche un instrument qui ressemblait, en miniature, à un couteau suisse de l'armée, et se mit à farfouiller dans le fourneau de sa pipe. "Non, dit-il. Pas que je sache. Ce serait à quel propos ?

– Pour demander un rabais sur vos prix. De cinq pour cent environ.

– Je n'en ai pas le moindre souvenir", dit Cole. Il interrompit ses excavations et appuya sur un bouton de son interphone pour demander à sa secrétaire d'apporter le dossier Rawlinson. Tu as donc des ennuis avec Rawlinson, Vic ?

– Quelqu'un essaie de nous couper l'herbe sous le pied, dit Wilcox. J'aimerais savoir qui c'est.

– Une firme étrangère, peut-être, suggéra Cole.

– Je ne vois pas comment une firme étrangère pourrait faire des prix plus bas, dit Wilcox. Pourquoi s'en donnerait-elle la peine, d'ailleurs ? Les quantités sont trop faibles. Tu as une idée ? L'Allemagne ? L'Espagne ?"

Cole dévissa l'embout de sa pipe et glissa un œil dans le tuyau. "Simple supposition, dit-il. L'Extrême-Orient, peut-être, la Corée.

— Non, dit Wilcox, si tu ajoutes le prix du transport, ça n'a plus aucun sens. C'est une autre compagnie britannique, tu peux en être sûr."

La secrétaire apporta un épais dossier en papier bulle et le posa avec déférence sur le bureau de Norman Cole. Celui-ci y jeta un coup d'œil. "Non, rien d'anormal dans tout ça, Vic.

— Dis-moi, tu prends combien pour tes têtes de cylindres, juste pour savoir ?"

Norman Cole eut un large sourire et montra deux rangées de dents tachées de nicotine. "Tu ne t'attends tout de même pas à ce que je réponde à cette question, Vic ?"

Vic s'efforça de sourire lui aussi. "Il faut que je m'en aille, dit-il en se relevant et en tendant la main.

— Tu emmènes aussi ta stagiaire ? dit Cole, souriant et clignant des paupières.

— Quoi ? Oh, oui, bien sûr, dit Wilcox qui avait manifestement oublié l'existence même de Robyn.

— Tu peux me la laisser si tu veux, ah ! ah ! dit Cole en donnant une poignée de main à Wilcox. Il serra aussi la main de Robyn. *Le Quatrième Protocole,* voilà encore un bon livre, dit-il. Vous l'avez lu ?

— Non", dit Robyn.

Lorsqu'ils se retrouvèrent à l'intérieur de la voiture, Wilcox dit : "Alors, qu'est-ce que vous pensez de Norman Cole ?

— Je n'apprécie pas beaucoup ses goûts littéraires.

— C'est un comptable, dit Wilcox. Les directeurs généraux, dans ce métier, sont soit ingénieurs soit comptables. Je n'ai pas confiance dans les comptables.

— Oui, il m'a paru un peu sournois, dit Robyn. Tout ce cirque avec sa pipe, c'est un prétexte en fait pour ne pas avoir à regarder les gens droit dans les yeux.

— Sournois est bien le mot qui convient, dit Wilcox. J'ai commencé à avoir des doutes quand il s'est mis à parler de la Corée. Comme si quelqu'un en Corée pouvait s'intéresser à l'entreprise Rawlinson.

– Vous pensez alors qu'il cache quelque chose ?

– Je pense que c'est peut-être lui le troisième larron", dit Wilcox en sortant sa Jaguar du parking de Foundrax et en s'infiltrant dans le flot de la circulation sur la grand-route, entre un fourgon jaune transportant des tables de bronzage Riviera et un camion porte-conteneurs hollandais.

– Vous voulez dire celui qui offre un rabais de cinq pour cent ?

– Qui est censé offrir cinq pour cent. Il n'en offre peut-être que quatre, en fait.

– Mais pourquoi ferait-il ça ? Vous avez dit que personne ne pouvait faire de bénéfice à ce prix.

– Il peut y avoir toutes sortes de bonnes raisons, dit Wilcox. Peut-être qu'il a un besoin urgent de commandes, même de commandes à perte, pour continuer à faire tourner son usine pendant les quelques semaines qui viennent, en espérant que les choses s'arrangent. Peut-être aussi qu'il prépare un coup, qu'il essaie de prendre tout le marché Rawlinson pour lui tout seul et ensuite, la prochaine fois qu'ils lui passeront une commande, il augmentera les prix sans avoir à se soucier de notre concurrence. Il partit d'un petit rire nerveux. Ou peut-être qu'il sait que son compte est bon et qu'il se fiche de son bilan.

– Comment allez-vous faire pour le savoir ?"

Wilcox réfléchit à la question un moment, puis il tendit la main vers un combiné téléphonique installé sous le tableau de bord. "En allant voir Ted Stoker chez Rawlinson, dit-il, passant l'instrument à Robyn. Vous voulez téléphoner à Shirley pour moi ? Ça m'évitera d'avoir à m'arrêter."

Robyn, qui n'avait encore jamais vu de radio-téléphone, trouva amusant de s'en servir.

"Je regrette, Mr. Wilcox n'est pas là pour le moment, débita Shirley de sa petite voix monotone de secrétaire.

– Je sais, dit Robyn. Je suis avec lui.

– Oh ! dit Shirley. Quel nom avez-vous dit ?

– Robyn Penrose. La stagiaire." Elle eut de la peine à

réprimer un sourire en déclinant son identité – ça lui faisait penser au nom d'un personnage de bande dessinée. Superman. Spiderwoman. La Stagiaire. Elle transmit les instructions de Wilcox et demanda à Shirley d'arranger un rendez-vous avec Ted Stoker, le Directeur Général de chez Rawlinson, cet après-midi si possible.

"Vous ne vous seriez pas servi de moi par hasard pour rencontrer Norman Cole ? dit Robyn tandis qu'ils roulaient à bonne allure sur la route, en attendant que Shirley rappelle.

– Vous m'avez été utile, dit-il avec un petit rire satisfait. Ça ne vous fait rien, j'espère ? Vous me devez bien cela, après la semaine dernière."

Quelques minutes plus tard, Shirley rappela pour dire qu'elle avait fixé un rendez-vous pour trois heures. "Faites un bon voyage", dit-elle, mais il y avait quelque chose d'un peu malveillant dans sa voix, trouva Robyn. Wilcox fit demi-tour, empruntant un passage réservé au service sur la bande du milieu, et il repartit à vive allure dans la direction opposée.

"Où allons-nous ? demanda Robyn.

– A Leeds.

– Quoi... aujourd'hui ? Aller et retour ?

– Pourquoi pas ?

– Ce n'est pas la porte à côté.

– J'aime bien conduire", dit Wilcox.

Robyn ne trouvait pas ça étonnant, étant donné la puissance et le confort de cette grosse voiture. Le bruit le plus soutenu qui leur parvenait à l'intérieur de cette coquille capitonnée, tandis qu'ils naviguaient sur l'autoroute sur la voie la plus rapide, était celui que faisait l'air en glissant sur la carrosserie. Dehors, les champs gelés et les arbres squelettiques se recroquevillaient sous une épaisse chape de nuages d'un gris métallique. On éprouvait un certain plaisir à se déplacer ainsi bien au chaud à travers ce paysage froid et sans vie. Robyn demanda s'ils pouvaient avoir un peu de musique, et Wilcox alluma la radio et l'invita à chercher elle-même une station. Elle trouva du

Mozart sur la 3 et s'installa confortablement dans son siège.

"Vous aimez ce genre de musique ? dit-il.

– Oui. Pas vous ?

– Ça ne me gêne pas.

– Mais vous préférez Randy Crawford ?" dit-elle malicieusement, ayant repéré la boîte de la cassette dans le compartiment du tableau de bord.

Wilcox parut impressionné, s'imaginant de toute évidence qu'elle avait identifié à l'oreille la bribe de chanson qu'elle avait entendue ce matin. "Elle n'est pas si mal que ça, dit-il prudemment.

– Vous ne la trouvez pas un peu doucereuse ?

– Doucereuse ?

– Sentimentale, quoi.

– Non", dit-il.

Quelque part dans la banlieue de Manchester, il sortit de l'autoroute et se dirigea vers un pub qu'il connaissait pour déjeuner. C'était un bâtiment moderne sans caractère, situé à un carrefour à côté d'une station-service, mais le restaurant qui en dépendait était décoré en faux style Tudor, avec des poutres apparentes, du mobilier en faux chêne teinté et tout un tas de faux vieux cuivres, de quoi monter une boutique de souvenirs à Stratford-upon-Avon. Sur chaque table, il y avait une lampe électrique en forme de lanterne de char à banc avec des petites vitres de couleur. Les menus étaient d'immenses cartes plastifiées qui gratifiaient tous les plats d'épithètes destinées à susciter l'appétit : *"succulent"*, *"craquant"*, *"tendre"*, *"tout droit de la ferme"*, etc. La clientèle était essentiellement constituée d'hommes d'affaires en costumes trois-pièces qui riaient bruyamment et se renvoyaient de la fumée de cigarettes à la figure, ou encore qui parlaient d'un ton sérieux et confidentiel à des jeunes femmes bien habillées qui étaient probablement leurs secrétaires plutôt que leurs épouses. En somme, c'était le genre d'établissement que Robyn aurait spontanément fui comme la peste.

"L'endroit est sympa, dit Wilcox, regardant autour de lui, l'air satisfait. Que prenez-vous ?

– Je crois que je vais prendre une omelette", dit Robyn.

Wilcox eut l'air déçu. "Inutile de vous restreindre, dit-il. C'est la compagnie qui paie.

– D'accord, dit Robyn. Je vais prendre, pour commencer, un demi-avocat fondant avec une vinaigrette française piquante, ensuite, des scampis tout frais, grillés à point, et une petite salade campagnarde bien croquante. Oh ! et aussi un petit pain complet, fait maison, avec dessus de délicieuses graines de sésame."

Wilcox perçut peut-être l'ironie dans cette récitation pédante du menu, en tout cas il ne le montra pas. "Des frites, aussi ? demanda-t-il.

– Non merci.

– Vous buvez quelque chose ?

– Qu'est-ce que vous prenez ?

– Je ne bois jamais à midi. Mais ça ne vous empêche pas de prendre quelque chose."

Robyn accepta un verre de vin blanc. Wilcox commanda un mélange de Perrier et de jus d'orange pour accompagner son succulent rumsteck et ses frites dorées et croustillantes. La plupart des autres convives étaient beaucoup moins sobres : des bouteilles de vin rouge, couchées dans des corbeilles en osier, et des bouteilles de vin blanc dépassant d'énormes seaux à glace, telles des ogives de missiles, étaient bien en évidence sur ou entre les tables. Bien que ne buvant pas d'alcool, Wilcox se détendit et devint presque exubérant pendant le repas.

"Si vous voulez vraiment comprendre comment marchent les affaires, dit-il, ce n'est pas moi que vous devriez suivre partout mais quelqu'un qui dirige sa petite entreprise et qui emploie, disons, cinquante personnes. C'est comme ça que commencent des entreprises comme Pringle. Un jour, quelqu'un se dit qu'il peut faire un meilleur produit et à meilleur marché que quiconque, et il monte une usine avec une petite équipe d'employés. Ensuite, si tout va bien, il prend d'autres ouvriers et fait entrer ses fils dans l'entreprise pour qu'ils prennent sa succession quand il se retirera des affaires. A ce moment-là, ou bien les fils ne sont pas intéressés, ou bien ils se disent :

pourquoi risquer tout notre capital dans cette entreprise alors que nous pourrions la vendre à une plus grosse compagnie et investir l'argent dans quelque chose de plus sûr ? La firme est alors vendue à un conglomérat comme la Compagnie des Midlands, et un pauvre bougre comme moi est engagé pour la diriger en tant que salarié.

– Le capitalisme décadent, quoi ! dit Robyn en hochant la tête.

– Qu'y a-t-il de décadent dans tout cela ?

– Je veux dire, c'est la période où nous vivons, celle du capitalisme décadent. Elle utilisait là un terme très en vogue dans la *New Left Review ;* le postmodernisme était lié à ce phénomène de manière symbiotique, prétendait-on. Et elle ajouta : Les grosses multinationales mènent le monde.

– Ne croyez surtout pas cela, dit Wilcox. Il y aura toujours des petites compagnies. Il regarda autour de lui dans le restaurant. Tous ces hommes qui sont ici travaillent pour des firmes comme Pringle ; je veux bien parier que tous, s'ils avaient le choix, préféreraient diriger leur propre entreprise. Certains le feront un jour, et puis, après quelques années, ils vendront leur entreprise et le processus recommencera. C'est le cycle du commerce, dit-il, avec une certaine grandiloquence. Comme le cycle des saisons.

– Et vous, vous préféreriez diriger votre propre entreprise ?

– Naturellement."

Lorsque Robyn lui demanda quel genre d'entreprise, il regarda autour de lui comme s'il complotait et il dit, baissant la voix : "Tom Rigby – vous vous rappelez, le directeur de la fonderie – Tom et moi avons pensé à un petit gadget, une sorte de spectromètre, qui donnerait tout de suite la composition du métal fondu, sur place dans l'atelier. Si ça marchait, ça éviterait d'avoir à porter des échantillons au labo pour les faire analyser. Toutes les fonderies du monde seraient obligées d'en avoir un. Oui, ça pourrait faire une jolie petite entreprise.

– Pourquoi ne vous lancez-vous pas, alors ?

– J'ai un prêt à rembourser sur ma maison, j'ai une femme et trois enfants paresseux à ma charge. Comme la plupart de ces pauvres bougres."

Robyn suivit le regard de Wilcox et examina les autres convives autour d'elle ; elle remarqua que les secrétaires invitées par leurs patrons s'étaient métamorphosées sous l'influence de l'alcool : timides et réservées au moment de l'entrée, elles étaient devenues hilares et vulgaires au moment du dessert. Ça ne l'amusait pas du tout, en revanche, de voir que le garçon la prenait apparemment pour une secrétaire en train de se laisser baratiner et séduire par son patron. Chaque fois qu'il avait parlé d'elle pendant le repas, il avait dit : "la jeune dame" ; il fit un clin d'œil et eut un petit sourire narquois lorsque Wilcox suggéra qu'elle prenne un autre verre de vin et lui recommanda quelque chose de "doux et de sucré" pour le dessert.

"Auriez-vous l'amabilité de faire comprendre à ce jeune homme que je ne suis pas votre nana ? finit par dire Robyn.

– Quoi ?" dit Wilcox.

Il fut si surpris par cette suggestion qu'il faillit s'étouffer en croquant dans sa tarte aux pommes maison des fruits frais du verger.

"Vous n'avez pas remarqué comment il s'est comporté ?

– Je pensais qu'il était pédé, voilà tout. Les garçons le sont souvent, vous savez.

– Je crois surtout qu'il espère recevoir un gros pourboire.

– Il va plutôt avoir une mauvaise surprise", dit Wilcox d'un air sinistre et il faillit injurier le garçon quand celui-ci leur proposa de terminer leur repas avec une "petite liqueur *détendante*". "Apportez-nous simplement le café et l'addition, grogna-t-il. J'ai un rendez-vous à Leeds à trois heures."

Robyn regrettait finalement d'avoir évoqué le sujet, non pas à cause du garçon mais parce que Wilcox retomba aussitôt dans un silence maussade, pensant de toute évidence qu'il s'était compromis en quelque sorte ou était passé pour un imbécile. "Merci pour le repas", dit-elle d'un air gentil, bien qu'à vrai dire les scampis avaient plus le goût de friture que de scampis et que le cheesecake lui avait collé la langue au palais.

"Ce n'est pas moi qu'il faut remercier, dit Wilcox de mauvaise grâce. C'est pris sur les frais de déplacement."

Le trajet, par la M 62 qui suivait le relief aride des Pennines encore couvertes de neige, fut spectaculaire. "Oh, regardez, c'est la route de Haworth ! s'exclama Robyn en lisant un panneau de signalisation. Les Brontë !

– Qui c'est ça ? demanda Wilcox.

– Des romancières. Charlotte et Emily Brontë. Vous n'avez jamais lu *Jane Eyre* et *Les Hauts de Hurlevent ?*

– J'en ai entendu parler, dit Wilcox d'un air circonspect. Ce sont des romans féminins, non ?

– Ils parlent de femmes, dit Robyn. Mais ce ne sont pas des romans féminins au sens étroit du terme. Ce sont des classiques – deux des plus grands romans du XIXe siècle, en fait."

Il devait y avoir à travers l'Angleterre, se dit-elle, des millions de gens intelligents sachant lire et écrire, comme Victor Wilcox, qui n'avaient jamais lu *Jane Eyre* ou *Les Hauts de Hurlevent,* même si pour elle il était difficile d'imaginer un tel état d'inculture. Qu'est-ce que ça pouvait changer de n'avoir jamais tremblé avec Jane Eyre à l'école de Lowood, ou jamais vibré avec Cathy dans les bras de Heathcliff ? Mais Robyn comprit soudain que sa réflexion était d'un humanisme douteux et que le mot même de *classique* était un instrument de l'hégémonie bourgeoise. "Bien sûr, poursuivit-elle, la plupart des gens lisent ces romans comme si c'étaient des romans à l'eau de rose, surtout *Jane Eyre*. Il faut déconstruire le texte pour faire apparaître les contradictions politiques et psychologiques qui y sont inscrites.

– Hein ? dit Wilcox.

– C'est dur à expliquer si vous ne les avez pas lus", dit Robyn en fermant les yeux. Le déjeuner, le vin et la chaleur douillette de la voiture l'avaient rendue somnolente et elle n'avait pas envie de se lancer dans une lecture déconstructionniste même élémentaire des Brontë. Bientôt, elle sombra dans le sommeil. Lorsqu'elle se réveilla, ils étaient déjà dans le parking de chez Rawlinson et Cie.

Encore un hall d'accueil sinistre, un autre petit entracte à feuilleter des revues professionnelles avec des titres comme *Hydraulic Engineering* et *The Pump,* encore des kilomètres de couloirs recouverts de lino derrière une secrétaire en talons hauts, et puis un autre Directeur Général assis derrière son bureau directorial verni qui se lève et vient vous serrer la main et s'inquiète de la présence de Robyn.

"Le Dr Penrose comprend parfaitement que tout ce que nous allons dire est confidentiel, dit Wilcox.

– Du moment que tu es d'accord, Vic, moi je n'y vois pas d'inconvénient, dit Ted Stoker en souriant. Je n'ai rien à cacher. Il se rassit et posa lourdement ses deux énormes paluches sur son bureau comme pour confirmer ce qu'il venait de dire. C'était un homme grand et corpulent au visage épais de pachyderme qui laissait apparaître entre les plis et les rides deux petits yeux pâles et chassieux pleins d'un humour sinistre. Que puis-je faire pour toi ?

– Tu nous as envoyé une lettre, dit Wilcox, sortant une feuille de sa serviette.

– En effet.

– Je crois qu'il y a eu une faute de frappe, dit Wilcox. Il est dit que tu aimerais obtenir un rabais de cinq pour cent sur les prix de nos blocs cylindres."

Stoker se tourna vers Robyn et ricana. "C'est un drôle de phénomène, dit-il, désignant Wilcox d'un mouvement de tête. Tu es un drôle de phénomène, Vic, répéta-t-il, en se retournant vers Wilcox.

– Il n'y a pas d'erreur ?

– Pas d'erreur.

– Cinq pour cent, c'est ridicule."

Le gros Stoker haussa les épaules. "Si tu ne peux pas, d'autres le pourront.

– Quels autres ?"

Stoker se tourna de nouveau vers Robyn. "Il sait parfaitement que je ne peux pas lui répondre, dit-il en souriant d'un air ravi. Tu sais parfaitement que je ne peux pas te répondre, Vic."

Robyn réagit aux apartés de Stoker par des sourires discrets. Elle n'appréciait guère de devoir jouer les repoussoirs, mais elle ne savait pas très bien comment sortir de ce rôle. Stoker contrôlait merveilleusement cet échange verbal.

"Est-ce une firme étrangère ?" demanda Wilcox.

Stoker tourna lentement la tête d'un côté puis de l'autre. "Je ne peux pas te répondre là-dessus non plus.

– La pilule serait dure à avaler, mais je pourrais descendre de deux pour cent sur les blocs quatre cylindres, dit Wilcox après un moment de silence.

– Tu perds ton temps, Vic.

– Deux et demi."

Stoker secoua la tête.

"Il y a longtemps qu'on fait des affaires ensemble, Ted, dit Vic d'un ton de reproche.

– C'est mon devoir d'accepter l'offre la plus basse, tu le sais bien. Il jeta un coup d'œil à Robyn. Il le sait bien.

– La qualité ne sera pas la même, dit Wilcox.

– La qualité est parfaite.

– Alors, tu t'approvisionnes déjà chez eux ?" demanda Wilcox aussitôt.

Stoker fit oui de la tête mais sembla aussitôt regretter son geste. "La qualité est parfaite, répéta-t-il.

– Je ne vois pas comment ces gens-là peuvent gagner de l'argent dans cette affaire, dit Wilcox.

– Ça, c'est leur problème. J'ai assez des miens.

– Les affaires ne marchent pas fort, alors ?"

Ted Stoker répondit en s'adressant à Robyn : "On vend beaucoup au tiers monde, dit-il. Des pompes à irrigation, surtout. Les pays du tiers monde sont fauchés. Les banques ne veulent plus leur prêter d'argent. Notre carnet de commandes avec le Nigéria a chuté de cinquante pour cent par rapport à l'an dernier.

– C'est affreux, dit Robyn.

– Absolument, dit Ted Stoker. On va peut-être être obligés de réduire le temps de travail.

– Je voulais dire pour le tiers monde.

– Oh, le tiers monde..." Stoker écarta d'un haussement d'épaules les problèmes insolubles du tiers monde.

Pendant que se poursuivait cette petite conversation, Wilcox tapotait sur sa calculette. "Trois pour cent, dit-il en relevant la tête. C'est mon dernier prix. Je ne peux absolument pas descendre plus bas. Dis trois pour cent et on conclut le marché.

– Désolé, Vic, dit Ted Stoker. Tu es encore deux pour cent au-dessus de ce qu'on m'offre ailleurs."

Quand ils furent de retour dans la voiture, Robyn dit : "Pourquoi avez-vous fait tous ces calculs si vous étiez déjà disposé à aller jusqu'à trois pour cent ?

– Pour lui donner l'impression qu'il me forçait la main et qu'il faisait une affaire. Il ne s'est malheureusement pas laissé prendre au jeu. C'est un vieux renard, Ted Stoker.

– Il ne vous a pas dit quelle était l'autre compagnie.

– Je ne m'attendais pas à ce qu'il me le dise. Je voulais simplement voir la tête qu'il ferait.

– Et qu'est-ce que vous en avez conclu ?

– Il ne bluffe pas. Il y a bel et bien quelqu'un qui lui offre quatre ou cinq pour cent en dessous de nos prix. Le pire, c'est que Rawlinson s'approvisionne déjà chez lui. Ce qui veut dire que je vais pouvoir découvrir qui c'est.

– Comment cela ?

– Je vais demander à un ou deux de nos commis de se poster en voiture devant chez Rawlinson et de relever les noms inscrits sur tous les camions de livraison qui entrent dans l'usine. Ils y resteront toute la semaine s'il le faut. Avec un peu de chance, on va finir par découvrir qui livre ces blocs cylindres et d'où ils viennent.

– Ça en vaut vraiment la peine, tout ce cirque ? demanda Robyn. Combien ce marché vous rapporte-t-il réellement ?"

Wilcox réfléchit un instant. "Pas tant que ça, reconnut-

218

il. Mais c'est une affaire de principe. Je n'aime pas m'avouer vaincu", dit-il en appuyant sur l'accélérateur : la Jaguar fonça en crissant des pneus. "Si par hasard c'est Foundrax, ce mystérieux fournisseur, je ferai payer ça à Norman Cole.

– Comment cela ?

– Je le ruinerai. Je vais m'attaquer à ses autres clients.

– Vous voulez dire que vous les attaquerez vraiment ?" dit Robyn choquée.

Wilcox éclata de rire ; elle ne l'avait encore jamais entendu rire de si bon cœur. "Pour qui nous prenez-vous – pour la Mafia ?"

Robyn rougit. Le ton mélodramatique qu'il avait pris, cette histoire d'espion devant chez Rawlinson, tout cela l'avait induite en erreur.

"Non, je vais m'attaquer à eux en leur offrant des prix plus bas, dit Wilcox, afin de lui enlever sa clientèle. Œil pour œil, dent pour dent, sauf que ça va lui coûter plus cher qu'à nous. Il n'aura pas le temps de se retourner.

– Je ne vois pas à quoi ça sert tout ce maquignonnage, toutes ces intrigues et tous ces marchandages, dit Robyn. A peine avez-vous pris le dessus quelque part que vous vous faites plumer ailleurs.

– C'est ça les affaires, dit Wilcox. Je dis toujours que c'est comme une course de relais. Au début, vous êtes devant, et puis vous abandonnez le témoin et quelqu'un d'autre prend la tête, et puis vous le rattrapez de nouveau. Seulement, il n'y a pas de ligne d'arrivée. La course ne s'arrête jamais.

– Alors, qui est-ce qui gagne au bout du compte ?

– Le consommateur, dit Wilcox pieusement. A la fin de la journée, il y a quelqu'un qui paie sa pompe moins cher.

– Pourquoi alors, tous les trois, vous, Norman Cole et Ted Stoker, pourquoi vous ne mettriez pas vos idées en commun pour fabriquer une pompe moins chère, au lieu de vous chamailler sur quelques misérables points ici et là ?

– Que faites-vous de la concurrence ? dit Wilcox. Il faut bien qu'il y ait de la concurrence.

– Pourquoi ?

– C'est indispensable. Comment avez-vous fait pour en arriver où vous êtes ?

– Quoi ?

– Comment êtes-vous devenue Maître de Conférences ? En réussissant mieux que les autres aux examens, n'est-ce pas ?

– Pour être franche, je suis contre la sélection par les examens, dit Robyn.

– Oui, ça ne m'étonne pas, dit Wilcox. Comme vous vous en êtes bien tirée, vous pouvez vous le permettre."

Cette remarque irrita Robyn, mais elle ne put trouver de réponse adéquate. "Je vais vous dire à quoi elle me fait penser, votre chère concurrence, dit-elle. A toute une nichée de petits chiens qui se disputent un os. Foundrax vous a volé l'os Rawlinson, alors, pendant qu'ils sont occupés à ronger cet os, vous allez leur voler un autre os.

– On ne sait encore pas si c'est Foundrax, dit Wilcox, feignant d'ignorer l'analogie. Ça vous dérange si je fume ?

– J'aimerais mieux pas, dit Robyn. Puis-je remettre Radio 3 ?

– J'aimerais mieux pas", dit Wilcox.

Le reste du trajet se passa en silence.

Le lundi matin suivant, Rupert Sutcliffe glissa la tête à la porte de Robyn, au beau milieu d'un séminaire, pour lui dire qu'on la demandait au téléphone. Pour faire des économies, on avait enlevé des bureaux de tous les jeunes enseignants à l'université les téléphones communiquant avec l'extérieur, si bien qu'enseignants et secrétaires passaient une bonne partie de leur précieux temps à arpenter les couloirs dans tous les sens pour se rendre au téléphone du Département. Pamela, la secrétaire du Département, évitait généralement d'interrompre les cours, mais cet appel était sans doute arrivé en son absence, et Sutcliffe, qui était alors dans le bureau, avait jugé bon de venir chercher Robyn. "Ça avait l'air important, lui dit-il dans le couloir. La secrétaire de je ne sais qui. J'ai pensé que ça pouvait être ton éditeur." Mais ce n'était pas la secrétaire de son éditeur à l'autre bout du fil. C'était Shirley.

"M. Wilcox veut vous parler, dit-elle. Je vous le passe.

– C'est Foundrax, dit Wilcox, sans autre préambule. J'ai pensé que vous aimeriez le savoir. Deux de nos commis ont attendu dans une voiture devant Rawlinson pendant deux jours et une nuit ; ils crevaient de froid, paraît-il, mais ils ont pris les noms de tous les camions qui sont entrés. Le nom qui revenait le plus souvent était celui d'une firme des Midlands nommée GTG. Par bonheur, mon délégué au transport avait travaillé chez eux, alors il a passé un coup de fil à ses anciens copains et il a vite fini par découvrir ce qu'ils livraient à Rawlinson. Devinez quoi ? Des blocs quatre cylindres de chez Foundrax.

– Vous m'avez fait venir au téléphone pour me dire ça ? demanda Robyn d'un ton glacial.

– Vous n'avez pas de téléphone personnel ?

– Non. De plus, j'étais en plein milieu d'un séminaire.

– Oh, je suis désolé, dit Wilcox. Pourquoi votre secrétaire ne l'a-t-elle pas dit à Shirley ?

– Je n'ai pas de secrétaire particulière, dit Robyn. Nous avons une secrétaire pour quinze enseignants, et elle n'est pas dans le bureau pour l'instant. Elle doit être dans la réserve en train d'ouvrir des lettres à la vapeur pour que nous puissions réutiliser les enveloppes. Y a-t-il autre chose que vous vouliez savoir, ou puis-je retourner à mon séminaire maintenant ?

– Non, c'est tout, dit Wilcox. A mercredi, alors.

– Au revoir", dit Robyn, et elle reposa le téléphone. Elle se retourna et vit que Philip Swallow était entré dans le bureau ; il tenait une feuille à la main, l'air assez désemparé, semblant chercher Pamela.

"Salut, Robyn, dit-il. Comment ça va ?

– Mal, dit-elle. Ce type dont je suis censée être la stagiaire, il fait comme si je lui appartenais.

– Oui, c'est un temps déprimant, dit Swallow, en hochant la tête. Comment va ce stage, entre parenthèses ? Le Président me le demandait l'autre jour.

– Comme ci comme ça.

– Le Président a hâte de lire votre rapport. Il s'intéresse personnellement à ce programme.

– Si seulement il pouvait s'intéresser personnellement à ma nomination ici", dit Robyn. Elle sourit en disant cela, et Swallow en conclut apparemment qu'elle venait de faire une plaisanterie.

"Ah, ah, elle est bien bonne celle-là, dit-il. Je n'oublierai pas de le lui dire.

– J'y compte bien, dit Robyn. Il faut que j'y aille, je suis en plein séminaire.

– Oui, oui, bien sûr", dit Swallow. Le mot *"séminaire"* était, sans doute à cause de ses nombreuses voyelles, un de ces mots qu'il n'avait pas encore trop de peine à reconnaître.

Lorsque Robyn Penrose raccrocha, Vic Wilcox reposa le combiné sur son support d'un geste lent mais décidé comme s'il cherchait à convaincre un observateur invisible que c'était bien ça qu'il avait voulu faire. Il se vantait d'être rapide à la détente lorsqu'il s'agissait d'utiliser le téléphone – rapide à décrocher le combiné dès que ça sonnait, et le premier à le reposer une fois que la conversation était terminée. Il considérait que ça lui donnait un avantage sur ses concurrents. Robyn Penrose n'était pas une concurrente, cependant il n'appréciait pas la manière expéditive avec laquelle elle avait mis un terme à la conversation et l'avait rabroué. En fait, il avait mal calculé son coup, s'imaginant qu'elle allait être aussi ravie que lui de voir que le mystère entourant le fournisseur de Rawlinson avait été résolu. Il s'attendait à des félicitations et, à la place, il s'était fait frotter les oreilles.

Il secoua la tête, comme si ce geste allait suffire à écarter ces pensées exaspérantes, mais elles étaient toujours là et l'empêchaient de traiter aussi rapidement qu'il le voulait les dossiers sur son bureau. Il essaya d'imaginer le contexte dans lequel Robyn Penrose avait reçu son appel. Où se trouvait le téléphone auquel on l'avait appelée ? Quelle distance avait-elle dû parcourir ? Que faisait-elle pendant son séminaire ? En réponse à ces questions, il ne put évoquer que quelques images extrêmement floues. Néanmoins, il commença à comprendre vaguement pour-

222

quoi elle ne semblait pas avoir été ravie de recevoir de ses nouvelles. Cela ne réussit malheureusement pas à le mettre de bonne humeur. Lorsque Shirley vint lui faire signer le tas de lettres qu'il lui avait dictées le matin, il se plaignit de la présentation de l'une d'elles et lui demanda de la retaper.

"C'est toujours comme ça que je cite les paroles de quelqu'un, dit-elle. Vous ne vous êtes jamais plaint jusqu'ici.

— Eh bien, je m'en plains aujourd'hui, dit-il. Refaites-la, vous voulez bien ?"

Shirley repartit en marmonnant qu'il y avait des gens qui n'étaient jamais contents. Ensuite, Brian Everthorpe, qui s'était absenté pour cause de maladie le jeudi et le vendredi précédents, entra en soufflant et en haletant dans le bureau de Vic, disant qu'il avait entendu courir des bruits sur l'affaire Foundrax-Rawlinson. Vic le mit rapidement au courant.

"Pourquoi ne m'as-tu pas dit que tu allais voir Ted Stoker ? dit-il. J'y serais allé avec toi.

— Je n'ai pas eu le temps. J'ai pris un rendez-vous à la dernière minute, juste après mon entrevue avec Norman Cole. J'ai appelé Shirley de ma voiture et elle a tout organisé. Tu n'étais pas disponible." C'était un mensonge, un mensonge sans risque car Brian Everthorpe était rarement là quand on avait besoin de lui.

"Tu as quand même emmené ta stagiaire, à ce qu'il paraît, dit Everthorpe.

— Elle se trouvait être avec moi juste à ce moment-là, dit Vic. C'était son jour.

— C'était plutôt le tien, tu veux dire, dit Everthorpe avec un sourire malicieux. Tu es un petit cachottier, Vic."

Vic préféra ignorer la remarque. "Toujours est-il, comme tu le sais, que nous avons découvert que Norman Cole vendait ses blocs cylindres à Rawlinson cinq pour cent moins cher que nous.

— Comment peut-il s'en tirer à ce prix ?

— Je ne crois pas qu'il tiendra très longtemps.

— Qu'allons-nous faire — nous attaquer à lui ?

— Non, dit Vic.

– Non ? Les sourcils broussailleux d'Everthorpe se redressèrent.

– En se battant contre Foundrax sur l'affaire Rawlinson, on risque de se mettre en position d'infériorité. Comme des petits chiens qui se disputent un os. Il n'y a pas beaucoup de viande sur l'os Rawlinson, quand on y réfléchit bien. Laissons cela à Norman Cole. Et que ça l'étouffe !

– Comment, tu vas le laisser venir chasser sur nos terres ?

– Je lui ferai savoir discrètement que nous avons découvert son petit jeu. Ça le mettra mal à l'aise. On va le laisser mijoter dans son jus.

– C'est plutôt nous qui mijotons dans notre jus.

– Plus tard, je lui assènerai un bon coup.

– Avec quoi ?

– Je n'ai pas encore décidé.

– Je ne te reconnais pas, Vic.

– Je te tiendrai au courant, dit Vic d'un ton glacial. Tu te sens mieux ?

– Quoi ?

– Tu n'étais pas malade la semaine dernière ?

– Oh, si ! Bien sûr. Sa maladie n'avait pas laissé de marques indélébiles dans sa mémoire. Une petite grippe.

– Tu dois avoir un tas de travail à rattraper, alors." Vic ouvrit un dossier pour lui signifier que l'entretien était terminé.

Un peu plus tard, il téléphona à Stuart Baxter pour lui dire qu'il souhaitait se débarrasser de Brian Everthorpe.

"Pourquoi, Vic ?

– Il n'est pas dans le coup. Il ne travaille pas. Il ronronne. Il ne m'aime pas et je ne l'aime pas.

– Il y a longtemps qu'il est dans la compagnie.

– Précisément.

– Il va se battre comme un beau diable.

– Je n'attends que ça.

– Il va vouloir une sacrée prime de licenciement.

– Ce sera de l'argent dépensé utilement."

Stuart Baxter se tut un moment. Vic entendit qu'on

frottait et claquait un briquet à l'autre bout de la ligne. Baxter finit par dire : "Je pense qu'il vaut mieux donner à Brian une chance de s'adapter.

– S'adapter à quoi ?

– A toi, Vic, à toi. Ce n'est pas facile pour lui. Il pensait obtenir ton poste, j'imagine que tu le sais ?

– Je ne vois pas ce qui pouvait justifier cette ambition", dit Vic.

Stuart Baxter poussa un soupir. Vic crut voir les volutes de fumée qui s'échappaient de ses narines. "J'y réfléchirai, finit-il par dire. Ne précipite pas les choses, Vic."

Pour la deuxième fois ce jour-là, Vic entendit que l'on raccrochait avant qu'il eût pu le faire. Il regarda l'appareil en fronçant les sourcils et en se demandant pourquoi Stuart Baxter protégeait tant Brian Everthorpe. Ils étaient peut-être tous les deux francs-maçons. Vic ne l'était pas, quant à lui – on l'avait bien contacté mais il ne supportait pas l'idée d'avoir à se soumettre à la mascarade de l'initiation.

Shirley revint dans le bureau avec la lettre retapée. "Ça va comme ça ?" dit-elle, avec un curieux petit sourire obséquieux.

"C'est bien, dit-il en parcourant le document.

– Brian vous a parlé de son idée de calendrier pour Pringle, je crois, dit-elle, debout derrière lui.

– Oui, dit Vic. En effet.

– Il a dit que vous n'étiez pas très chaud.

– C'est le moins qu'on puisse dire.

– Ce serait une belle occasion pour Tracey, dit Shirley d'un air songeur.

– Une belle occasion de se prostituer, dit Vic, en lui tendant la lettre.

– Que voulez-vous dire ? demanda Shirley, indignée.

– Vous voulez vraiment voir des photos de votre fille en tenue d'Eve sur tous les murs, exposée à tous les regards ?

– Je ne vois pas ce qu'il y a de mal à ça… Et les galeries de peinture, alors ?

– Les galeries de peinture ?

– Elles sont pleines de nus. Des tableaux de maîtres.

225

– Ce n'est pas la même chose.

– Je ne vois pas la différence.

– Vous avez vu des types visiter une galerie de peinture et se dire en plaisantant, devant une représentation de Vénus ou de je ne sais qui : *'Je me la paierais bien un samedi soir.'*

– Ooh ! dit Shirley, choquée, en détournant les yeux.

– Ou ramener la photo chez eux pour se branler, poursuivit Vic impitoyablement.

– Je préfère ne pas vous écouter, dit Shirley, s'empressant de regagner son bureau. Je ne sais pas quelle mouche vous a piqué."

Moi non plus, se dit Vic Wilcox, un peu honteux de ce coup d'éclat tandis que la porte se refermait derrière elle. Il lui fallut en fait plusieurs semaines avant de comprendre qu'il était amoureux de Robyn Penrose.

2

Le deuxième trimestre à Rummidge, qui pourtant ne durait que dix semaines comme le premier et le troisième, paraissait cependant plus long que les deux autres à cause du mauvais temps. Les matinées étaient sombres, la nuit tombait très vite, et c'était à peine si le soleil parvenait à percer la couche de nuages pendant les quelques heures de la journée. On laissait l'électricité allumée toute la journée dans les bureaux et dans les salles de cours. Dehors, l'air était froid et pénétrant, chargé d'humidité et de pollution, ce qui rendait les couleurs ternes et estompait toutes les lignes du paysage urbain. Le cadran de l'horloge disparaissait presque en haut de la tour de l'Université, et même le carillon avait un son mat et las. L'atmosphère vous glaçait jusqu'aux os et vous congestionnait les poumons. Certaines personnes pensaient que l'accent chuintant typique du dialecte local était dû au climat hivernal : pendant des mois et des mois les gens avaient le nez qui coulait et les sinus bouchés et vaquaient à leurs occupations quotidiennes la bouche grande ouverte comme des poissons qui manquent d'air. A cette époque de l'année, on avait beaucoup de peine à imaginer comment des êtres humains avaient réussi à s'implanter et à se multiplier dans un tel lieu glacé, humide et gris. Seul le travail pouvait apporter une explication. C'était pour cela que les gens venaient ici et qu'ils y restaient, une fois qu'ils y étaient. Le sort des chômeurs était donc d'autant plus sinistre à Rummidge et dans les environs que ces pauvres gens étaient condamnés à être oisifs dans un endroit où il n'y avait rien d'autre à faire que de travailler.

Robyn Penrose n'était pas au chômage – pour l'instant. Elle croulait même sous le travail : l'enseignement, la recherche, les responsabilités administratives dans le

Département. Elle avait survécu à l'hiver précédent en s'abrutissant de travail. Elle faisait la navette en voiture entre sa petite maison douillette et son bureau bien chauffé et bien éclairé de l'université, indifférente au climat maussade. Chez elle, elle lisait, prenait des notes, distillait ses notes et les transformait en une prose filée sur sa machine à traitement de texte, corrigeait des dissertations ; à l'université, elle faisait ses cours, assurait des conférences et des séminaires, conseillait des étudiants, interviewait des candidats, établissait des listes de lecture, assistait à des réunions de commissions et corrigeait des dissertations. Deux fois par semaine, elle jouait au squash avec Penny Black, une forme de détente qui n'était heureusement pas tributaire du climat – ni d'ailleurs d'aucun autre aspect de l'environnement : quand on frappe dans une balle à toute volée, qu'on sue et s'époumone sur un court carré bien éclairé, dans les entrailles d'un Centre Sportif, on peut se croire n'importe où – à Cambridge, à Londres ou dans le sud de la France. Un travail intellectuel routinier, ponctué de brefs déchaînements d'exercice physique en salle – tel avait été le rythme de vie de Robyn pendant son premier hiver à Rummidge.

Cette année, cependant, le deuxième trimestre était différent. Tous les mercredis, elle quittait son milieu habituel et traversait la ville (empruntant un itinéraire plus rapide et plus direct que lors de sa première visite) pour se rendre à l'usine dans Wallsbury Ouest. En un sens, elle n'appréciait pas d'être soumise à cette obligation. Ça la coupait de son travail. Il y avait toujours tant de livres, tant d'articles de revues à lire et à digérer, à distiller et à synthétiser avec tous les autres livres et articles qu'elle avait déjà lus, digérés, distillés et synthétisés. La vie était courte, la critique longue. Il fallait qu'elle songe à sa carrière. Sa seule chance de rester dans le monde universitaire, c'était de présenter un dossier impressionnant et imparable en matière de recherche et de publications. Le Système de Stage n'apportait rien à son projet de carrière – au contraire, il venait le contrarier, la privant de ce jour précieux, chaque semaine, où elle n'avait aucun service à assurer dans le Département.

Mais son exaspération n'était que superficielle. Le Système de Stage lui fournissait une occasion de se plaindre devant Charles, devant Penny Black, un prétexte commode pour justifier le retard qu'elle prenait par ailleurs. Au plus profond de ses pensées et de ses sentiments, cependant, elle tirait une satisfaction subtile d'être liée ainsi à l'usine et un certain sentiment de supériorité, même, par rapport à ses amis. Charles et Penny avaient bâti toute leur vie, comme elle jusqu'ici, autour de l'université, gravitant dans son orbite magique. Maintenant, elle menait cette autre vie, un jour par semaine, et avait presque une autre identité, même. Cette étiquette, "stagiaire", qui lui avait paru si absurde au début, commençait à prendre une résonance plaisante. Une stagiaire était comme une sorte de double, un *Doppelgänger,* mais c'était elle-même qu'elle doublait chez Pringle, pas Wilcox. C'était comme si la Robyn Penrose qui passait un jour par semaine à l'usine était le double de celle qui, les six autres jours de la semaine, s'occupait de littérature féminine, de roman victorien et de théorie littéraire poststructuraliste – un être moins consistant, plus insaisissable mais tout aussi réel. Elle menait une double vie actuellement, et cela la rendait plus intéressante et plus complexe, pensait-elle. Wallsbury Ouest, cette étendue désolée d'usines, d'entrepôts, de routes et de ronds-points, parcourue par des voies de chemin de fer, couvertes d'herbe, et des canaux désaffectés, comme les stries sur Mars, semblait elle-même être l'ombre, la face cachée de Rummidge, ignorée de ceux qui se prélassaient sous les projecteurs de la culture et du savoir à l'université. Bien sûr, c'était le contraire pour ceux qui travaillaient chez Pringle : c'était l'université et tout ce qu'elle représentait qui était la face cachée du monde, une face étrange, impénétrable et vaguement menaçante. En traversant, tantôt dans un sens, tantôt dans l'autre, cette frontière qui séparait ces deux zones dont les valeurs, les priorités, le langage et les coutumes étaient si diamétralement opposés, Robyn avait l'impression d'être comme un agent secret ; et, comme les agents secrets, il lui arrivait parfois d'avoir des états d'âme et de mettre en doute les valeurs de son propre camp.

"Tu sais, dit-elle un jour à Charles en rêvant à voix haute, il y a des millions de gens autour de nous qui ne s'intéressent pas le moins du monde à ce que nous faisons.

– Quoi ?" dit-il, levant les yeux de son livre et marquant l'endroit où il était arrivé avec son index. Ils étaient assis dans le salon-bureau de Robyn un dimanche après-midi quelques semaines plus tard. Charles venait plus souvent le week-end ces temps-ci.

"Bien sûr, eux ne savent pas ce que nous faisons, mais même si nous voulions le leur expliquer, ils ne comprendraient pas, et même s'ils comprenaient ce que nous faisons, ils ne comprendraient pas pourquoi nous le faisons, ni pourquoi on nous paie pour le faire.

– Tant pis pour eux, dit Charles.

– Mais ça ne t'inquiète pas ? demanda Robyn. Que tout ce qui nous passionne – le fait de se demander par exemple si la critique métaphysique de Derrida ne laisse pas revenir l'idéalisme par où il était sorti, ou si la théorie psychanalytique de Lacan n'est pas phallocentrique, ou encore si la théorie de l'épistémé chez Foucault peut se concilier avec le matérialisme dialectique – toutes ces choses dont nous discutons et sur lesquelles nous lisons et écrivons à longueur de temps – ça ne t'inquiète pas de voir que quatre-vingt-dix-neuf pour cent de la population s'en fout comme d'une queue de babouin ?

– Quoi ? dit Charles.

– Une queue de babouin. Ça veut dire que tu t'en fous complètement.

– Non, on dit en fait s'en foutre comme d'une bitte de babouin.

– Ah, vraiment ? dit Robyn, en riant jaune. Je croyais qu'on disait s'en foutre comme d'une queue de babouin. J'aurais dû savoir : 'bitte' est infiniment plus poétique, selon les termes de Jakobson – la répétition de la bilabiale 'b' et la vélarisation progressive des voyelles... Pas étonnant que Vic Wilcox ait eu l'air si surpris quand j'ai utilisé cette expression l'autre jour.

– C'est de lui que tu tiens cette expression ?

– Je crois que oui. Pourtant, il n'utilise pas beaucoup ce

genre de langage. Il est plutôt puritain comme type.

– L'éthique protestante, quoi.

– Exactement… Maintenant, j'ai oublié ce que jc voulais dire.

– Tu disais qu'ils ne s'intéressaient pas beaucoup au poststructuralisme à l'usine. Pas vraiment surprenant, tu ne trouves pas ?

– Mais ça ne te gêne pas un peu ? Que la plupart des gens s'en foutent comme… comme de l'an quarante de tout ce qui compte le plus pour nous ?

– Pourquoi veux-tu que ça me gêne ?

– Quand Wilcox commence à me taquiner et à me dire que les diplômes de lettres sont une perte sèche pour un pays, alors…

– Il le fait souvent ?

– Oh, oui, on se chamaille tout le temps… Toujours est-il que, pour lui répondre, je me vois contrainte d'utiliser des arguments auxquels je ne crois plus réellement, comme par exemple la nécessité de maintenir une tradition culturelle, d'améliorer la capacité de communication des étudiants – des arguments que de vieilles barbes comme Philip Swallow débitent à longueur de journée. Car si je lui disais que nous parlons à nos étudiants de la dérive perpétuelle du signifié sous le signifiant, ou de la façon dont chaque texte remet immanquablement en cause le sens précis qu'il affiche, il me rirait au nez.

– Tu ne peux pas expliquer le poststructuralisme à quelqu'un qui n'a pas même découvert la tradition humaniste.

– Précisément. Mais est-ce que, de ce fait, nous ne devenons pas des marginaux ?"

Charles prit son temps pour réfléchir à la question. "Les marges impliquent un centre, finit-il par dire. Mais l'idée de centre, c'est précisément ce que le poststructuralisme remet en cause. Une fois que tu acceptes l'idée qu'il puisse y avoir un centre devant des gens comme Wilcox, ou comme Swallow, ils vont tout de suite en revendiquer la propriété et tout justifier par référence à cela. Démontre-leur, en revanche, que c'est une illusion, une erreur de rai-

231

sonnement, et leur position s'effondre. Nous vivons dans un monde décentré.

– Je sais, dit Robyn. Mais qui est-ce qui paie ?

– Qui est-ce qui paie ? répéta Charles l'air ahuri.

– C'est toujours ce que répète Wilcox : *'Qui est-ce qui paie ?' 'Le pain ne vous tombe pas tout cuit dans le bec.'* Il dirait, je l'entends d'ici, qu'il faut bien que quelqu'un paie nos séminaires sur le déconstructionnisme. Pourquoi veux-tu que la société paie pour s'entendre dire des choses comme : on ne dit pas ce qu'on veut dire ou on ne veut pas dire ce qu'on dit ?

– Parce que c'est la vérité.

– Je croyais que la vérité n'existait pas, dans l'absolu.

– Dans l'absolu, non. Charles semblait exaspéré. De quel côté es-tu, Robyn ?

– Je me fais l'avocat du diable.

– Après tout, pour ce qu'on nous paie", dit Charles qui aussitôt se replongea dans sa lecture.

Robyn remarqua le titre et le lut à haute voix : *"La Révolution financière* ! Pourquoi diable es-tu en train de lire ça ?

– Je te l'ai dit, je veux écrire un article sur ce qui se passe à la City.

– Tu es sérieux ? Je ne pensais pas que tu parlais sérieusement. Ça doit être affreusement ennuyeux ?

– Non, c'est en fait très intéressant.

– Est-ce que tu vas aller voir travailler la Debbie de Basil ?

– Peut-être. Charles sourit de son petit sourire félin. J'ai bien le droit d'être stagiaire moi aussi, non ?

– Je ne pensais pas que tu pourrais jamais t'intéresser à la vie des entreprises.

– Ce ne sont pas des entreprises, dit Charles, en tapotant sur son livre. Il n'est pas question d'acheter ni de vendre de vraies marchandises. Tout reste sur le papier ou sur des écrans d'ordinateurs. C'est abstrait. En plus il y a tout ce jargon plutôt séduisant : arbitragiste, spéculation à terme, taux flottant. C'est comme la théorie littéraire."

Pringle, en revanche, était une véritable entreprise qui fabriquait de vraies marchandises, et sa gestion n'avait rien à voir avec la théorie littéraire, pourtant Robyn avait parfois l'impression que Vic Wilcox avait la même relation avec ses subordonnés qu'un maître avec ses élèves. Même si elle ne parvenait que rarement à saisir les arcanes de la mécanique et de la comptabilité qui faisaient l'objet de toutes ces réunions avec le personnel, et même si ces réunions l'ennuyaient et l'épuisaient souvent, elle sentait bien qu'il faisait tout son possible pour enseigner quelque chose aux autres hommes, pour les encourager et les inciter à envisager les activités de l'usine d'une autre manière. Il aurait été bien surpris si on lui avait dit qu'il utilisait la méthode socratique, et pourtant c'était le cas : il essayait d'amener les autres directeurs et les cadres moyens et même les contremaîtres à identifier eux-mêmes les problèmes et à trouver, par leur propre raisonnement, la solution à laquelle il était lui-même parvenu. Il faisait cela avec une telle adresse qu'elle était obligée parfois de modérer son admiration en se rappelant que tout cela était motivé par l'appât du gain, et que, au-delà des quatre murs du bureau moquetté de Vic Wilcox, il y avait une usine pleine d'hommes et de femmes qui accomplissaient des tâches dangereuses, dégradantes et affreusement répétitives, des gens qui étaient de simples rouages dans la machine que conduisait ce grand stratège. C'était un tyran astucieux, mais un tyran tout de même. De plus, jamais, en échange, il ne semblait reconnaître ses talents professionnels à elle.

La discussion acharnée qu'ils eurent à propos de la publicité Silk Cut en fournit un exemple flagrant. Ils rentraient en voiture d'une visite dans une fonderie de Derby qui venait d'être reprise par des raiders ; ceux-ci revendaient une soufflerie de noyaux automatique qui intéressait Wilcox – c'était finalement un modèle trop vieux pour l'usage qu'il voulait en faire. Tous les deux ou trois kilomètres, ils passaient devant la même affiche gigantesque collée sur des panneaux publicitaires ; c'était une photo représentant un grand morceau de soie pourpre ondulant au vent dans lequel il y avait une petite fente, comme si on avait déchiré l'étoffe avec un rasoir. Il n'y avait rien d'écrit sur la publicité, sauf l'avertissement d'usage du ministère de la santé contre le tabagisme. Cette photo obsédante qui revenait à intervalles réguliers irritait et intriguait à la fois Robyn, et elle mit en branle sa pratique sémiotique et tenta de révéler la structure profonde qui se cachait sous cette surface innocente.

C'était, à un premier degré, une sorte de charade. En fait, avant de pouvoir la décoder, il fallait d'abord savoir qu'il existait une marque de cigarettes appelée Silk Cut. L'affiche donnait une représentation iconique du nom manquant, tel un rébus. Mais l'icône était aussi une métaphore. La soie chatoyante, avec ses courbes voluptueuses et sa texture sensuelle, symbolisait manifestement le corps féminin, et la déchirure elliptique, mise en relief par la couleur plus claire que l'on voyait à travers, était plus manifestement encore un vagin. La publicité faisait ainsi appel aux pulsions à la fois sensuelles et sadiques, au désir de mutiler et de pénétrer le corps féminin.

Vic Wilcox, à qui elle exposa son interprétation, fut très choqué et se moqua d'elle en bafouillant. De toute façon, il ne fumait pas cette marque, mais c'était comme s'il sentait que toute sa philosophie de vie était menacée par l'analyse que Robyn venait de donner de cette publicité. "Il faut que vous ayez l'esprit tordu pour voir tout ça dans un bout de chiffon totalement inoffensif, dit-il.

— Qu'est-ce que ça veut dire, alors ? dit Robyn en le mettant au défi. Pourquoi utiliser un bout de tissu pour faire une publicité de cigarettes ?

— Eh bien, c'est ce que leur nom veut dire, pas vrai ? Silk Cut. L'image représente de la soie coupée. Ni plus ni moins.

— Et si on s'était servi d'une photo représentant un rouleau de soie coupé en deux — est-ce que ça marcherait aussi bien ?

— J'imagine que oui. Pourquoi pas ?

— Eh bien non, parce que ça aurait l'air d'un pénis coupé en deux, voilà pourquoi."

Il se força à rire pour dissimuler sa gêne. "Pourquoi les

gens comme vous sont-ils incapables de prendre les choses telles qu'elles sont ?

– Qui ça, les gens comme nous ?

– Les grosses têtes. Les intellos. Vous n'arrêtez pas de chercher le sens caché des choses. Pourquoi ? Une cigarette, c'est une cigarette. Un morceau de soie, c'est un morceau de soie. Pourquoi ne pas en rester là ?

– Quand on représente une chose, elle acquiert alors une signification nouvelle, dit Robyn. Les signes ne sont jamais innocents. C'est cela que nous enseigne la sémiotique.

– La sémi-quoi ?

– La sémiotique. L'étude des signes.

– Je crois plutôt qu'elle nous enseigne à avoir les idées mal placées.

– Pourquoi alors pensez-vous qu'on a nommé ces satanées cigarettes Silk Cut pour commencer ?

– J'en sais rien. C'est rien qu'un nom, et il en vaut bien un autre.

– 'Cut' a quelque chose à voir avec le tabac, n'est-ce pas ? Ça renverrait à la façon dont on coupe la feuille de tabac. Comme dans le nom du tabac 'Player's Navy Cut' que mon oncle Walter fumait autrefois.

– Oui, et alors ? dit Vic prudemment.

– Or, la soie n'a rien à voir avec le tabac. C'est une métaphore, une métaphore qui signifie quelque chose comme : 'doux comme de la soie'. Un jour quelqu'un dans une agence de publicité a imaginé le nom 'Silk Cut' pour impliquer que cette cigarette ne va pas vous donner le mal de gorge ou une toux sèche ou encore le cancer du poumon. Malheureusement, au bout d'un moment, le public s'est habitué au nom, le mot 'Silk' a cessé de signifier quoi que ce soit, alors la firme a décidé de lancer une campagne publicitaire pour revaloriser la marque. Un petit génie de l'agence a eu l'idée de faire onduler la soie et d'y mettre une déchirure. La métaphore de départ est maintenant représentée de manière littérale. Mais de nouvelles connotations métaphoriques viennent s'y ajouter – des connotations sexuelles. Que tout cela ait été voulu ou non,

235

d'ailleurs, peu importe. Voilà en fait un excellent exemple de la dérive du signifié sous le signifiant."

Wilcox rumina cela un instant, puis il dit : "Pourquoi les femmes en fument-elles, alors ?" Son air triomphal démontrait à l'évidence qu'il considérait cela comme un argument massue. "Si le fait de fumer des Silk Cut est un viol flagrant, comme vous le prétendez, comment se fait-il que les femmes en fument aussi, alors ?

– Beaucoup de femmes sont masochistes par tempérament, dit Robyn. Elles ont appris ce que l'on attendait d'elles dans une société patriarcale.

– Ah ! s'exclama Wilcox, rejetant la tête en arrière. J'aurais parié que vous alliez trouver une réponse farfelue.

– Je ne comprends pas pourquoi vous êtes si en colère, dit Robyn. Ce n'est pas comme si vous fumiez vous-même des Silk Cut.

– Non, je fume des Marlboro. Ça vous étonnera peut-être, mais si je les fume, c'est que j'aime leur goût.

– C'est celles qui utilisent comme pub un cow-boy solitaire, c'est bien ça ?

– Ça signifie, j'imagine, que je suis un homosexuel refoulé, c'est ça ?

– Non, c'est un message métonymique évident.

– Méto-quoi ?

– Métonymique. L'un des outils fondamentaux de la sémiotique est la distinction entre métaphore et métonymie. Vous tenez à ce que je vous explique ?

– Ça nous fera passer le temps, dit-il.

– La métaphore est une figure du discours basée sur la similarité, tandis que la métonymie est basée sur la contiguïté. Dans la métaphore, vous substituez quelque chose de semblable à la chose proprement dite, tandis que dans la métonymie vous substituez un attribut ou une cause ou un effet de la chose à la chose elle-même.

– Je ne comprends pas un traître mot de ce que vous dites.

– Eh bien, prenez par exemple un de vos moules à fonte. La partie inférieure s'appelle la drague parce qu'on la traîne sur le sol et la partie supérieure la chape parce qu'elle recouvre la partie inférieure.

– C'est même moi qui vous l'ai dit.

– Oui, je sais. Mais ce que vous ne m'avez pas dit, c'est que 'drague' est une métonymie et 'chape' une métaphore."

Vic poussa un grognement. "Quelle différence ça fait ?

– C'était juste pour vous montrer comment fonctionne le langage. Je croyais que vous aimiez savoir comment fonctionnent les choses.

– Je ne vois pas ce que ça vient faire avec les cigarettes.

– Dans le cas de l'affiche Silk Cut, la photo signifie le corps féminin par métaphore : la fente dans la soie est semblable au vagin..."

Vic tressaillit en entendant ce mot. "Puisque vous le dites...

– Tous les trous, tous les creux, toutes les fissures et tous les plis représentent les organes génitaux féminins.

– Prouvez-le.

– Freud l'a prouvé en analysant avec succès certains rêves, dit Robyn. Mais les pubs Marlboro n'utilisent pas de métaphores. C'est probablement pour ça que vous fumez ces cigarettes, en fait.

– Que voulez-vous dire ? dit-il d'un air soupçonneux.

– Vous ne vous intéressez pas du tout au côté métaphorique des choses. Pour vous, une cigarette est une cigarette, voilà tout.

– En effet.

– La pub Marlboro n'ébranle pas cette croyance naïve en la stabilité des signifiés. Elle établit un rapport métonymique – totalement erroné, bien sûr, mais plausible en termes réalistes – entre le fait de fumer cette marque particulière et la vie saine et héroïque du cow-boy dans les grands espaces. Acheter la cigarette, c'est acheter un style de vie, ou l'illusion de vivre ce style de vie.

– Ridicule, dit Wilcox. J'ai horreur de la campagne et de la vie au grand air. J'ai une frousse terrible dès que je dois traverser un champ où il y a une vache.

– Eh bien, ce qui vous attire dans la pub, c'est peut-être

237

alors la solitude du cow-boy. Sûr de soi, indépendant, très macho.

– Je n'ai jamais entendu tant de couillonnades de ma vie", dit Vic Wilcox qui, pour une fois, utilisait un langage peu châtié.

– Couillonnades – voilà une expression intéressante... dit Robyn, d'un air songeur.

– Ah, non ! gémit-il.

– Quand vous dites, d'un air approbateur, qu'un homme 'a des couilles', c'est une métonymie, tandis que si vous dites que quelque chose est 'une couillonnade' ou 'une couillonnerie', c'est une sorte de métaphore. La métonymie attribue une valeur aux testicules tandis que la métaphore se sert de ceux-ci pour avilir quelque chose d'autre.

– J'en ai assez entendu pour aujourd'hui, dit Vic. Vous me permettez de fumer ? Une bonne petite cigarette bien de chez nous ?

– Oui, si vous me permettez de mettre Radio 3", répondit Robyn.

Il était tard lorsqu'ils arrivèrent chez Pringle. La Renault de Robyn était là, toute seule, abandonnée au milieu du parking désert. Wilcox se gara à côté.

"Merci, dit Robyn. Elle essaya d'ouvrir la portière, mais le verrouillage automatique l'en empêcha. Wilcox appuya sur un bouton et toutes les serrures se déverrouillèrent en même temps.

– Je déteste ce gadget, dit Robyn. C'est une invention de violeur.

– Vous n'avez que le viol dans la tête, dit Wilcox. Puis il ajouta, sans la regarder : Venez déjeuner avec nous dimanche prochain."

L'invitation était si inattendue, et lancée d'un ton si désinvolte, qu'elle se demanda si elle avait bien entendu. Mais elle n'eut plus de doute lorsqu'il ajouta :

"Rien d'extraordinaire, dit-il. Juste la famille."

Pourquoi ? brûlait-elle de demander, si la question n'avait pas paru affreusement grossière. Elle s'était résignée à consacrer un jour par semaine à être la stagiaire de Wilcox, mais elle n'était pas disposée à y sacrifier aussi une partie de son précieux week-end. Charles non plus, d'ailleurs.

"Je regrette, mais j'ai quelqu'un qui vient chez moi ce week-end, dit-elle.

– Le dimanche suivant, alors.

– Il vient pratiquement tous les week-ends", dit Robyn.

Wilcox eut l'air décontenancé, mais, après quelques instants d'hésitation il dit : "Amenez-le lui aussi, alors."

Robyn n'eut d'autre choix que de dire : "D'accord. Merci beaucoup."

Vic utilisa sa clé pour entrer dans le bâtiment administratif. La solide porte en bois, à l'intérieur, était fermée à clé, tout comme les portes battantes en verre. Il n'y avait qu'une veilleuse de sécurité pour éclairer le hall d'accueil qui, sous ce faible éclairage, paraissait encore plus minable que d'habitude. Les employés de bureau, Shirley y compris, étaient tous rentrés chez eux. Les autres directeurs aussi, apparemment.

Il adorait être tout seul dans le bâtiment. C'était un bon moment pour travailler. Mais, ce soir, il n'avait pas envie de travailler. Il entra dans son bureau sans allumer de lampes, se contentant de la lumière pâle du parking qui filtrait à travers les stores. Il passa la veste de son costume sur le dossier de son fauteuil tournant, mais, au lieu de s'asseoir à son bureau, il se laissa tomber dans un autre fauteuil.

Bien sûr, qu'une jeune femme aussi séduisante et moderne que Robyn Penrose ait un petit ami, un amant, c'était fatal, non ? Il aurait dû s'y attendre. Pourquoi alors avait-il été si surpris, pourquoi s'était-il senti si... déçu, lorsqu'elle avait évoqué l'homme qui passait les week-ends avec elle ? Il n'avait jamais imaginé un seul instant qu'elle pouvait être vierge, grand Dieu, non, surtout pas avec la façon qu'elle avait de parler sans sourciller de pénis et de vagins ; il ne la prenait pas non plus pour une gouine, malgré ses cheveux coupés court. Mais il y avait quelque chose de particulier en elle qu'il n'avait jamais trouvé chez les autres femmes qu'il connaissait – Marjorie, Sandra, Shirley et sa Tracey. Côté fringues, par exemple. Alors que toutes ces femmes s'habillaient (ou, dans le cas de Tracey, se déshabillaient) d'une façon qui semblait vouloir dire : *Regardez-moi, aimez-moi, désirez-moi, épousez-moi,* Robyn Penrose se fringuait comme si elle ne cherchait que son plaisir et ses aises. Avec beaucoup de classe, il fallait le reconnaître – l'éternelle salopette des féministes n'étàit pas son genre – mais sans la moindre touche de coquetterie. Elle ne passait pas son temps à arranger sa jupe ou à se tripoter les cheveux ou encore à se regarder dans toutes les surfaces réfléchissantes. Elle regardait les hommes droit dans les yeux, et Vic aimait cela. Elle avait confiance en elle – elle était même arrogante, parfois – mais était dépourvue de vanité. C'était la femme la plus indépendante qu'il eût jamais rencontrée, et c'était pour ça qu'il s'était dit qu'elle devait être libre et – même si c'était drôle de voir un tel mot lui venir à l'esprit, eh bien, tant pis – *chaste.*

Il se rappelait un tableau qu'il avait vu un jour au Musée des Beaux Arts de Rummidge, pendant une sortie de fin d'année – il y avait de cela au moins trente ans, mais l'image était gravée dans sa mémoire, et sa discussion avec Shirley l'autre jour la lui avait rappelée. C'était une grande toile peinte à l'huile représentant une déesse grecque entourée de nymphes qui prenaient un bain dans un étang au milieu d'un bois, et un jeune garçon au premier plan qui les regardait en cachette de derrière un buisson. La déesse venait d'apercevoir l'indiscret et lui lançait un regard courroucé, un regard qui semblait jaillir du tableau ; les petits écoliers eux-mêmes semblaient médusés, eux qui, d'habitude, se mettaient tout de suite à ricaner et à se donner des coups de coude devant des nus de femmes. Curieusement, ce tableau avait toujours été associé dans son esprit avec le mot "chaste", et maintenant il l'était avec Robyn Penrose. Il se la représentait dans la pose de la déesse – grande, avec ses bras et ses jambes tout blancs, lâchant, outrée, ses chiens contre l'intrus. Il n'y avait pas place sur le tableau pour un amant ou un mari – la déesse n'avait pas besoin de protecteur. C'était aussi l'image que lui avait donnée Robyn Penrose depuis le début, et rien de ce qu'elle avait dit jusque-là ne permettait de penser le contraire, ce qui rendait la découverte d'autant plus bouleversante.

Bouleversante ? Pourquoi serait-il bouleversé par la vie privée de Robyn Penrose ? Ça n'avait vraiment pas de sens. Ce n'est pas ton affaire, se dit-il furieux. Ton affaire, ce sont les affaires. Il se tapa sur le front avec le poing comme pour se ramener à la raison, ou se défaire de la déraison. Qu'est-ce qu'il faisait ici, bon Dieu, plongé ainsi dans le noir, à rêvasser sur des déesses grecques, lui qui était Directeur Général d'une compagnie de fonderie et de mécanique dont le déficit probable, ce mois-ci, allait être de trente mille livres ? Il devrait plutôt être assis à son bureau en train de concocter son projet pour informatiser les stocks et les achats.

Néanmoins, il demeurait là avachi dans son fauteuil à penser à Robyn Penrose et au déjeuner de dimanche auquel il l'avait conviée. Ç'avait été un acte non prémédité qui l'avait surpris lui-même, presque autant qu'elle apparemment. Maintenant, il le regrettait. Il aurait dû en profiter, lorsqu'elle avait évoqué son petit ami, pour laisser tomber l'affaire. Pourquoi s'était-il acharné – pourquoi, bon Dieu, avait-il aussi invité le petit ami, alors qu'il n'avait pas la moindre envie de le rencontrer ? Une autre grosse tête, c'était garanti, mais avec en moins ce charme qui chez Robyn compensait tout le reste. Le déjeuner allait être un désastre : cette certitude lui transperça le cœur comme un coup de poignard qu'il se serait infligé à lui-même. Ç'allait être le premier souci à lui venir en tête demain matin et tous les matins jusqu'à dimanche. Et cette anxiété allait sans doute se transmettre à Marjorie qui paniquait toujours de toute façon quand ils recevaient quelqu'un. Elle allait sûrement boire trop de sherry pour oublier sa nervosité, brûler le rôti ou faire tomber les assiettes. Et si elle se mettait à parler chiffons avec Robyn Penrose – non, c'était trop affreux rien que d'y penser. De

241

quoi allaient-ils parler ? De la sémiotique des housses amovibles ? De la métaphore et de la métonymie dans les motifs de tapisserie ? Tandis que son père tiendrait le crachoir au petit ami en parlant de l'indice des prix de détail pour 1948, et que les enfants ricaneraient ou bouderaient dans leur coin comme ils en avaient l'habitude ? La rencontre cauchemardesque qu'il venait d'évoquer était si abominable qu'il songea sérieusement à téléphoner à Robyn Penrose sur-le-champ pour annuler l'invitation. Les excuses ne manquaient pas – un rendez-vous qu'il avait oublié pour dimanche prochain, par exemple. Mais, ça ne ferait que repousser les choses. Maintenant qu'il l'avait invitée, il fallait qu'il s'exécute, et plus vite il s'en débarrasserait, mieux ce serait. Robyn Penrose devait se dire la même chose.

Vic se tordait littéralement dans son fauteuil en imaginant les conséquences possibles de son comportement insensé. Il desserra son col et sa cravate et fit valser ses souliers. Il étouffait – le chauffage central était bien trop haut, alors que le bâtiment était vide (et, même dans les affres de ses angoisses personnelles, il se dit qu'il ne fallait pas oublier de demander qu'on baisse le thermostat pendant la nuit – on pouvait économiser des centaines de livres en chauffage). Il ferma les yeux. Cela sembla le calmer. Il dévida intérieurement le film de sa discussion avec Robyn Penrose dans la voiture à propos de Silk Cut. Elle était intelligente, ça, il fallait le reconnaître, malgré ses théories à la noix. Un vagin, voyez ça ! Bien sûr, il y avait des gens qui appelaient ça un con, parfois. Un con, ça sonnait un peu comme *cut,* et *silk* comme clit, clitoris. Doux comme de la soie. Con *cut, silk* clit. Un con soyeux... Elle n'avait pas pensé à cela ! Un joli nom pour un paquet de clopes. Vic sourit secrètement de son astuce et s'assoupit.

Il se réveilla avec le sentiment oppressant d'avoir commis une affreuse erreur à propos de quelque chose, et aussitôt il se rappela ce que c'était : il avait invité Robyn Penrose à déjeuner dimanche prochain. D'abord, il se dit qu'il devait être dans son lit, il ne pouvait pas être plus de cinq heures du matin, mais en se voyant là tout habillé dans ce fauteuil il comprit vite où il était. Il se redressa et bâilla. Il vérifia l'heure en appuyant sur le bouton d'éclairage de sa montre à quartz. Neuf heures vingt-trois. Il y avait au moins deux heures qu'il dormait. Marjorie devait se demander où diable il était. Mieux valait lui téléphoner.

Il se releva et, comme il se dirigeait vers son bureau, il fut surpris d'entendre un bruit étrange, étouffé, et s'arrêta net. C'était un bruit discret, mais il avait l'oreille fine et le bâtiment était par ailleurs plongé dans le silence le plus complet. Ça semblait venir du bureau de Shirley. Sans se donner la peine de remettre ses souliers, il s'avança discrètement sur le plancher moquetté, traversa l'antichambre et entra dans le bureau de Shirley. La pièce n'était pas éclairée ; seule la lumière du parking filtrait à travers les stores, et il n'y avait personne. Le bruit était cependant un peu plus perceptible d'ici. Ce bruit n'avait rien de particulièrement inquiétant, surtout à cette heure du soir, mais Vic tenait à en avoir le cœur net. Peut-être était-ce un des directeurs qui travaillait tard, après tout. Ou peut-être le vigile, bien qu'il ne surveillât habituellement que l'extérieur, et, d'ailleurs, pourquoi parlerait-il ou gémirait-il tout seul ? Car c'était à cela que ressemblait le bruit – à une voix humaine inintelligible ou à un gémissement de douleur ou encore...

Soudain, il comprit ce que c'était et d'où ça venait – du hall d'accueil de l'autre côté des vitres badigeonnées de la cloison. Aussitôt, son œil repéra le trou dans la peinture : une tache de lumière brillait faiblement comme une vieille pièce de monnaie. Doucement, prudemment, il déplaça une chaise et grimpa sur le classeur placé juste en dessous du trou. Ce geste lui rappela immédiatement comment il avait observé Robyn Penrose lors de sa première visite, et il comprit alors, avec un brusque sentiment de culpabilité, pourquoi il l'avait associée à ce tableau du Musée des Beaux-arts de Rummidge : c'était lui l'indiscret au premier plan. Il se demanda alors s'il rêvait ou si, quand il allait coller l'œil contre le trou, il n'allait pas voir Robyn

Penrose, vêtue, comme une déesse classique, d'une ample tunique qui lentement glissait de ses membres marmoréens, tandis qu'elle le dévisageait d'un air indigné.

Ce qu'il vit en fait, sous la lumière pâle de la veilleuse, c'était Brian Everthorpe en train de faire l'amour avec Shirley sur le divan du hall d'accueil. Il ne voyait pas le visage d'Everthorpe, et ce gros derrière qui allait et venait comme un piston sous les pans de chemise entre les jambes écartées de Shirley aurait pu appartenir à n'importe qui, mais il reconnut les favoris et la tonsure sur le dessus de la tête. Par contre, il voyait le visage de Shirley très clairement. Elle avait les yeux fermés et sa bouche ouverte faisait un gros O rouge foncé. C'était Shirley qui faisait le bruit qu'avait entendu Vic. Il redescendit lentement sans faire de bruit de son perchoir, retourna dans son bureau et ferma les portes de communication. Il se rassit dans son fauteuil et se boucha les oreilles.

Il n'avait pas rêvé, mais pendant les quelques jours qui suivirent, il se comporta comme s'il vivait en rêve. Marjorie lui fit remarquer qu'il avait l'air plus absent que d'habitude. Et Shirley, qu'il n'osa pas regarder en face lorsqu'elle entra dans son bureau le premier matin après la scène d'amour avec Brian Everthorpe, lui fit aussi la même réflexion. Un certain nombre de choses avaient fait tilt dans son esprit lorsqu'il avait surpris la scène, et bien des énigmes avaient brusquement trouvé leur solution : pourquoi, par exemple, Brian Everthorpe semblait toujours savoir tant de choses si vite sur tout ce qui se passait chez Pringle, et pourquoi il s'intéressait personnellement à promouvoir la carrière de Tracey comme mannequin. Depuis combien de temps durait cette liaison amoureuse ? Il n'avait aucun moyen de le savoir, mais il y avait eu, dans l'abandon serein de Shirley, quelque chose qui laissait supposer que ce n'était pas la première fois que Brian Everthorpe lui faisait l'amour sur le divan du hall d'accueil. Ils prenaient un drôle de risque en faisant ça là ; il est vrai que si le bâtiment était vide et la porte intérieure fermée à clé, ils n'avaient pas tellement à craindre d'être interrompus sauf par le vigile, et Everthorpe l'avait sans nul doute soudoyé. Ils avaient dû rentrer dans le bâtiment par la porte de derrière en revenant d'un restaurant ou d'un pub après que Vic se fut lui-même endormi dans son bureau, ou peut-être s'étaient-ils planqués dans le bureau d'Everthorpe en attendant que tout le monde s'en aille. Sans doute préféraient-ils le hall d'accueil au bureau d'Everthorpe, à cause du divan. A moins que le risque d'être découverts ajoutât un frisson supplémentaire à leurs ébats.

Il avait le sentiment d'être confronté au mystère du comportement humain et de se trouver au bord d'un abîme qu'il n'avait jamais encore sondé lui-même. Son esprit était tiraillé par des sentiments contradictoires. Il n'approuvait pas ce que faisaient Everthorpe et Shirley. Il n'avait jamais eu le temps de se livrer à ces petits divertissements louches entre gens mariés, surtout quand ça touchait de près au travail. Logiquement, il aurait dû éprouver une indignation vertueuse devant cet adultère et chercher comment il pouvait exploiter la situation pour se débarrasser des deux à la fois. Et pourtant, il n'avait aucune envie de le faire. En fait, il se sentait un peu honteux du rôle qu'il avait joué dans tout ça. Il ne pouvait rien dire à personne de ce qu'il avait vu, même pas aux coupables, sans évoquer en même temps le tableau ridicule et ignoble qu'il avait dû présenter lui-même, debout sur le classeur, avec ses petites chaussettes, en train de regarder par le trou de la cloison. A cette considération s'en ajoutait une autre encore plus pénible à prendre en compte. Malgré le fait indéniable qu'ils constituaient un couple d'amants peu prestigieux – Brian Everthorpe avec sa bedaine et sa calvitie, et Shirley, déjà plus très jeune, avec son double menton et ses cheveux teints ; malgré le décor incongru et la semi-nudité peu ragoûtante dans laquelle ils s'étaient accouplés – le pantalon et le caleçon d'Everthorpe, ainsi que la jupe, la culotte et le collant de Shirley avaient été jetés négligemment sur les tables, les chaises et les exemplaires de *Engineering Today* ; malgré tout cela, on ne pouvait nier qu'ils avaient connu les transports d'une authentique passion. C'était une passion que Vic lui-même n'avait pas éprouvée depuis très longtemps, et il se demandait si Marjorie en avait jamais éprouvé de semblable. Jamais, en faisant l'amour, il n'avait tiré de Marjorie ces cris de plaisir qui étaient parvenus à ses oreilles à travers une cloison et deux bureaux vides. Avant aujourd'hui, Vic n'avait jamais imaginé qu'il pourrait envier quelque chose à Brian Everthorpe, un jour, mais maintenant il lui enviait cette ardeur avec laquelle il avait baisé cette femme passionnée, en lui arrachant des râles de plaisir. C'était une sorte de défaite, et, malgré le goût amer que cela lui laissait dans la bouche, il n'avait aucune envie d'exercer des représailles contre Brian Everthorpe. Vic ne reparla plus jamais à Stuart Baxter de licencier Everthorpe.

La scène du hall d'accueil repassait sans arrêt dans sa tête comme un film – pas une de ces scènes d'amour prudemment censurées et joliment filmées que l'on voyait à la télévision tard le soir, mais plutôt quelque chose comme cette vidéo minable qu'il avait visionnée un jour dans une cabine sordide de Soho en un débordement de curiosité furtive, glissant des pièces de cinquante pence les unes après les autres dans la machine pour que les silhouettes nues continuent à se trémousser devant lui. Il revoyait sans cesse les fesses de Brian Everthorpe qui se soulevaient, les genoux blancs écartés de Shirley, ses lèvres rouges qui s'arrondissaient en forme de O sous l'effet du plaisir, ses longs ongles peints qui labouraient les épaules d'Everthorpe ; les marques étaient si profondes que Vic pouvait les voir – même s'il lui était difficile, rétrospectivement, de distinguer ce qu'il avait vraiment vu de ce que son imagination enfiévrée avait reconstitué. Parfois, il se demandait si en fait il n'avait pas rêvé, si tout l'épisode n'était pas un fantasme qui avait pris forme dans sa tête tandis qu'il somnolait dans le fauteuil de son bureau. Il fit une inspection discrète du divan dans le hall d'accueil, à la recherche de quelques indices palpables. Il remarqua quelques taches qui pouvaient être aussi bien du sperme que du café au lait, et découvrit un filament noir et bouclé qui pouvait être un poil pubien ou un crin de rembourrage, mais le regard curieux d'une des réceptionnistes l'empêcha de trop s'attarder.

A l'approche du dimanche et du déjeuner fatal, il devenait de plus en plus nerveux. Il harcela sans arrêt Marjorie à propos du menu, exigeant un gigot d'agneau plutôt qu'un rôti de bœuf parce que ce serait un moindre mal si par hasard elle le faisait trop cuire, et il insista pour qu'elle lui dise précisément quels légumes elle avait l'intention de servir. Il exprima sa préférence pour la tarte aux pommes plutôt que pour l'autre dessert favori de Marjorie, la tarte au citron meringuée, bien plus risquée. Et il voulut aussi qu'il y eût une entrée.

"On n'a jamais d'entrée, dit Marjorie.

– Il y a un début à tout.

– Qu'est-ce qui te prend, Vic ? On croirait que c'est la Reine qui vient déjeuner.

– Ne sois pas ridicule, Marjorie. C'est normal d'avoir une entrée.

– Dans les restaurants peut-être. Pas à la maison.

– Chez Robyn Penrose, dit Vic, je veux bien te parier qu'on sert une entrée.

– Si elle est aussi collet monté…

– Elle n'est pas collet monté.

– Mais je croyais que tu ne l'aimais pas. Tu t'es assez plaint.

– Au début, oui. On a mal commencé.

– Alors, comme ça, tu l'aimes bien, maintenant ?

– Elle n'est pas mal. Je ne l'aime pas, je ne la déteste pas non plus.

– Pourquoi l'inviter à déjeuner, alors ? Pourquoi tout ce tralala ?"

Vic se tut un moment. "Parce que c'est une personne intéressante, voilà, finit-il par dire. On a des conversations intelligentes avec elle. Je pensais que ça changerait. J'en ai ma claque de nos déjeuners du dimanche, avec les gosses qui se chamaillent et papa qui radote sur le coût de la vie et... " Il s'arrêta à temps : il allait faire une réflexion désagréable sur les aptitudes de Marjorie en matière de conversation, mais conclut lamentablement : "J'ai simplement pensé que ça nous changerait."

Marjorie, qui avait un rhume, se moucha. "Qu'est-ce que tu veux, alors ?

– Hein ?

– Pour ta chère entrée.

– Je ne sais pas. Je ne suis pas cuisinier.

– Et moi, je ne sais pas cuisiner des entrées.

– Les entrées ne sont pas nécessairement des plats cuisinés. Ça peut être aussi quelque chose de cru, non ? Comme du melon.

– On ne trouve pas de melon à cette période de l'année.

– Quelque chose d'autre, alors. Du saumon fumé.

– Du saumon fumé ! Tu sais ce que ça coûte ?

– Tu ne t'inquiètes généralement pas du prix des choses !

– Non, mais toi si. Et ton père également."

Vic s'imagina les commentaires que son père ne manquerait pas de faire sur le prix du saumon fumé et préféra annuler sa proposition. "Des avocats", dit-il, se rappelant que Robyn avait semblé apprécier cela au restaurant près de Manchester. "Tu n'as qu'à les couper en deux, enlever le noyau et remplir le creux de vinaigrette.

– Ton père n'aimera pas ça, dit Marjorie.

– Il n'est pas obligé d'en manger, alors", dit Vic, excédé. Il commença à se préoccuper du vin. Il fallait du rouge pour aller avec l'agneau, bien sûr, mais fallait-il du blanc avec l'avocat et si oui, était-ce nécessaire qu'il soit très sec ? Vic n'était pas un connaisseur en matière de vin, mais il s'était mis dans la tête que le petit ami de Robyn en était un et qu'il se moquerait de son choix.

"Je pourrais utiliser pour les avocats les coupes en verre que j'ai achetées en solde", concéda Marjorie. L'idée parut lui plaire, et elle se rallia à son projet d'entrée.

"Et dis bien à Raymond que je ne veux pas le voir revenir du pub en plein milieu du déjeuner dimanche, dit Vic.

– Pourquoi tu ne le lui dis pas toi-même ?

– Toi au moins, il t'écoute.

248

– S'il m'écoute, c'est parce que, toi, tu ne lui parles pas.

– Je perdrais mon sang-froid.

– Tu devrais faire un effort, Vic. Tu ne dis jamais rien à personne dans cette maison. Tu es trop replié sur toi-même.

– Ne t'en prends pas à moi maintenant, dit-il.

– Je lui ai prêté l'argent, soit dit en passant.

– Quel argent ?

– Pour leur bande de démonstration. Pour leur groupe. Marjorie le regarda d'un air de défi. C'est mon argent personnel, je l'ai pris sur mon compte postal."

A un autre moment, et dans un autre état d'esprit, Vic serait entré dans une belle rage. En l'occurrence, il se contenta de hausser les épaules et de dire : "Tu es idiote. N'oublie pas les serviettes en papier."

Marjorie parut ahurie.

"Pour dimanche.

– Ah ! J'ai toujours des serviettes quand on a des invités.

– Parfois, on en manque", dit Vic.

Marjorie le dévisagea. "C'est bien la première fois que je te vois t'inquiéter des serviettes", dit-elle. Dans ses yeux pâles et tranquilles, il vit passer un éclair d'affolement, une ombre de suspicion, comme quelque chose qui s'agite indistinctement sous la surface de l'eau ; et il comprit, pour la première fois, qu'elle avait de bonnes raisons d'éprouver de tels sentiments.

3

Vic se sentit soulagé d'une bonne partie de ses angoisses lorsque Robyn téléphona le samedi matin pour dire que son petit ami, Charles, avait un rhume et ne venait finalement pas à Rummidge ce week-end. Elle arriva elle-même assez tard, et on passa presque aussitôt à table. Devant chaque convive, il y avait une serviette en papier et, posé sur une coupe de verre bleuté, un demi-avocat qui suscita beaucoup de questions et de moqueries de la part des enfants.

"Qu'est-ce que c'est que ça ? demanda Gary, en brandissant son avocat empalé sur sa fourchette.

– C'est un avocat, idiot, dit Sandra.

– C'est une entrée, dit Marjorie.

– On n'a pas d'entrée d'habitude, dit Raymond.

– C'est une idée de votre père", dit Marjorie.

Tous se tournèrent vers Vic, y compris Robyn Penrose qui sourit, prenant apparemment cet avocat comme une sorte d'hommage, de la part de son hôte, envers ses goûts raffinés.

"Je pensais que ça changerait un peu, dit Vic d'un ton bougon. Surtout, vous n'êtes pas obligés d'en manger si vous n'en voulez pas.

– C'est un fruit ou un légume ? dit son père, piquant dans sa portion avec méfiance.

– Plutôt un légume, papa, dit Vic. Tu mets de la vinaigrette dans le creux et tu manges avec une cuillère."

M. Wilcox enfonça sa cuillère dans la chair jaune, préleva un petit morceau et le grignota comme pour le tester. "Un drôle de goût, dit-il. On dirait du suif.

– Ça coûte cinq livres pièce, grand-père, dit Raymond.

– Quoi !

– Ne l'écoute pas, papa, il te fait marcher, dit Vic.

– Je ne donnerais pas cinq pence pour ça, à vrai dire, dit son père.

– C'est bien meilleur avec la vinaigrette, Monsieur Wilcox, dit Robyn. Vous ne voulez pas essayer ?

– Non merci, ma belle, l'huile d'olive ne me réussit pas.

– Ça te donne la courante, hein, grand-père ? dit Gary.

– T'es franchement dégoûtant, Gary, dit Sandra.

– Ouais, c'est vrai, mon gars, dit M. Wilcox. On appelait ça la déripette quand j'étais gosse. C'est parce que...

– On sait pourquoi, papa, ou on le devine", l'interrompit Vic en jetant un regard à Robyn pour s'excuser, mais elle paraissait plutôt amusée que choquée par cette conversation. Tout doucement, il commença à se détendre.

Grâce à Robyn, la conversation à table ne fut pas aussi explosive qu'il l'avait craint. Au lieu de parler beaucoup et d'intimider toute la famille, elle les fit tous parler d'eux-mêmes en leur posant des questions. Raymond lui parla de son groupe, Sandra de son envie d'être coiffeuse, Gary de ses jeux vidéo et le grand-père de son mariage avec la mère de Vic et des trente shillings qu'ils avaient par semaine, et ils ne s'estimaient pas pauvres pour autant. Chaque fois que le vieil homme semblait sur le point de parler des "immigrés", Vic s'arrangeait pour détourner la conversation et piquait son attention par une remarque sur le coût de la vie. Malgré tout l'entregent dont elle faisait preuve, Robyn ne parvint pas à dérider Marjorie qui se contenta de répondre à ses questions par des murmures monosyllabiques ou de vagues sourires évasifs. C'était du Marjorie tout craché. Elle se tenait toujours à l'écart, ou se réfugiait dans sa cuisine, quand il y avait des invités. Mais elle servit un repas du tonnerre, mis à part les avocats insuffisamment mûrs et plutôt durs.

Le repas se déroula donc sans histoires, mais tout faillit tourner à la catastrophe lorsque Robyn se mit en tête d'aider à la vaisselle, après le repas, et que Marjorie s'y opposa catégoriquement. Pendant quelques instants, il y eut une lutte de pouvoir courtoise entre les deux femmes, mais, à la fin, Vic trouva un compromis en prenant lui-

251

même en main les opérations et en mettant les enfants à contribution. Puis il proposa une petite promenade, avant qu'il fasse noir, mais Marjorie s'excusa sous prétexte qu'il faisait trop froid ; Raymond partit, quant à lui, répéter avec ses copains dans un garage quelque part, Sandra s'installa confortablement et se mit à se limer les ongles tout en regardant *Eastenders,* et Gary allégua, sans sourciller, qu'il se devait avant tout à son travail scolaire. M. Wilcox accepta de sortir, mais lorsque Vic revint dans le salon après avoir terminé la vaisselle, il s'était déjà endormi et ronflait doucement dans un fauteuil. Vic ne voulut pas le réveiller, il ne fit rien non plus pour convaincre les autres membres de la famille de le suivre. Une promenade tout seul avec Robyn, voilà ce qu'il désirait secrètement depuis le début.

"Je ne pensais pas que vos enfants étaient si grands, dit-elle dès qu'ils furent à quelque distance de la maison.

– Il y a vingt-trois ans que nous sommes mariés. Nous avons eu des enfants tout de suite. Marjorie ne demandait pas mieux que d'abandonner son travail.

– Que faisait-elle ?

– Dactylo.

– Ah !

– Marje n'est pas une intellectuelle, dit Vic, comme vous avez pu vous en rendre compte. Elle a quitté l'école à dix-sept ans sans avoir de diplôme.

– Est-ce que ça la gêne ?

– Non. Mais c'est moi que ça gêne, parfois.

– Pourquoi alors ne l'encouragez-vous pas à suivre des cours quelque part ?

– Quoi – au lycée ? Marjorie ? A son âge ? Son rire résonna dans l'air froid, plus métallique qu'il ne l'avait voulu.

– Pas nécessairement au lycée. Il y a tout un tas de cours qu'elle pourrait suivre ailleurs, la formation continue pour adultes, par exemple. Le Centre de Télé-Enseignement propose des cours qu'on peut suivre sans passer les examens.

– Marjorie serait incapable de faire ça, dit Vic.

– Parce que vous l'avez persuadée qu'elle ne pouvait pas le faire, dit Robyn.

– Ridicule ! Marjorie est très heureuse de son sort. Elle a une jolie maison, avec une salle de bains contiguë et quatre W.-C., et tout l'argent qu'elle veut pour aller faire des courses quand elle en a envie.

– C'est affreusement condescendant de parler comme ça de votre femme, je trouve", dit Robyn Penrose.

Ils continuèrent de marcher en silence pendant un moment, tandis que Vic cherchait comment répondre à cette réprimande. Finalement, il préféra ne rien dire.

Il entraîna Robyn au hasard le long des rues résidentielles, toutes aussi paisibles les unes que les autres. La soirée était froide et brumeuse, et un soleil rouge et bas perçait à travers les branches des arbres dénudés. Ils rencontrèrent quelques rares passants, un *jogger* solitaire, un couple qui promenait son chien, un groupe d'étudiants africains tout tristes qui attendaient à un arrêt de bus. A chaque croisement, des bornes de circulation arrachées et couchées par terre, avec tous leurs fils à l'air, indiquaient que des vandales en maraude étaient passés par là pendant la nuit.

"Ce sont mes gosses qui devraient s'inquiéter d'obtenir une qualification, dit Vic. Raymond a abandonné l'université l'an dernier. Il a échoué aux deux sessions d'examens de première année.

– Qu'est-ce qu'il faisait ?

– Il était en génie électrique. Il est plutôt intelligent, mais il ne travaille pas. Et Sandra dit qu'elle ne veut pas aller à l'université. Elle veut être coiffeuse, ou "coiffeuse-visagiste", comme ils disent.

– Evidemment, les cheveux comptent beaucoup dans la culture des jeunes aujourd'hui, dit Robyn d'un air pensif. C'est une forme d'expression. Une nouvelle forme d'art, presque.

– Ce n'est pas un boulot sérieux, pourtant, vous ne trouvez pas ? Ce n'est pas vous qui feriez ça pour gagner votre vie.

– Il y a tout un tas de choses que je ne ferais pas. Je ne

travaillerais pas en usine. Je ne travaillerais pas dans une banque. Je ne serais pas femme au foyer. Quand je pense à la vie qu'ont la plupart des gens, surtout les femmes, je me demande comment ils peuvent supporter ça.

– Il faut bien des gens pour faire tous ces boulots, dit Vic.

– C'est bien ce qu'il y a de désolant.

– Mais Sandra pourrait faire quelque chose de plus intéressant. Vous devriez lui parler, l'inciter à entrer à l'université.

– Pourquoi voulez-vous qu'elle m'écoute ?

– Elle ne m'écoute pas, moi, et Marjorie s'en fiche. Vous êtes plus proche d'elle par l'âge. Elle tiendrait compte de ce que vous dites.

– Sait-elle que je serai probablement au chômage l'an prochain ? demanda Robyn. Ce n'est pas une très bonne publicité pour l'enseignement supérieur, vous ne trouvez pas ? Elle gagnerait sûrement davantage d'argent dans la coiffure.

– L'argent n'est pas… Vic s'interrompit soudain.

– Tout ? dit Robyn en complétant la phrase et en ouvrant de grands yeux. Je n'aurais jamais cru vous entendre dire ça.

– J'étais sur le point de dire que l'argent n'est pas un sujet qu'elle comprend, dit-il, mentant effrontément. C'est pareil avec tous mes gosses. Ils pensent que ça sort de la banque comme l'eau d'un robinet – sauf que le vieux père grippe-sou applique le pouce à la sortie pour que ça coule moins vite.

– Le problème, c'est qu'ils ont eu la vie trop facile. Ils n'ont jamais eu à travailler pour gagner leur vie. Ils prennent tout comme allant de soi.

– Précisément ! acquiesça Vic avec enthousiasme, avant de comprendre en la regardant qu'elle le singeait, mais c'était trop tard. Enfin, c'est tout de même vrai", dit-il d'un ton agressif.

En se promenant, ils atteignirent les cités universitaires qui se dressaient au milieu d'espaces paysagés ; Robyn proposa qu'ils franchissent les grilles et fassent le tour du lac.

"C'est privé, non ? dit Vic.

– Ne vous en faites pas, je connais le mot de passe, dit-elle, en se moquant à nouveau de lui. Non, bien sûr, ce n'est pas privé. Tout le monde a le droit de s'y promener."

Dans le crépuscule d'hiver, les longs bâtiments, éclairés en contre-jour par la lumière rouge du couchant, ressemblaient à de grands navires à l'ancre, avec leurs fenêtres éclairées qui se réfléchissaient dans la surface sombre du lac. Un frisbee allait et venait comme une chauve-souris entre plusieurs jeunes gens en survêtement qui s'appelaient en criant à chaque passe. Sur un petit pont en bois voûté, un couple jetait des morceaux de pain à une flottille de canards et d'oies du Canada qui s'ébattaient et s'éclaboussaient.

"J'aime cet endroit, dit Robyn. C'est une des seules réussites architecturales de l'Université.

– C'est très beau, reconnut Vic. Bien trop beau pour des étudiants, je trouve. Je n'ai jamais compris pourquoi il fallait qu'on construise ces grands hôtels trois étoiles spécialement pour eux.

– Il faut bien qu'ils vivent quelque part.

– Beaucoup pourraient rester chez leurs parents et aller à un institut de technologie près de chez eux. C'est ce que j'ai fait.

– Mais, quitter la maison, ça fait partie de l'expérience quand on va à l'université.

– L'expérience est plutôt coûteuse, je trouve, dit Vic. On pourrait construire tout un institut de technologie pour le prix de ces résidences.

– Oh, mais les instituts de technologie sont des endroits tellement atroces, dit Robyn. J'ai eu un entretien pour un poste dans l'un d'entre eux. Ça ressemblait davantage à un immense lycée qu'à une université.

– Ça ne coûte pas cher, néanmoins.

– Ça ne coûte pas cher, mais c'est affreux.

– Je suis surpris de vous entendre défendre ce système élitiste, vu vos principes gauchistes. D'un geste, il montra les jolis bâtiments, le gazon bien taillé sur les pentes, le lac artificiel. Pourquoi voulez-vous que mes ouvriers paient

255

des impôts pour que ces jeunes gens issus des classes moyennes gardent le style de vie auquel ils sont habitués ?

– Les universités sont ouvertes à tous, dit Robyn.

– En théorie, oui. Mais toutes ces voitures sur les parkings là-bas, à qui elles appartiennent ?

– Aux étudiants, reconnut Robyn. Je suis d'accord, les étudiants qui rentrent chez nous proviennent beaucoup trop souvent des classes moyennes. Mais ce n'est pas une fatalité. L'enseignement est gratuit. Il y a des bourses pour ceux qui en ont besoin. Ce qui reste à faire, c'est d'attirer davantage les enfants des classes laborieuses vers l'université.

– Et jeter dehors les gosses des classes moyennes pour faire de la place ?

– Non, créer davantage de places.

– Et d'autres cités paysagées, avec des lacs artificiels et des canards dessus ?

– Pourquoi pas ? dit Robyn d'un air de défi. Elles embellissent l'environnement. Mieux vaut des cités comme ça plutôt qu'un ensemble de maisons pour cadres supérieurs avec des fenêtres 'géorgiennes', ou ne seraient-elles pas en fait 'jacobéennes' actuellement ? Les universités sont les cathédrales de l'ère moderne. Elles ne devraient pas avoir à justifier leur existence par des critères utilitaires. L'ennui, c'est que le commun des mortels ne comprend pas à quoi ça sert, et les universités ne se donnent pas vraiment la peine de s'expliquer aux yeux de la population. On a une Journée Portes Ouvertes une fois par an, mais c'est toute l'année qu'il faudrait garder les portes ouvertes. Le campus ressemble à un cimetière pendant les week-ends et les vacances. Il devrait grouiller de gens, des gens de la région qui viendraient suivre des cours à mi-temps et pourraient se servir de la Bibliothèque, des laboratoires, assister à des conférences, aller à des concerts, utiliser le Centre Sportif – enfin tout et tout. Elle tendit les bras et les ouvrit tout grands ; son visage était tout rouge et elle tremblait d'excitation devant cette vision. Nous devrions nous débarrasser de nos vigiles et des barrières à l'entrée, et laisser venir les gens.

– C'est une bonne idée, dit Vic. Mais, en un rien de temps, vous auriez des graffitis partout sur les murs, des toilettes saccagées, et on vous faucherait vos becs Bunsen."

Robyn laissa retomber ses bras de découragement. "Qui est-ce qui est élitiste maintenant ?

– Je suis seulement réaliste. Mieux vaut offrir à tout le monde des instituts de technologie, tout simples et sans chichi, que des universités calquées sur Oxford.

– Voilà une attitude affreusement condescendante.

– On vit à l'ère des loubards. Tout ce que les loubards ne comprennent pas, tout ce qui n'est pas protégé, ils le bousillent, le rendent inutilisable pour les autres. Avez-vous remarqué les bornes kilométriques en venant ici ?

– C'est le chômage qui est responsable, dit Robyn. Thatcher a créé une sous-classe aliénée qui se libère de sa hargne en commettant des crimes et des actes de vandalisme. Comment leur en vouloir ?

– Vous leur en voudriez sûrement si vous vous faisiez tabasser en rentrant chez vous ce soir, dit Vic.

– Voilà un argument purement émotionnel, dit Robyn. J'imagine que vous soutenez Thatcher, évidemment ?

– Je la respecte, dit Vic. Je respecte tous ceux qui ont du cran.

– Même si elle a détruit l'industrie dans les environs ?

– Elle s'est débarrassée de la main-d'œuvre inutile et des réglementations abusives. Elle est allée trop loin, mais il fallait le faire. De toute façon, comme mon père vous le dira, il y avait davantage de chômage ici dans les années trente, et infiniment plus de pauvreté, mais il n'y avait pas en revanche de jeunes gens qui tabassaient des retraités et les violaient, comme maintenant. Personne ne brisait les panneaux de signalisation ou les cabines téléphoniques pour s'amuser. Il s'est passé quelque chose dans ce pays. Je ne sais pas pourquoi ni vraiment quand ça s'est passé, mais dans cette histoire tout un tas de valeurs fondamentales ont disparu, comme le respect de la propriété, le respect des personnes âgées, le respect des femmes…

– Il y avait beaucoup d'hypocrisie dans ce code traditionnel, dit Robyn.

– Peut-être. Mais l'hypocrisie n'est pas inutile.

– C'est l'hommage que rend le vice à la vertu.

– Quoi ?

– Quelqu'un a dit que l'hypocrisie est l'hommage que rend le vice à la vertu. La Rochefoucauld, je pense.

– Il avait les idées tordues, ce type-là, dit Vic.

– Vous attribuez ça au déclin de la religion, alors ? dit Robyn, avec un sourire quelque peu condescendant.

– Peut-être, dit Vic. Vos universités ont beau être les cathédrales de l'ère moderne, est-ce que vous y enseignez la morale ?"

Robyn Penrose réfléchit un moment. "Pas vraiment."

Comme par hasard, la cloche d'une église se mit alors à sonner d'un air plaintif au loin.

"Est-ce que vous allez à l'église vous-même ? demanda-t-elle.

– Moi ? Non. Sauf pour les cérémonies – les mariages, les enterrements, les baptêmes. Et vous ?

– Pas depuis que j'ai quitté l'école. J'étais plutôt pieuse à l'école. J'ai été confirmée. C'était juste avant que je découvre le sexe. Je pense que la religion a eu la même fonction, psychologiquement – c'était quelque chose de très personnel, d'intime et d'assez intense. Vous croyez en Dieu ?

– Quoi ? Oh, je ne sais pas. J'imagine que oui, d'une manière assez vague. Quelque peu troublé par la référence anodine que Robyn venait de faire à sa découverte du sexe, Vic ne parvenait pas à fixer son attention sur les problèmes théologiques. Elle devait avoir eu tout un tas d'amants, se dit-il. Et vous, vous y croyez ?

– Pas au Dieu patriarcal de la Bible. Il y a des théologiennes féministes assez intéressantes en Amérique qui redéfinissent Dieu en tant que femme, mais elles ne parviennent pas vraiment à se débarrasser du fatras métaphysique du christianisme. Fondamentalement, je pense que Dieu est le flottement ultime du signifiant.

– Je suis d'accord avec vous, dit Vic, bien que je ne sache pas ce que tout cela veut dire."

Robyn éclata de rire. "Excusez-moi !"

Pourtant, Vic ne s'offusqua pas de ce langage grandilo-quent. Il considéra cela plutôt comme un compliment, car elle l'utilisait spontanément en conversant avec lui, alors qu'elle avait parlé de façon très ordinaire avec le reste de la famille.

Quand ils revinrent à la maison, Robyn refusa d'enle-ver son manteau et de prendre une tasse de thé. "Il faut que je rentre, dit-elle. J'ai beaucoup de travail à faire.

– Comment, un dimanche, ma belle ? protesta Mr. Wilcox.

– Malheureusement, oui. Il y a les corrections, vous comprenez. J'ai toujours du retard à rattraper. Merci pour ce charmant repas, dit-elle à Marjorie qui lui répondit par un sourire insipide. Sandra, ton père aimerait que je te parle des avantages que représentent les études universi-taires.

– Ah oui ? dit Sandra en faisant la grimace.

– Tu aimerais peut-être venir me voir à l'université un jour ?

– D'accord, dit Sandra en haussant les épaules. Pourquoi pas ?"

Vic n'avait qu'une envie, c'était de gifler sa fille, de lui tirer les cheveux ou de la fesser, et si possible de faire les trois choses à la fois. "Dis au moins merci, Sandra, dit-il.

– Merci", dit-elle d'un air renfrogné.

Vic accompagna Robyn à sa voiture. "Excusez les mauvaises manières de ma fille, dit-il. C'est ça le style loubard."

Robyn écarta le sujet en riant.

"Je vous verrai donc mercredi, dit Vic.

– Si tout va bien", dit-elle en montant dans sa voiture.

Vic revint dans le salon. Son père était seul dans la pièce, sirotant avidement son thé chaud dans sa soucoupe. "Voilà un joli brin de fille, fit-il observer. Comment ça se fait qu'elle s'appelle Robin ? Je croyais que c'était un nom de garçon ?

– Ça peut aussi être un nom de fille. On l'épelle alors avec un 'y'.

– Ah, je vois. Elle se coiffe comme un garçon aussi. Ce n'est pas une de ces... enfin, tu sais quoi ?

– Je ne crois pas, papa. Elle a un petit ami, mais il ne pouvait pas venir aujourd'hui.

– Je me posais la question, vu qu'c'est un pont de l'université.

– Un ponte, papa.

– Si tu veux. Il y a toutes sortes de gens dans ces endroits-là.

– Qu'est-ce que tu connais des universités, papa ? dit Vic, l'air amusé.

– J'ai vu des films à la télé. Tout un tas de gens bizarres qui baisouillent dans tous les coins.

– Tu ne vas tout de même pas croire tout ce que tu vois à la télé, papa.

– Ouais, t'as peut-être raison, fiston", dit Mr. Wilcox.

En rentrant chez elle, Robyn téléphona à Charles. "Comment tu vas ?" demanda-t-elle. Il répondit qu'il allait bien. "Et ton rhume ?" dit-elle. Il répondit qu'il ne s'était pas concrétisé. "Méchant, dit Robyn. Tu as tout inventé pour ne pas avoir à déjeuner chez les Wilcox." Charles demanda comment ça s'était passé, mais ne contesta pas l'accusation.

"Très bien. Tu te serais mortellement ennuyé.

– Mais, toi, tu ne t'es pas ennuyée ?

– C'était très intéressant pour moi de voir Wilcox dans son cadre domestique.

– Comment est la maison ?

– Luxueuse. D'un mauvais goût atroce. Ils ont même une reproduction de cette fille noire au teint vert, dans leur salon. Et la cheminée est incroyable. C'est une de ces cheminées en pierres rustiques de toutes les couleurs, qui monte jusqu'au plafond, avec un tas de coins et de recoins pour des bibelots. Quand tu vois ça, tu as envie de te passer une corde autour de la ceinture et de te mettre à escalader. Evidemment, ils ont aussi un foyer à gaz en trompe-l'œil, avec des bûches qui brûlent sans se consumer, et en plus, tu ne vas pas me croire, une garniture de foyer en cuivre à l'ancienne. Ça ressemble à du Magritte. Elle eut un peu honte de s'entendre papoter ainsi dans le plus pur style de Cambridge, mais quelque chose la retint de dire à Charles qu'elle avait eu avec Vic Wilcox une conversation plutôt intéressante pendant la promenade. Il était plus facile de le divertir en lui présentant des vignettes amusantes de la vie bourgeoise à Rummidge. Ah, j'oubliais, ils ont quatre chiottes, ajouta-t-elle.

– Tu as eu besoin d'y aller si souvent ? plaisanta Charles à l'autre bout du fil.

– C'est le vieux grand-père qui me l'a dit à l'oreille en aparté. Il a tenu des propos un peu racistes, mais, en dehors de ça, il est plutôt gentil.

– Et le reste de la famille ?

– Je n'ai pas pu tirer grand-chose de Madame. Elle semblait être terrorisée par moi.

– Il faut dire que tu es plutôt intimidante, Robyn.

– Ridicule.

– Je voulais dire pour les femmes qui ne sont pas des intellectuelles. Tu as beaucoup parlé de critique littéraire ?

– Bien sûr que non, tu me prends pour qui ? J'ai parlé avec tous de leurs centres d'intérêts particuliers, mais je n'ai pas réussi à savoir quels étaient les siens à elle. Peut-être qu'elle n'en a pas. J'ai eu l'impression que c'était la mère de famille typique, écrasée par son mari, et qui n'aura plus de raison d'être le jour où ses enfants seront grands. En fait, c'était freudien, presque une séance de thérapie de groupe. Le fils aîné n'a apparemment pas encore dépassé le stade œdipien, malgré ses vingt-deux ans ; et quant à Wilcox, c'est un refoulé qui ronchonne tout le temps après sa fille pour dissimuler ses sentiments incestueux.

– Tu lui as dit ça ?

– Tu plaisantes ?

– Je te taquinais, dit Charles.

– Je lui ai quand même dit que je trouvais qu'il écrasait sa femme.

– Et comment il a pris ça ?

– Je pensais qu'il allait se mettre en colère, mais même pas.

– Ah, Robyn, s'exclama Charles, et il y eut un gros soupir à l'autre bout du fil à Ipswich. Je voudrais bien avoir ton assurance.

– Qu'est-ce que tu veux dire ?

– Tu es un prof né. Tu passes ta vie à remettre les gens à leur place, et ils t'en sont reconnaissants alors qu'ils devraient t'en vouloir.

– Je ne suis pas sûre que Vic Wilcox était si content que ça, dit Robyn. Elle éternua soudain violemment. Zut ! Tu n'as peut-être pas de rhume, mais moi je crois que j'en ai un."

Quand Vic ne vit pas arriver Robyn Penrose à l'heure dite le mercredi suivant, il fut surpris de constater à quel point cette absence le perturbait. Il ne put se concentrer alors qu'il présidait une réunion de ses cadres du service des ventes, et le chef comptable lui fit remarquer plusieurs fois qu'il se trompait sur les chiffres, ce qui amusa beaucoup Brian Everthorpe. A dix heures et demie, après la fin de la réunion, il téléphona au Département de Robyn à l'Université et on l'informa qu'elle ne venait pas normalement le mercredi. Il l'appela alors chez elle. Il laissa le téléphone sonner une quinzaine de fois, et il allait raccrocher quand il entendit la voix de Robyn croasser : "Allô ?"

Elle avait un rhume, probablement la grippe. Elle avait l'air absolument furieuse. "Je dormais, dit-elle.

– Alors, je m'excuse de vous avoir dérangée. Mais vous n'aviez pas laissé de message, alors...

– Je n'ai pas le téléphone à la tête de mon lit, dit-elle. Je suis descendue pour répondre. C'est une habitude chez vous, apparemment, de déranger les gens aux pires moments.

– Excusez-moi, dit Vic, profondément mortifié. Retournez vite vous coucher. Prenez de l'aspirine. Vous n'avez besoin de rien ?

– De rien, seulement de paix et de tranquillité." Et elle raccrocha.

Un peu plus tard dans la journée, Vic demanda par téléphone au plus grand supermarché de Rummidge de faire livrer une corbeille de fruits, mais il rappela presque aussitôt pour annuler la commande en pensant que, pour recevoir ce cadeau, Robyn serait obligée de se lever et de redescendre.

Le mercredi suivant, elle revint, un peu pâle et même peut-être un peu fluette, bien que totalement remise de sa grippe. Vic ne put réprimer un petit sourire de plaisir en la voyant franchir sa porte. Bizarrement, Robyn Penrose avait changé en l'espace de quelques semaines : ce n'était plus l'enquiquinèuse, l'emmerdeuse du début, mais la personne qu'il avait le plus de plaisir à revoir dans tout son entourage. Il comptait les jours entre ses visites chez Pringle. Ses semaines s'articulaient autour du mercredi plutôt que du week-end. Lorsque Robyn était avec lui, il avait le sentiment d'être particulièrement efficace. Lorsqu'elle était absente, il se comportait comme si elle était là et qu'elle applaudissait en silence. C'était quelqu'un à qui il pouvait confier ses projets et ses espoirs pour la compagnie, avec qui il pouvait discuter de ses problèmes et envisager les meilleures solutions possibles. Il ne pouvait confier de telles spéculations à aucun autre membre de son personnel, et Marjorie aurait été bien incapable de comprendre un traître mot de tout ça. Robyn ne percevait certes pas tous les détails, mais son esprit vif saisissait vite les principes généraux et son désintéressement faisait d'elle un juge utile. C'était Robyn qui lui avait fait comprendre ce qu'il y avait de futile dans la politique de représailles contre Foundrax. Il avait appris par le téléphone arabe que Foundrax avait des problèmes de trésorerie – pas surprenant alors s'ils fournissaient Rawlinson à perte. Il lui suffisait d'attendre que Foundrax se retire ou plie bagage, ensuite il reprendrait les négociations avec Ted Stoker et finirait par obtenir un prix plus raisonnable. Brian Everthorpe n'approuvait pas cette politique attentiste, mais le contraire eût été surprenant, non ?

Vic faisait tout pour oublier que Brian Everthorpe faisait l'amour avec Shirley sur le divan du hall d'accueil. La présence de Robyn Penrose facilitait ici encore grandement les choses. Son teint de jeunette et sa silhouette souple faisaient ressortir par contraste les rondeurs de Shirley et ses couleurs de vieille coquette. Shirley était jalouse de Robyn, ça crevait les yeux, et Brian Everthorpe était vexé de ne pas savoir si Vic profitait ou non de la situation. Il n'arrêtait pas de lancer des piques sur les relations intimes entre le patron et sa stagiaire. Lorsque Robyn laissa entendre un jour que son poste temporaire à l'université s'appelait "La Décharge du Doyen", il ne put réprimer son hilarité. "Et qu'en est-il de la décharge du Directeur Général, hein, Vic ? dit-il. Plus besoin d'aller faire un petit tour au Sauna de Suzanne, pour une de ces petites séances de massage tonifiant réservées aux cadres, hein ? Tu es en de bonnes mains." Si Robyn avait paru un tant soit peu gênée par ces paroles, Vic aurait pris à part Everthorpe et lui aurait dit d'arrêter son cirque ; mais elle ne réagit que par un silence de marbre ; Vic n'était d'ailleurs pas fâché de laisser Everthorpe dans le doute à se demander si lui et Robyn avaient une liaison, même si l'idée était ridicule. Ridicule, et pourtant il éprouvait un certain plaisir à laisser cette idée flotter librement dans le courant de ses pensées, en allant à son travail et en en revenant. Il mettait souvent Jennifer Rush sur la stéréo de sa voiture ces temps-ci : cette voix – profonde, vibrante, sévère, qui se détachait sur un fond d'accompagnement bien rythmé – l'émouvait étrangement, enveloppant ses rêves éveillés dans un cocon de musique. Elle disait :

Inutile de partir, de me quitter,
Si tu penses que notre amour est sérieux ;
Car si c'est chaud et si ça vient du cœur,
La vie peut commencer.

Elle chantait :

Laisse-toi aller ! Saisis ta chance !
N'attends pas l'jour d'lire dans ses yeux
"C'est pour toujours".

Il repassa si souvent la cassette qu'il finit par apprendre

les paroles par cœur. La chanson qu'il aimait le plus, c'était la dernière de la face 2, *"Le pouvoir de l'amour"* :

Puisque je suis ta belle
O toi, l'homme de ma vie,
Je viens à ton appel
Je t'offre un paradis.
Tu me prends par la main
Dans un monde inconnu,
J'ai peur du lendemain,
Mais j'veux connaître un jour
Le pouvoir de l'amour.

Un jour, après avoir assisté à toute une série de réunions entre lui et des jeunes cadres de gestion visant à rationaliser les activités de la compagnie, Robyn lui demanda s'il avait l'intention d'expliquer cette superbe stratégie aux ouvriers aussi. Cela ne lui était pas venu à l'idée, mais plus il y pensait et plus ça lui paraissait une bonne suggestion. Les ouvriers avaient tendance à tout voir en fonction de leurs propres petites activités dans l'usine, et ils s'imaginaient automatiquement que toute proposition de changement dans l'organisation du travail n'était qu'une tactique de la direction pour les faire travailler plus sans avoir à les payer davantage. Bien sûr, c'était vrai, en gros. Etant donné les relations de travail pourries qui prévalaient dans l'industrie depuis les années soixante, il ne pouvait en être autrement. Mais s'il parvenait à leur expliquer que ces changements étaient liés à un plan d'ensemble, et que ça accroîtrait la sécurité et la prospérité de chacun à long terme, il aurait plus de chance d'obtenir leur coopération.

Vic alla voir le Directeur du Personnel pour en discuter avec lui. George Prendergast était assis en tailleur sur le plancher au milieu de son bureau, les mains posées sur les genoux.

"Qu'est-ce que tu fais ? demanda Vic.

— Des exercices de respiration, dit Prendergast en se

265

relevant. Des exercices de yoga pour faciliter mon problème de transit intestinal.

– Tu n'as pas l'air malin comme ça, si je puis me permettre de te le dire.

– Ça fait du bien, pourtant, dit Prendergast. C'est ta stagiaire qui me l'a suggéré.

– Elle t'a montré elle-même comment faire ? Vic ressentit bêtement comme un pincement de jalousie.

– Non, je suis des cours du soir, dit Prendergast.

– Ah bon, mais je m'en tiendrais aux cours du soir, si j'étais toi, dit Vic. On n'a pas envie de te voir en lévitation en plein milieu de l'usine, ça pourrait affoler les ouvriers. Puisqu'on parle d'eux, j'ai une suggestion à faire."

Prendergast approuva l'idée avec enthousiasme. "La formation des ouvriers, c'est capital de nos jours, dit-il. Le dialogue entre la direction et la base, c'est cela qui compte maintenant." Prendergast était passé par une école de commerce et il affectionnait ce genre de jargon.

"Il n'y aura pas beaucoup de dialogue dans ce cas, dit Vic. Je vais faire un speech et leur expliquer ce qu'on va faire.

– Tu ne crois pas qu'ils vont poser des questions ?

– S'ils en posent, tu y répondras.

– Je peux aussi, si tu veux, organiser ensuite des discussions en petits groupes sur leur lieu de travail, dit Prendergast.

– Inutile d'en faire trop, on n'est pas un institut spécialisé dans les cours du soir. Il suffit que tu organises une série de réunions à l'heure du déjeuner dans le vieux hangar des messageries, d'accord ? Trois cents hommes à la fois, disons ? A partir de mercredi prochain." Il spécifia bien le mercredi pour que Robyn Penrose soit présente à la réunion inaugurale.

Brian Everthorpe était très sceptique, évidemment ; il prétendit que ça ne ferait que semer le trouble dans l'esprit des hommes et les rendre méfiants. "Ils ne seront pas très heureux, non plus, que tu leur prennes la moitié de leur heure à midi.

– La présence ne sera pas obligatoire, dit Vic, sauf pour les directeurs."

Le visage d'Everthorpe se rembrunit. "Tu veux dire qu'on va devoir assister à toutes les réunions ?

– A quoi ça sert que je me défonce à expliquer aux hommes qu'ils doivent travailler plus étroitement ensemble s'ils savent que mes directeurs sont au Cosmonaute en train de s'enfiler des pintes de bière pendant que je cause ?"

Le mercredi suivant, à une heure, Vic prit place sur une estrade de fortune dans le hangar des messageries, une sorte de bâtiment sinistre, totalement désaffecté depuis que la compagnie avait décidé de sous-traiter le transport de ses marchandises ; il servait maintenant aux grandes assemblées à l'usine quand la cantine n'était pas libre. Vic était flanqué de ses directeurs, tous assis sur des chaises en plastique. Quelques rangées de bancs et de chaises avaient été disposées sur le sol cimenté, face à l'estrade, et il eut la surprise de voir Shirley et Robyn assises là. Le reste du public se tenait debout en une masse compacte derrière ces sièges et disparaissait sous la fumée des cigarettes et la vapeur que dégageaient les hommes. Bien que Vic eût demandé ce matin qu'on allumât les radiateurs muraux, l'atmosphère était encore humide et glacée. Les directeurs avaient gardé leur manteau, mais Vic était simplement en costume, estimant que c'était là en quelque sorte l'uniforme de sa fonction. Il se frottait les mains pour se réchauffer.

"Bon, je vais commencer, marmonna-t-il en se tournant vers Prendergast qui était assis à côté de lui.

– Tu veux que je te présente ?

– Non, ils savent tous qui je suis. Ne perdons pas de temps. On crève ici."

Il fut saisi par un accès de nervosité inhabituel lorsqu'il se leva et s'avança vers le micro que l'on avait installé, avec quelques haut-parleurs, à l'avant de l'estrade. Le silence se fit dans l'assemblée. Il scruta les visages – tous attentifs, moroses et narquois – et regretta de ne pas avoir pensé à une petite plaisanterie pour détendre l'atmosphère.

Mais il n'avait jamais été bon pour les plaisanteries – quand on lui racontait des histoires drôles, il les oubliait cinq minutes après, peut-être parce qu'il les trouvait rarement drôles.

"Les discours commencent d'habitude par une histoire drôle, dit-il. Mais je n'en ai pas. Pour ne rien vous cacher, ce n'est pas drôle d'avoir à diriger une entreprise comme celle-ci. On entendit alors des rires discrets dans l'assistance, et il eut l'impression d'être parvenu malgré tout à briser la glace. Vous me connaissez tous. Je suis le patron. Vous vous imaginez sans doute que je suis comme Dieu ici, et que je peux faire ce que je veux. Ce n'est pas le cas. Je ne peux rien faire tout seul."

Il prenait de l'assurance en parlant. Les hommes l'écoutaient attentivement. Il n'y avait que quelques visages dans l'assistance qui semblaient totalement vides et perplexes. Juste au moment où il commençait à s'échauffer, tous les visages s'illuminèrent d'un large sourire. Il y eut des applaudissements, des cris, des sifflements stridents et une tempête de rires. Vic, qui n'avait pas le sentiment d'avoir dit quoi que ce soit de drôle, bafouilla un peu et se tut. Il tourna la tête et vit une jeune femme qui, visiblement dérangée, s'avançait vers lui en combinaison. Elle tremblait de froid ; ses bras et ses épaules avaient la chair de poule, mais elle lui souriait timidement.

"Monsieur Wilcox ? dit-elle.

– Allez-vous-en, dit-il. Ceci est une réunion.

– J'ai un message pour vous", dit-elle en pliant sa jambe enveloppée dans un bas résille afin de retirer de sa jarretière un bout de papier plié.

La foule applaudit. "Fais voir tes nichons !" cria quelqu'un. Un autre hurla : "Enlève ta culotte !"

La jeune fille sourit et salua l'assistance d'un petit geste nerveux. Derrière elle, le visage hilare de Brian Everthorpe s'agitait comme un ballon rouge.

"Enlève-la ! Enlève-la ! criait la foule.

– Fichez-le camp d'ici ! dit Vic d'un air menaçant.

– Y en a que pour quelques secondes, dit la jeune fille, dépliant le bout de papier. Soyez beau joueur."

Vic l'attrapa par le bras pour la chasser de l'estrade,

mais il y eut une telle huée qu'il la lâcha comme s'il venait de se brûler. Inclinant la tête en direction du micro, la jeune fille se mit à chanter :

"Pringle ding, Pringle dong, Pringle ding ding dong,
Vic Wilcox nous commande, la journée n'est pas longue !
Oh, Pringle ding…"

"Marion ! s'écria Robyn Penrose qui venait brusquement de surgir au pied de l'estrade. Arrête ça tout de suite."

La jeune fille la regarda du haut de l'estrade et son visage se figea. "Dr Penrose !" s'exclama-t-elle. Elle glissa le message dans les mains de Vic, vira sur ses talons et s'enfuit.

"Hé, on aimerait bien entendre la fin !" lui cria Brian Everthorpe. L'assistance siffla et hurla tandis que la jeune fille disparaissait par une petite porte au fond du hangar. Robyn Penrose dit à Vic : "Vous feriez mieux de continuer !" et elle courut après la jeune fille avant que Vic eût pu lui demander d'où venait ce pouvoir magique qu'elle semblait exercer sur la jeune fille.

Il tapota sur le micro pour attirer l'attention. "Comme je disais..." Les hommes partirent d'un rire bon enfant et se calmèrent aussitôt pour l'écouter.

Quand l'assemblée se fut dispersée, Vic revint à son bureau où il trouva Robyn en train de lire un livre.

"Merci de m'avoir débarrassé de cette fille, dit-il. Vous la connaissez donc ?

– C'est une de mes étudiantes, dit Robyn. Elle n'a pas de bourse et ses parents refusent de lui donner de l'argent, alors elle est obligée de travailler.

– Vous appelez ça du travail ?

– Je réprouve, bien sûr, l'aspect sexiste de la chose. Mais c'est très bien payé, et ça ne prend pas trop de son temps. Ça s'appelle un bisougramme, paraît-il. Aujourd'hui, elle n'a pas eu le temps d'arriver jusqu'au bisou, bien sûr.

– Dieu merci, dit Vic, en se laissant tomber dans son fauteuil tournant et en sortant ses cigarettes. Ou plutôt, c'est vous que je remercie.

– Ç'aurait pu être pire. Il existe aussi un truc qui s'appelle le gorillegramme.

– Ça suffisait comme ça. Une minute de plus et la réunion aurait été un fiasco.

– Je m'en suis bien rendu compte, dit Robyn. C'est pour ça que je suis intervenue.

– Vous m'avez tiré du pétrin, dit Vic. Puis-je vous offrir un sandwich et quelque chose à boire ? On n'a pas le temps de prendre un vrai repas, malheureusement.

– Un sandwich, c'est très bien, merci. Marion avait peur de ne pas être payée parce qu'elle n'a pas terminé son travail. J'ai dit que vous payeriez la différence si nécessaire.

– Ah oui, vous avez dit ça ?

– Oui. Robyn Penrose soutint son regard de ses petits yeux gris-vert impassibles.

– D'accord, dit-il. Je doublerai sa paie si elle réussit à savoir qui m'a fait le coup.

– Je lui ai demandé, dit Robyn. Elle m'a répondu que le nom du client doit demeurer confidentiel. Il n'y a que le directeur de l'agence qui le connaît. Vous avez une idée ?

– J'ai des soupçons, dit-il.

– Brian Everthorpe ?

– Précisément. C'est lui tout craché."

Vic préféra ne pas emmener Robyn au Cosmonaute ou à la Couronne où ils risquaient de rencontrer ses collègues. Il l'emmena en voiture un peu plus loin au Sac à Puces, un vieux pub rustique construit sur un terrain criblé de puits de mines et sujet aux affaissements, si bien que tous les angles du bâtiment étaient de guingois. Les portes et les fenêtres avaient été refaites en forme de losanges pour aller avec les encadrements, et le plancher était si incliné qu'il fallait retenir son verre pour l'empêcher de glisser de la table.

"Très drôle comme endroit, dit Robyn en regardant autour d'elle tandis qu'ils prenaient place près du foyer.

J'ai déjà l'impression d'être ivre.

– Que prenez-vous ? demanda-t-il.

– Une bière, je crois, ça s'impose ici. Une pinte de blonde spéciale.

– Vous mangez quoi ?"

Elle jeta un coup d'œil au menu affiché au bar. "Le sandwich campagnard avec du Stilton."

Il approuva en hochant la tête. "Ils font un bon sandwich campagnard, ici."

Lorsqu'il revint du bar avec les boissons, il dit : "Je n'avais encore jamais offert une bière pression à une femme.

– Alors, votre expérience de la vie doit être très limitée, dit-elle en souriant.

– Vous avez parfaitement raison, répliqua-t-il sans lui rendre son sourire. Santé ! Il but une longue gorgée de bière. Au lieu de compter les moutons, quand je suis éveillé, tôt le matin, je dresse parfois l'inventaire des choses que je n'ai pas faites.

– Quoi, par exemple ?

– Je n'ai jamais fait de ski, ni de surf, je n'ai jamais appris à jouer d'un instrument de musique ou à parler une langue étrangère, ou à faire de la voile ou de l'équitation. Je n'ai jamais escaladé de montagne ni planté de tente ou pêché un poisson. Je n'ai jamais vu les Chutes du Niagara, je ne suis jamais monté en haut de la Tour Eiffel et je n'ai jamais visité les Pyramides. Je n'ai jamais... Je pourrais continuer comme ça à l'infini." Il était sur le point de dire : *Je n'ai jamais couché avec une autre femme que la mienne,* mais il se ravisa.

"Vous avez encore tout le temps devant vous.

– Non, c'est trop tard. Je ne suis bon qu'à travailler. C'est la seule chose que je sache bien faire.

– C'est déjà quelque chose d'avoir un travail qu'on aime et qu'on fait bien.

– Oui, c'est déjà quelque chose", reconnut-il, tout en se disant que, dans son lit le matin, ça ne lui semblait pas suffisant. Mais il garda aussi cette réflexion pour lui.

Le silence s'installa entre eux, mais Robyn éprouva

271

bientôt le besoin de le rompre : "Eh bien", dit-elle en regardant le pub autour d'elle, "les mercredis ne seront plus pareils une fois ce trimestre terminé".

Des sonneries d'alarme se déclenchèrent alors dans la tête de Vic. "Et c'est quand ça ?

– La semaine prochaine.

– *Quoi !* Mais Pâques n'est que dans quelques semaines !

– C'est un trimestre de dix semaines, dit Robyn. On en est à la neuvième. Je dois dire que ça a vite passé.

– Je ne sais pas comment vous pouvez justifier toutes vos vacances", grommela-t-il pour dissimuler sa consternation. Il savait depuis le début que le Système de Stage était à durée limitée, mais il avait préféré ne pas calculer quand il se terminerait exactement.

– Les vacances ne sont pas des vacances, protesta-t-elle vivement. Il faut que vous le sachiez. Nous faisons de la recherche, nous dirigeons la recherche de nos étudiants, tout cela en plus de nos enseignements de premier et de second cycles."

On leur apporta alors leurs sandwichs, ce qui lui évita d'avoir à répondre. Robyn mordit à belles dents dans son sandwich campagnard. Vic sortit son calepin. "Comme ça, il ne vous reste plus qu'une semaine ? dit-il. Je vois ici que je dois aller à Francfort mercredi prochain. J'avais oublié.

– Ah bon ! dit-elle. Dans ce cas cette semaine est ma dernière. Permettez-moi alors de vous offrir quelque chose à boire.

– Non, ce n'est pas la dernière, dit-il. Il faut que vous veniez à Francfort avec moi.

– Je ne peux pas, dit-elle.

– Ce n'est que pour deux jours. Une nuit.

– Non, c'est impossible. J'ai tout un tas de cours le jeudi.

– Annulez-les. Trouvez quelqu'un pour vous remplacer.

– C'est plus facile à dire qu'à faire, dit-elle. Je ne suis pas professeur de rang magistral, vous savez. Je suis la petite dernière du Département.

– C'est dans le contrat du Système de Stage, dit-il. Vous êtes censée me suivre partout, une journée par semaine. Si je me trouve à Francfort ce jour-là, alors vous devez y être vous aussi.

– Qu'est-ce que vous allez y faire ?

– Il y a une grande exposition de machines-outils. Je dois voir des gens qui fabriquent des souffleries de noyaux automatiques – j'y vais pour en acheter une neuve, au lieu de m'embêter à en trouver une d'occasion. Ce serait très intéressant pour vous. Cette fois, pas d'usines crasseuses. On descendrait dans un hôtel chic. On se ferait inviter pour les repas". Pour lui, c'était devenu soudain une affaire pressante et de la plus haute importance que Robyn Penrose l'accompagne à Francfort. "Il y a des restaurants sur les bateaux mouches, dit-il pour la décider. Sur le Rhin.

– Le Main, non ?

– Si vous voulez. Je n'ai jamais été très bon en géographie.

– Et qui paierait mon voyage ?

– Ne vous inquiétez pas de ça. Si l'université ne paie pas, on paiera.

– Bon, alors, dit Robyn, je vais y réfléchir.

– Eh bien, je vais demander à Shirley de faire les réservations pour vous cet après-midi.

– Non, ne le faites pas. Attendez un peu.

– On peut toujours annuler, dit-il.

– Non, vraiment, je ne crois pas pouvoir y aller", dit Robyn.

En rentrant chez elle plus tard ce soir-là, Robyn remarqua qu'il y avait encore un peu de lumière dans le ciel. Les réverbères étaient justement en train de s'allumer : à l'extrémité des tiges métalliques fluettes pointait une lueur rosée qui allait bientôt s'épanouir en un jaune sodium. Pendant quelques instants, ces lumières magiques donnèrent une beauté éphémère à la chaussée, au béton et à la brique de Wallsbury Ouest, malgré la crasse. Habituellement, il faisait complètement noir lorsqu'elle rentrait de chez Pringle. Mais on en était maintenant à la

273

mi-mars. Le printemps approchait, même si on ne le sentait pas dans l'air. Les vacances de Pâques aussi, Dieu merci. Encore une semaine de travail non-stop : préparations, cours, séminaires, corrections. Le travail avait beau être intéressant, on ne pouvait tenir à ce rythme que pendant quelque temps, passant d'un chef-d'œuvre littéraire à un autre, d'un groupe d'étudiants anxieux, avides et nécessiteux à un autre. D'ailleurs, elle avait hâte de se remettre à son livre, *Anges domestiques et femmes infortunées,* qu'elle avait à peine eu le temps de regarder ce trimestre-ci, en partie à cause du Système de Stage. Certes, elle ne regrettait pas d'avoir été impliquée dans ce programme, surtout maintenant qu'elle en voyait la fin. Ç'avait été une expérience intéressante, et elle avait la satisfaction de se dire qu'elle avait fait du bon travail de Relations Publiques. Vic Wilcox s'était montré certes hostile et tyrannique au début, mais il était devenu en l'espace de quelques semaines plutôt chaleureux et ouvert, visiblement heureux de la voir arriver à l'usine tous les mercredis matin, et manifestement désolé d'apprendre maintenant que le stage allait bientôt prendre fin. Une fois encore, elle s'était montrée à la hauteur de la situation. Si Vic Wilcox voulait bien lui aussi prendre la peine de rédiger un rapport, elle était garantie d'y paraître sous un beau jour.

Robyn sourit, assez satisfaite, en se rappelant comment elle s'était débarrassée de Marion Russell à midi, combien Vic lui avait été reconnaissant et comme il avait insisté pour qu'elle l'accompagne à Francfort. Ça pourrait être assez amusant, se dit-elle. Francfort n'était pas un nom à vous donner des frissons, mais elle n'y était jamais allée – en fait, elle n'avait pas quitté l'Angleterre ces deux dernières années, tant elle avait été préoccupée de trouver un travail, et ensuite de s'y accrocher. Elle éprouva soudain un terrible besoin de voyager, de voir le va-et-vient dans les aéroports, d'entendre des langues étrangères et d'observer des comportement nouveaux, de retrouver les tramways ferraillants et les terrasses de cafés. Le printemps était peut-être déjà arrivé à Francfort. Mais non, ce n'était pas possible. Le jeudi était un jour très chargé pour elle, surtout avec ses deux séminaires sur la littérature féminine, les deux cours les plus importants de sa semaine. Elle savait par expérience qu'il serait impossible de trouver d'autres créneaux horaires où tous les étudiants concernés pourraient être présents, vu la complexité labyrinthique et les permutations infinies dans leurs emplois du temps. Et personne d'autre dans le Département n'était qualifié pour donner ces cours, à supposer que quelqu'un veuille le faire, ce qui était peu probable. Dommage. Ç'aurait fait un petit intermède bien agréable.

Robyn était maintenant décidée. Mentalement, elle consigna ses regrets, scella sa décision et la rangea dans un dossier, en se rappelant de téléphoner à Vic Wilcox le lendemain.

Plus tard, ce soir-là, elle reçut un surprenant coup de téléphone de Basil. Il lui dit qu'il téléphonait de son bureau et qu'il avait attendu le départ de tout le reste du personnel. Il avait l'air un peu, rien qu'un peu, éméché.

"As-tu revu Charles ces derniers temps ? demanda-t-il.

– Non, pas récemment, dit-elle. Pourquoi ?

– Vous vous êtes séparés, alors ?

– Non, bien sûr que non. C'est seulement qu'il n'est pas venu depuis quelque temps. D'abord, il a eu un rhume ou il a cru qu'il en avait un, et ensuite j'ai eu la grippe... Qu'est-ce que tu essaies de me dire, Basil ?

– Tu sais qu'il sort avec Debbie ?

– Qu'il sort ?

– Oui, il sort avec elle. Tu vois ce que je veux dire.

– Je savais qu'il devait aller la voir travailler à son bureau.

– Il a fait plus que ça. Il a passé la nuit avec elle.

– Tu veux dire qu'il a passé la nuit chez elle ?

– Oui.

– Et après ? Il l'a probablement emmenée à dîner et il a raté ensuite le dernier train ; elle l'aura hébergé.

– C'est ce que dit Debbie.

– Eh bien, alors !

– Tu ne trouves pas ça suspect ?

– Bien sûr que non. La seule chose qu'elle trouvait un peu troublante dans cette histoire, c'était que Charles ne lui en avait rien dit au téléphone, mais elle ne souffla mot de cela à Basil.

– Et si je te disais que ça s'est passé deux fois ?

– Deux fois ?

– Oui, une fois la semaine dernière et de nouveau la nuit dernière. Rater son train une fois, c'est pas de chance, mais le rater deux fois, ça paraît suspect, tu ne trouves pas ?

– Comment tu sais cela, Basil ? Je croyais que toi et Debbie vous ne vous voyiez pas pendant la semaine.

– Mardi dernier, je lui ai téléphoné à dix heures le soir et c'est Charles qui a répondu. Et, hier soir, je les ai suivis.

– T'as fait quoi ?

– Je savais qu'il était de nouveau en ville, en train de faire de la recherche pour son article débile ou je ne sais quoi. Après le travail, je les ai suivis. D'abord, ils sont allés dans un bar spécialisé dans les vins et ensuite je les ai vus qui rentraient chez Debbie. J'ai attendu que les lumières s'éteignent. La dernière lumière à s'éteindre, ç'a été celle de la chambre de Debbie.

– C'est normal, non ?

– Pas nécessairement. Pas s'il avait dormi dans la chambre d'amis.

– Basil, tu es totalement parano.

– Il arrive même aux paranos d'avoir des petites amies infidèles.

– Je suis sûre qu'il y a une explication très simple. Je vais demander à Charles – je le vois ce week-end.

– Ça me soulage que tu me dises ça.

– Pourquoi ?

– Debbie prétend qu'elle va aller passer le week-end chez ses parents. Je commençais à avoir des doutes. Qu'est-ce que vous pouvez bien lui trouver à ce Charles, vous autres les femmes ? Il m'a plutôt l'air d'un pisse-froid.

– Je préfère ne pas discuter des charmes de Charles

avec toi, Basil", dit Robyn, et aussitôt elle raccrocha.

Un peu plus tard, Charles l'appela. "Ma chérie, dit-il, ça ne te fait rien si je ne monte pas ce week-end ?

– Pourquoi ?" dit Robyn. Elle fut très surprise et très contrariée de constater qu'elle tremblait légèrement.

"Je veux rédiger mon article sur la City. Il y a un type que j'ai connu à Cambridge qui travaille pour *Marxism Today* ; il est très intéressé.

– Tu ne vas pas rendre visite à la mère de Debbie, alors ?"

Il y eut un petit silence gêné. "Pourquoi veux-tu que je fasse ça ? dit Charles.

– Basil vient de me téléphoner, dit Robyn. Il dit que tu as passé la nuit chez Debbie. A deux reprises.

– Trois, en fait, dit Charles froidement. Tu y vois un inconvénient ?

– Non, bien sûr. Je me demandais seulement pourquoi tu ne m'en avais pas parlé.

– Ça ne m'a pas paru important.

– Je vois.

– Pour te dire la vérité, Robyn, j'ai trouvé que tu étais un tantinet jalouse de Debbie, alors je n'ai pas jugé utile d'envenimer les choses entre vous.

– Pourquoi veux-tu que je sois jalouse d'elle ?

– A cause de l'argent qu'elle gagne.

– Je m'en fiche comme d'une bitte de babouin de tout l'argent qu'elle gagne, dit Robyn d'un ton calme.

– Elle m'a beaucoup aidé pour cet article. C'est pour ça que j'ai passé du temps chez elle – pour en parler à loisir. Ce n'est pas possible pendant qu'elle travaille – c'est l'enfer dans la salle des transactions. C'est incroyable.

– Tu n'as pas couché avec elle, alors ?"

Silence pesant, de nouveau. "Pas au sens technique du terme, non.

– Que veux-tu dire, au sens technique du terme ?

– Eh bien, je lui ai simplement fait un massage.

– Tu lui as fait un massage ?" Une image vive et déplaisante surgit dans l'imagination de Robyn : le corps maigre de Debbie, tout nu, se tordant de plaisir sous les doigts huileux de Charles.

– Oui. Elle était très tendue. C'est le travail qu'elle fait, tu comprends, ce stress continuel… Elle souffre de migraines…"

Tandis que Charles décrivait les symptômes de Debbie, Robyn se posa rapidement quelques questions de casuistique. Est-ce qu'un massage, leur type de massage, constituait une infidélité, s'il était donné à une tierce personne ? Est-ce que le concept d'infidélité avait du sens dans leur cas ?

"Fais-moi grâce de tous ces détails, dit-elle, en l'interrompant au milieu d'une phrase. Ce sont les faits essentiels qui m'intéressent. Toi et moi, nous avons une relation ouverte, sans condition aucune, depuis que je me suis installée à Rummidge.

– C'est ce que je croyais, dit Charles. Je suis heureux de te l'entendre dire.

– Mais Basil ne voit pas les choses de la même manière.

– Ne te fais pas de soucis pour Basil. Debbie sait comment s'arranger avec lui. Je pense en fait qu'elle commence à en avoir marre de lui. Il a tendance à être trop possessif. Je crois qu'elle s'est servie de moi pour prouver quelque chose.

– Ça ne te fait rien qu'on se serve de toi ?

– Non, je me sers d'elle, moi aussi, d'une certaine manière. Pour préparer mon article. Et toi, comment tu vas ? dit-il, cherchant manifestement à changer de sujet.

– Très bien. Je vais à Francfort la semaine prochaine. Ça lui était venu spontanément comme si l'idée avait germé soudain dans sa tête.

– Vraiment ! Comment ça ?

– C'est mon stage. Vic Wilcox va à une foire commerciale mercredi, alors il faut que j'aille avec lui.

– Eh bien, ça devrait être intéressant.

– Oui, c'est ce que j'ai pensé.

– Tu restes combien de temps ?

– Rien qu'une nuit. Dans un hôtel super chic, à ce que dit Vic.

– Tu veux que je vienne le week-end d'après ?

– Non, ce n'est pas la peine.

278

– Très bien. Tu n'es pas en colère, au moins, j'espère ?

– Bien sûr que non. Et elle eut un rire un peu forcé. Je te téléphonerai.

– D'accord. Il avait l'air soulagé. Eh bien, amuse-toi bien à Francfort.

– Merci.

– Comment tu vas t'arranger pour tes cours pendant ton absence ?

– Je vais demander conseil à Swallow, dit-elle. Après tout, c'est lui qui a eu l'idée de me faire faire ce stage."

Le lendemain matin, après son cours de dix heures, Robyn frappa à la porte de Philip Swallow et demanda s'il pouvait lui consacrer quelques minutes.

"Oui, oui, entrez, dit-il. Il tenait à la main un épais dossier polycopié et avait l'air totalement hagard. Vous ne sauriez pas ce que signifie le mot 'réassignation' par hasard ?

– Non, je regrette. Quel est le contexte ?

– C'est dans un document préparatoire à la prochaine réunion des Doyens et Directeurs de Départements concernant les subventions. *'A présent, les subventions sont allouées à chaque chef de Département sur des chapitres de dépenses distincts, sans possibilité de réassignation.'*

Robyn secoua la tête. "Je n'en ai aucune idée. Je n'ai encore jamais rencontré ce mot.

– Moi non plus, avant les réductions budgétaires. Depuis, il a commencé à faire son apparition sur toutes sortes de documents – les procès-verbaux de réunions, les rapports de commissions, les circulaires de la Commission Universitaire des Finances. Le Président adore ce mot. Mais je ne sais toujours pas ce qu'il veut dire. Il n'est dans aucun dictionnaire.

– Comme c'est bizarre, dit Robyn. Pourquoi ne pas demander à quelqu'un qui saurait ? A l'auteur de ce document, par exemple.

– Le comptable ? Je ne vais tout de même pas lui demander à lui. Il y a des mois que je siège à ses côtés dans des commissions et que nous discutons doctement de 'réassignation'. Je ne vais tout de même pas avouer maintenant que je n'ai aucune idée de ce que ce mot veut dire.

— Peut-être que personne, en fait, ne sait ce qu'il veut dire, et que personne n'ose l'avouer, suggéra Robyn. Peut-être est-ce un mot inventé par le Gouvernement pour terroriser les universités.

— Le mot sonne plutôt mal, je dois le dire, dit Philip Swallow. *'Réassignation.'* Il contempla le document polycopié d'un air triste.

— Je voulais vous voir parce que... se risqua à dire Robyn.

— Ah, oui, excusez-moi, dit Philip Swallow, détachant avec peine son attention de ce mot mystérieux.

— C'est à propos du Système de Stage, dit-elle. Mr. Wilcox, l'homme dont je suis la stagiaire, part pour Francfort en voyage d'affaires mercredi prochain, et il estime que je devrais aller avec lui.

— Oui, je sais, dit Swallow. Il m'a téléphoné ce matin à ce propos.

— Ah oui ? Robyn essaya de dissimuler son étonnement.

— Oui. On s'est mis d'accord pour que l'Université paie la moitié de vos frais et l'entreprise l'autre moitié.

— Je peux y aller, comme ça ?

— Il a beaucoup insisté pour que vous y alliez. Il semble prendre le contrat de stage au pied de la lettre.

— Et qu'est-ce que je vais faire de mes cours de jeudi ? dit Robyn.

— Oh, c'est toujours un peu lourd cette cuisine germanique, dit Philip Swallow. Toujours la même chose, du porc, des boulettes et de la choucroute.

— Non, je parlais de *mes cours de jeudi,* dit Robyn en élevant un peu la voix. Comment je vais faire ? Je préférerais ne pas annuler de cours la dernière semaine du trimestre.

— Tout à fait, dit Swallow, d'un ton assez sec comme s'il la considérait responsable de ce malentendu. J'ai regardé votre emploi du temps. Vous avez, en effet, pas mal de cours, dites donc.

– En effet, dit Robyn, ravie qu'il l'eût remarqué.

– Pour le cours de dix heures, vous pouvez vous arranger avec Bob Busby qui va faire le même cours le trimestre prochain. Et je vais demander à Rupert Sutcliffe de prendre votre séminaire de troisième année à trois heures... Robyn acquiesça d'un mouvement de tête, tout en se demandant qui allait être le plus déconcerté par cette nouvelle, Sutcliffe ou les étudiants. Les deux plus difficiles à caser ce sont les séminaires de littérature féminine à midi et à deux heures, dit Swallow. Il n'y a apparemment qu'un enseignant de libre à ces heures-là. Moi.

– Oh ! dit Robyn.

– Quel sujet traitez-vous, en fait ?

– Le corps de la femme dans la poésie féminine contemporaine.

– Ah. Je ne sais pas grand-chose là-dessus, malheureusement.

– Les étudiants auront préparé des rapports, dit Robyn.

– Oh, alors, je peux animer une discussion, si c'est ça...

– Ce serait très bien, dit Robyn. Merci beaucoup."

Swallow la raccompagna à la porte. "Francfort, dit-il d'un air songeur. J'ai assisté à un colloque très animé là-bas, il y a quelques années."

V

– Il y a des gens qui prétendent, poursuivit-il, hésitant
encore, qu'il y a une sagesse de l'esprit et une sagesse du
cœur. Je ne l'aurais jamais cru ; mais, comme je le disais,
je doute de moi maintenant. Je croyais que la tête se suffisait à elle-même. Ce n'est peut-être pas tout à fait vrai ;
mais comment puis-je, ce matin, prendre le risque de sou-
tenir cette affirmation !

Charles Dickens : *Temps difficiles*

1

Il était sans doute inévitable que Victor Wilcox et Robyn Penrose finissent par se retrouver dans le même lit à Francfort, et pourtant ni l'un ni l'autre n'avaient cette intention en quittant Rummidge. Consciemment, Vic voulait seulement profiter de la compagnie de Robyn et lui faire plaisir. Consciemment, Robyn ne demandait pas mieux qu'on lui fasse plaisir et cherchait à échapper à son train-train quotidien en prenant une récréation, aussi brève fût-elle. Mais inconsciemment, d'autres motifs entraient en jeu. L'intérêt croissant que Vic portait à Robyn commençait à tourner à l'engouement. Le flegme avec lequel Robyn avait traité les relations de Charles avec Debbie dissimulait un orgueil blessé, et elle se sentait prête à assumer son autonomie sexuelle. Ce voyage dans une ville étrangère, loin du regard indiscret de ses amis et de sa famille, était l'alibi parfait, et l'hôtel de luxe le cadre idéal pour une passade qui n'avait d'ailleurs que trop tardé. Les négociations à rebondissements avec Altenhofer, la faiblesse coupable de Robyn pour le champagne ou l'infatuation du disc-jockey de l'hôtel pour Jennifer Rush ne constituèrent qu'un piment supplémentaire. Comme Robyn aurait pu le dire elle-même, l'événement était surdéterminé.

Vic passa prendre Robyn chez elle à six heures et demie et traversa à toute allure les banlieues assoupies pour se rendre à l'aéroport ; sa passagère était encore tout endormie à côté de lui et se taisait. Pendant qu'il garait la voiture, elle prit une tasse de café et commença à retrouver ses esprits. C'était la première fois qu'elle allait à l'aéroport de Rummidge. L'aérogare, apparemment toute neuve, l'impressionna beaucoup avec ses surfaces en inox et en fibre de verre, son plafond voûté, ses panneaux d'affichage électroniques annonçant les départs vers une demi-douzaine de capitales européennes. Il avait été construit (comme l'en informa Vic) grâce à une subvention accordée par la CEE et semblait être une sorte d'interface entre les Midlands anglais misérables et sous-développés et un monde en expansion sûr de lui. Les gros hommes d'affaires de Rummidge, avec leurs petits sacs de voyage et leurs serviettes en cuir bordeaux à fermeture électronique, se présentaient tranquillement au guichet d'enregistrement pour leurs vols vers Zürich, Bruxelles, Paris, Milan, comme s'ils faisaient cela tous les jours de la semaine.

« Fumeur ou non-fumeur ? demanda l'hôtesse de la British Airways en s'adressant à Vic qui hésita et regarda Robyn.

– Ça m'est égal, dit-elle d'un ton conciliant.

– Non-fumeur, décida-t-il. Je peux me passer de clopes pendant une heure et demie. »

Une heure et demie seulement ! Quand on a de l'argent, on peut donc se lever à six heures et être en Allemagne à l'heure du petit déjeuner. Beaucoup d'argent, malheureusement – elle jeta un regard discret à son billet et fut choquée de constater que le vol coûtait deux cent quatre-vingts livres. Petit déjeuner compris, bien sûr. Ils voyageaient en classe Affaires, et les hôtesses attentionnées leur servirent une compote d'abricots et de poires, des œufs brouillés et du jambon, des petits pains, des croissants et du café, et aussi de la marmelade d'orange Dundee dans de minuscules pots en grès. Robyn appréciait d'autant plus la qualité du service que, les rares fois où elle prenait l'avion, elle choisissait toujours les tarifs les plus bas possibles, et se retrouvait la plupart du temps en queue d'avion, près des toilettes, où, pliée en deux, le plateau sous le menton, elle s'arrangeait tant bien que mal pour manger une nourriture insipide. « Vous vous soignez bien, vous, les hommes d'affaires, dit-elle.

– On le mérite bien, dit Vic avec un sourire. Le pays dépend de nous.

– Mon frère Basil pense que le pays dépend des banques d'affaires.

286

– Ne me parlez pas de la City, dit Vic. Ils ne s'intéressent qu'aux profits à court terme. Ils préfèrent gagner de l'argent rapidement sur les marchés étrangers plutôt qu'investir dans des compagnies britanniques. C'est pour cela que nos taux d'intérêts sont si élevés. La machine que je veux acheter ne commencera à être rentable que dans trois ans.

– Je n'ai jamais rien compris aux obligations et aux actions, dit Robyn. Et, maintenant que j'ai entendu les discours de Basil, je ne suis pas sûre de vouloir comprendre.

– Ce n'est que du papier, dit Vic. Ils ne font que déplacer des bouts de papier. Nous, en revanche, nous fabriquons des objets, des objets qui n'étaient pas là avant qu'on les fabrique."

La lumière du soleil envahit soudain la cabine tandis que l'avion changeait de direction. C'était un matin clair et lumineux. Robyn regarda par le hublot et vit l'Angleterre défiler lentement sous elle : des villes et des villages, avec leur réseau de rues pareil à des circuits imprimés, éparpillés sur une mosaïque de champs minuscules, reliés les uns aux autres par le mince fil d'une voie ferrée ou d'une autoroute. Difficile, à cette altitude, d'imaginer tout le bruit et toute l'agitation en dessous. Partout, dans les usines, les magasins, les bureaux, les écoles, on commençait la journée de travail. Des gens s'entassaient dans les bus et les trains bondés, d'autres, seuls au volant de leur voiture, attendaient dans des bouchons, d'autres encore lavaient la vaisselle du petit déjeuner dans des maisons jumelées au crépi granité. Chacun évoluant dans son petit monde, sans savoir comment il se situe dans le tableau d'ensemble.

La ménagère, quand elle allume sa bouilloire électrique pour se faire une autre tasse de thé, ne se soucie pas des innombrables opérations complexes qui ont rendu possible cette opération simple : la construction et l'entretien de la centrale qui produit l'électricité, l'extraction du charbon ou du pétrole pour alimenter les générateurs, la pose de kilomètres de câbles pour transporter le courant jusque chez elle, l'extraction, la fonte et le façonnage du minerai ou de la bauxite pour faire les tôles d'acier ou d'aluminium, le découpage, l'emboutissage et la soudure du métal pour faire la coque, le bec et la poignée de la bouilloire, l'assemblage de ces parties avec des dizaines d'autres pièces – la résistance électrique, les vis, les écrous, les boulons, les rondelles, les rivets, les fils, les ressorts, le caoutchouc d'isolation, les garnitures plastiques ; ensuite, l'emballage de la bouilloire, la publicité de la bouilloire, sa mise en vente chez les grossistes et les détaillants, son transport jusqu'à des entrepôts et des magasins, le calcul du prix, et la répartition de la valeur ajoutée entre toute une myriade de gens et d'agents impliqués dans sa production et sa circulation. La ménagère ne songeait jamais à tout ça en allumant sa bouilloire. Robyn non plus, d'ailleurs, jusqu'à présent, et, avant d'avoir connu Vic Wilcox, il ne lui serait jamais venu à l'idée d'y songer. Mais qu'est-ce que ça changeait d'y penser ? C'était une autre affaire. Il était difficile de dire si le système qui produisait la bouilloire était un miracle d'ingéniosité et de coopération humaines ou une perte colossale d'énergie humaine et naturelle. Est-ce que nous serions plus heureux si nous faisions bouillir notre eau dans un pot suspendu au-dessus d'un feu de bois ? Ou bien la facilité avec laquelle on faisait tout cela en appuyant sur un bouton libérait-elle les hommes et plus spécialement les femmes de tout travail servile et leur permettait-elle de devenir des critiques littéraires ? Une formule, tirée des *Temps difficiles,* et qu'elle avait tendance à citer dans ses cours avec un brin d'ironie, mais qu'elle commençait à prendre avec plus d'indulgence ces temps derniers, lui vint à l'esprit : *"Quel embrouillamini, tout ça"*. Elle renonça à vouloir résoudre l'énigme et accepta l'autre tasse de café que lui offrait l'hôtesse.

Pendant ce temps-là, Vic se disait qu'il était assis à côté de la plus jolie femme de tout l'avion, y compris les hôtesses. Il avait été surpris de voir Robyn sortir de sa petite maison vêtue d'une tenue qu'il n'avait jamais encore vue sur elle, un tailleur deux pièces, avec une cape assortie, dont la couleur, d'un vert olive très doux, faisait ressortir ses boucles cuivrées et rappelait le gris-vert de ses yeux. "Vous êtes superbe", dit-il spontanément. Elle sourit, réprima un bâillement et dit : "Merci. J'ai pensé qu'il valait mieux prendre la tenue de circonstance".

Mais quelle était la circonstance ? Les autres passagers de l'avion savaient manifestement à quoi s'en tenir. C'étaient des hommes d'affaires, comme lui, qui se rendaient pour la plupart à la même foire commerciale, et il avait surpris les regards entendus et admiratifs qu'ils avaient eus pour Robyn lorsqu'elle était entrée à ses côtés, d'un pas assuré, dans l'aire d'embarquement. Ce devait être sa petite amie, sa maîtresse, sa nana, son petit à-côté, sa catin, qu'il faisait passer pour sa secrétaire ou son assistante personnelle, et elle l'accompagnait à Francfort aux frais de l'entreprise ; bien joué, si tu peux te le permettre, sacré veinard. Et les Allemands allaient sans doute penser la même chose.

"Comment vais-je justifier votre présence en face des Allemands ? dit-il. Je ne peux tout de même pas leur débiter toute cette histoire à propos du Système de Stage chaque fois que je vous présente. Je ne crois pas qu'ils comprendraient mes explications, de toute façon.

– J'expliquerai, dit-elle. Je parle allemand.

– Non ! Ce n'est pas vrai !

– *Ja, bestimmt. Ich habe seit vier Jahren in der Schule die deutsche Sprache studiert.*

– Qu'est-ce que ça veut dire ?

– Oui, bien sûr. J'ai étudié l'allemand pendant quatre ans à l'école."

Vic la regarda béat d'admiration. "Je voudrais bien pouvoir dire ça, dit-il. *Guten Tag* et *Auf Wiedersehen,* voilà à peu près tout ce que je peux dire en allemand.

– Je serai votre interprète, alors.

– Oh, ils parlent tous l'anglais… En fait, dit-il, frappé d'une inspiration soudaine, ça pourrait être utile que vous ne leur disiez pas que vous comprenez l'allemand quand on va rencontrer les gens de chez Altenhofer.

– Pourquoi ?

– J'ai déjà traité des affaires avec les Teutons. Il leur

arrive parfois de parler allemand entre eux au beau milieu
d'une réunion. J'aimerais savoir ce qu'ils disent.

– D'accord, dit Robyn. Mais comment allez-vous justifier ma présence là-bas ?

– Je dirai que vous êtes mon assistante personnelle",
dit-il.

La compagnie Altenhofer avait envoyé une voiture les
prendre à l'aéroport. Le chauffeur attendait à la sortie de la
douane tenant à la main une petite pancarte en carton, avec
Mr. WILCOX écrit dessus. "Hum, ils nous sortent le grand
jeu, dit Vic, en voyant cela.

– Combien ça leur rapporterait, ce marché ? demanda
Robyn.

– J'espère avoir la machine pour cent cinquante mille
livres. *Guten Tag,* dit-il au chauffeur. *Ich bin Herr Wilcox.*

– Par ici, monsieur, je vous prie, dit l'homme en prenant les valises.

– Vous voyez ce que je veux dire ? murmura Vic.
Même leur sacré chauffeur parle notre langue mieux que
moi."

Le chauffeur hocha la tête d'un air approbateur lorsque
Vic indiqua le nom de leur hôtel. C'était juste à la périphérie de la ville parce qu'il n'avait pas été possible d'obtenir
une chambre supplémentaire pour Robyn dans l'hôtel en
ville où il avait réservé dans un premier temps. "Mais
celui-ci devrait être très confortable", dit Vic. "Vu le prix."

C'était en fait l'hôtel le plus luxueux où soit jamais
descendue Robyn, un hôtel dont l'atmosphère, d'ailleurs,
faisait davantage penser à un country club très fermé, avec
son décor de bois naturel et de brique nue, et ses multiples
installations pour le divertissement et les soins du corps :
un institut de beauté, un gymnase, un sauna, une salle de
jeux et une piscine. *"Schwimmbad !"* s'exclama Robyn, en
remarquant la pancarte. "Si j'avais su, j'aurais apporté
mon maillot de bain.

– Achetez-en un, dit Vic. Il y a une boutique là-bas.

– Quoi, juste pour un bain ?

– Pourquoi pas ? Vous l'utiliserez plus tard, non ?"

Tandis que Vic s'occupait des formalités d'enregistrement, elle alla jusqu'à la boutique de sport de l'autre côté du hall et jeta un coup d'œil aux bikinis et aux maillots de bain accrochés à un présentoir. Plus ils étaient petits, plus ils semblaient chers. "Beaucoup trop cher, dit-elle, en revenant à la réception.

– Permettez-moi de vous l'offrir, dit-il.

– Non, merci. J'aimerais voir ma chambre. J'imagine qu'elle doit être immense."

Elle l'était en effet. Il y avait un lit monolithique, un immense bureau recouvert de cuir, une table basse avec un dessus en verre, une télévision, un minibar et une vaste penderie où les quelques éléments de ses modestes bagages semblaient complètement perdus. Elle prit un grain de raisin dans la coupe de fruits posée sur la table basse et gracieusement offerte par la maison. Elle alluma la radio à la tête de son lit et un air de Schubert envahit la chambre. Elle appuya sur un autre bouton et les rideaux, commandés électriquement, s'écartèrent en silence et dévoilèrent, comme dans un plan d'ensemble en cinémascope, les jardins paysagés et un lac artificiel. La salle de bains, équipée d'une robinetterie sophistiquée et étincelante, avait deux lavabos sculptés dans ce qui semblait être du vrai marbre, et elle était pourvue d'une collection de serviettes de toutes les tailles dont elle n'avait que faire. Derrière la porte, il y avait deux peignoirs en éponge scellés dans des housses de nylon. La musique de Schubert filtrait jusque dans la salle de bains grâce à un haut-parleur supplémentaire. C'était le seul bruit dans tout l'appartement : le double vitrage, la moquette à poils longs et la lourde porte en bois absorbaient tous les bruits du monde extérieur. Deux semaines ici, se dit-elle, et je serais capable de finir *Anges domestiques et femmes infortunées.*

Le chauffeur les avait attendus pour les emmener au centre ville. Assise sur la banquette arrière, dans la Mercedes rapide et silencieuse, Robyn fut frappée de voir le contraste entre les rues de Francfort et leurs homologues dans la pauvre ville de Rummidge. Tout ici paraissait propre, net, fraîchement peint et très civilisé. Il n'y avait pas de cornets à frites à traîner partout, ni de ces seaux en carton qui ont servi au poulet frit, ni de bidons de bière cabossés, ni de boîtes à hamburgers en polystyrène ou encore de gobelets en carton écrasés dans les caniveaux. Les trottoirs avaient un air très propret, et les piétons aussi. L'architecture commerciale était lisse et élégante.

"C'est qu'ils ont été obligés de tout rebâtir après la guerre, dit Vic après qu'elle lui eut fait part de ses commentaires. Nous avons pratiquement rasé Francfort.

– Le centre de Rummidge a été pratiquement rasé lui aussi, dit Robyn.

– Pas par des bombardements.

– Non, par les promoteurs. Mais ils n'ont pas reconstruit comme ici, malheureusement.

– Ils n'avaient pas les moyens. Nous avons gagné la guerre mais perdu la paix, comme on dit.

– Pourquoi cela ?"

Vic réfléchit un moment. "Nous étions trop cupides et trop paresseux, dit-il. Dans les années cinquante et soixante, alors qu'on pouvait vendre n'importe quoi, on continuait à utiliser des machines désuètes et à accorder aux syndicats ce qu'ils demandaient, tandis que les Teutons, eux, investissaient dans les technologies nouvelles et négociaient des accords salariaux raisonnables. Quand les temps sont devenus plus difficiles, tout cela a été rentable. Ils croient connaître une récession ici, mais ce n'est rien à côté de chez nous."

C'était tout à fait inhabituel d'entendre Vic dresser un tableau aussi critique de l'industrie britannique. "Vous n'avez pas dit que notre problème provenait du fait que nous importions trop ? dit-elle.

– Ça aussi. Vous pouvez me dire où a été fabriqué l'ensemble que vous portez, juste pour savoir ?

– Je n'en ai aucune idée. Elle regarda l'étiquette à l'intérieur de la cape et éclata de rire. Allemagne de l'Ouest !

– Qu'est-ce que je vous disais ?

– Mais il est joli, vous l'avez dit vous-même. Et puis, c'est bien à vous de parler. Je ne l'ai payé que quatre-

292

vingt-cinq livres, alors que vous êtes sur le point de dépenser cent cinquante mille livres pour acheter une machine-outil allemande.

– C'est différent.

– Non, ça ne l'est pas. Pourquoi n'achetez-vous pas une machine britannique ?

– Parce que nous ne fabriquons pas de machine qui fasse l'affaire, dit Vic. Et c'est encore une des raisons pour lesquelles nous avons perdu la paix."

Le centre des expositions qui accueillait la foire commerciale ressemblait un peu à un aéroport sans avions. C'était un vaste complexe de plusieurs étages avec des travées immenses reliées entre elles par de longues allées et des escalators, et des bars et des cafétérias un peu partout sur les paliers. Ils s'inscrivirent dans le hall d'entrée. Robyn écrivit sur le formulaire : "J. Pringle and Sons" sous le mot *Compagnie* et "Assistante personnelle du Directeur Général" dans la rubrique *Poste occupé,* et reçut une carte d'identité reproduisant ces données inexactes.

Vic, le front plissé, consulta le plan de l'exposition. "Il faut qu'on traverse DAOFAO", dit-il, et il s'empressa de lui expliquer : "Dessin Assisté par Ordinateur et Fabrication Assistée par Ordinateur". Robyn classa mentalement l'information pour s'en servir au besoin plus tard : elle avait l'intention de rédiger son rapport SFaLURAI en utilisant le plus de sigles possible.

Ils se frayèrent un chemin à travers un espace surchauffé et noir de monde où des ordinateurs ronronnaient et des imprimantes jacassaient ou grinçaient dans des stands serrés les uns contre les autres comme les stands d'une kermesse, et ils arrivèrent dans un hall plus vaste et plus aéré où étaient exposées les grosses machines-outils, dont certaines fonctionnaient en simulation. Des roues tournaient, des vilebrequins grinçaient, des pistons huilés montaient et descendaient, entraient et sortaient, des tapis roulants tournaient en rond avec un bruit métallique, mais, en fait, on ne fabriquait rien. Les machines n'avaient pas d'odeur, elles étaient peintes de couleurs vives et parfaitement astiquées. Ça n'avait rien à voir avec la puanteur, la crasse, la chaleur et le bruit d'une véritable usine. Ça ressemblait plutôt à une boutique de jouets animés pour adultes ; et il y avait une foule d'hommes qui se pressaient autour des énormes machines, s'accroupissaient, se penchaient et tendaient le cou pour en mieux voir toute la complexité. Robyn remarqua qu'il n'y avait pas beaucoup de femmes autour d'elle en dehors des mannequins professionnels qui distribuaient des dépliants et des brochures. Elles portaient des combinaisons en Lycra, avaient le visage trop fardé et des sourires vides, et donnaient l'impression d'avoir été profilées par la mouleuse de noyaux automatique de la maison Altenhofer.

Le responsable des ventes de chez Altenhofer, Herr Winkler, et son assistant technique, le Dr Patsch, accueillirent chaleureusement Vic et Robyn au stand de la compagnie, et ils les firent passer dans le sanctuaire moquetté à l'arrière pour un rafraîchissement. On leur proposa du champagne, et aussi du café et du jus d'orange.

"Café pour moi, dit Vic. Le pétillant sera pour plus tard."

Herr Winkler, qui était un homme corpulent et souriant aux petits pieds élégamment chaussés, et qui se déplaçait d'un pas élastique comme un danseur dans une salle de bal, se mit à glousser : "Vous préférez garder les idées claires, bien sûr. Mais votre charmante assistante...?

– Oh, elle peut boire tout ce qu'elle veut", dit Vic d'un air désinvolte, sans doute pour leur donner l'impression que sa présence était purement décorative dans la circonstance. Il l'avait déjà dépouillée de son titre de docteur en la présentant aux Allemands comme "Miss Penrose".

Avec sa fausse identité affichée sur son revers de veste, Robyn estima qu'elle n'avait pas le choix et qu'elle était obligée de coller au rôle qui lui était assigné, et de jouir de la situation le plus possible. "J'adore le champagne mais il me monte à la tête, dit-elle en minaudant. Je crois que je ferais mieux de le mélanger avec du jus d'orange.

– Ah, oui, le Buck Fizz, c'est bien cela ? dit Herr Winkler.

– Buck's Fizz, en fait, dit-elle, ne pouvant s'empêcher de jouer au prof, malgré son déguisement. A ne pas confondre avec Buck House, la maison où habite la reine.

– Buck's Fizz, Buck House – je n'oublierai pas, dit Herr Winkler, en se dandinant jusqu'à la table où étaient posées les boissons. Heinrich ! Un verre de Buck's Fizz pour la dame ! Et un café pour Mr. Wilcox qui souhaite acheter une de nos jolies machines.

– Si le prix est raisonnable, dit Vic.

– Ah, ah ! Bien sûr", gloussa Winkler. Le Dr Patsch, un grand type taciturne à la barbe noire, mesura le jus d'orange et le vin mousseux dans une flûte à champagne en le tenant au niveau de ses yeux comme s'il s'agissait d'un tube à essai. Winkler lui arracha presque le verre de la main et s'approcha de Robyn d'un pas glissé. Il lui présenta le verre en faisant une petite révérence et en claquant discrètement les talons. "On m'a dit que votre patron était un négociateur féroce, Mademoiselle Penrose.

– Qui vous a dit ça ? dit Vic.

– Mes espions, dit le Dr Winkler, le visage radieux. Dans les affaires, de nos jours, on a tous des espions, n'est-ce pas ? Vous prenez de la crème dans votre café, Mr. Wilcox ?

– Noir avec du sucre, merci. Ensuite, j'aimerais regarder de plus près cette machine que vous avez de l'autre côté.

– Bien sûr, bien sûr. Le Dr Patsch va tout vous expliquer. Après cela, vous et moi parlerons argent, ce qui est toujours beaucoup plus compliqué."

L'heure qui suivit fut plutôt ennuyeuse pour Robyn qui n'eut aucun mal à feindre la lassitude et l'ignorance. Ils se rendirent dans le hall d'exposition et examinèrent l'énorme mouleuse en train de se livrer à ses activités fantomatiques. Le Dr Patsch expliqua dans le menu détail chaque opération dans un anglais impeccable, et Vic parut très impressionné. Lorsqu'ils revinrent à l'intérieur du stand pour discuter des conditions financières, cependant, il se révéla qu'il y avait une énorme différence entre le prix qu'on en demandait et la limite que s'était fixée Vic.

Winkler suggéra qu'on fasse une pause pour aller déjeuner, et, d'un pas alerte, il les emmena hors du centre des expositions et leur fit traverser la route jusqu'à un hôtel en gratte-ciel d'un luxe ostentatoire où il avait fait réserver une table. C'était le type de restaurant où, dès qu'on arrive, les garçons se précipitent pour enlever le couvert parfaitement convenable déjà disposé sur la table pour y substituer un couvert encore plus sophistiqué. Robyn laissa au Dr Winkler le plaisir de lui présenter le menu écrit en allemand, mais elle 'se vengea en choisissant les plats les plus coûteux, saumon fumé et venaison. Le vin était excellent. On bavarda gentiment des différences entre l'Angleterre et l'Allemagne et Robyn se garda de faire preuve de trop d'intelligence, faisant comme si toutes les opinions qu'elle exprimait venaient de ce qu'elle avait lu dans un journal. Mais, tandis que le repas touchait à sa fin, on en revint aux affaires. "C'est une superbe machine", dit Vic qui, entre deux gorgées de café ou de cognac, tirait sur son cigare. "C'est exactement ce qu'il me faut. L'ennui, c'est que vous en voulez cent soixante-dix mille livres, et on ne m'autorise à en dépenser que cent cinquante mille."

Le Dr Winkler eut un sourire un peu triste. "On pourrait bien sûr vous consentir un petit rabais.

– De combien ?

– Deux pour cent."

Vic secoua la tête. "Pas la peine d'en parler." Il jeta un coup d'œil à sa montre. "J'ai un autre rendez-vous cet après-midi...

– Oui, bien sûr, dit Winkler découragé. Il fit signe à un garçon qu'on lui apporte l'addition. Vic s'excusa et alla aux toilettes. Winkler et Patsch échangèrent quelques remarques en allemand que Robyn écouta attentivement tout en laissant le garçon lui servir une seconde tasse de café et en s'accordant une truffe au chocolat. Au bout d'un moment, elle se leva et, prenant un air gêné, demanda où étaient les toilettes des dames. Elle attendit devant la porte que Vic sorte des *Herren* à côté.

– Ils vont accepter votre prix", dit-elle.

Son visage s'illumina. "Vraiment ? C'est merveilleux !

– Mais il y a un petit problème, je crois. Patsch a dit : *'On ne peut pas le faire avec le système* quelque chose', – ça ressemblait à *'semence'*. Et Winkler a dit : *'Il n'a pas spécifié semence'*."

Vic fronça les sourcils et se passa la main dans les cheveux. "Les sacrés roublards. Ils vont essayer de me fourguer un système de contrôle électro-mécanique.

– Quoi ?

– La machine qu'on a vue ce matin possède un système de contrôle transistorisé Siemens avec des cadrans de contrôle pour identifier les erreurs. L'ancien modèle est électro-mécanique, avec des boutons et des relais, mais sans dispositif de contrôle. Loin d'être aussi fiable. Le système Siemens ajouterait pratiquement vingt mille livres au coût total – exactement le rabais sur lequel on est en train de marchander. Bien joué, Robyn." Tout en parlant, Vic retournait déjà vers le restaurant.

– Attendez-moi, dit Robyn. Je ne veux rien manquer, mais il faut que j'aille au petit coin."

Lorsqu'ils revinrent dans le restaurant, Robyn se demanda si Winkler et Patsch n'allaient pas trouver un peu suspecte leur longue absence, mais Vic avait une histoire toute prête : il avait dû téléphoner à son Chef de Secteur en Angleterre. "Rien à faire, malheureusement. Le plafond est toujours de cent cinquante mille.

– On vient d'en discuter, dit Winkler avec un sourire bon enfant. Finalement, on devrait pouvoir répondre à vos exigences à ce prix-là.

– Voilà une bonne nouvelle, dit Vic.

– Parfait ! Winkler était rayonnant. Prenons un autre cognac. Il fit signe au sommelier.

– Je vous enverrai une lettre dès mon retour, dit Vic. Bon, mettons les choses au clair. Il sortit un carnet de sa poche intérieure, humecta un doigt et le feuilleta jusqu'à une certaine page. C'est une machine 22ex, on est d'accord ?

– Tout à fait d'accord.

– Avec le système de contrôle transistorisé Siemens."

Le sourire de Herr Winkler se volatilisa. "Je ne crois pas qu'on ait spécifié cela.

– Mais le modèle de démonstration dans le hall d'exposition a un système transistorisé Siemens.

– Vraisemblablement oui, dit Winkler en haussant les épaules. Nos machines sont disponibles avec toute une gamme de systèmes de contrôle.

– La 22EX est aussi livrée avec un système de contrôle électro-mécanique Klugermann, dit le Dr Patsch. C'est à cela que nous pensions pour ce prix.

– Alors ça ne marche pas, dit Vic, refermant son carnet et le remettant dans sa poche. Il n'y a que le dispositif transistorisé qui m'intéresse."

Le sommelier s'approcha de la table. Irrité, Winkler le renvoya d'un geste. Vic se leva et posa la main sur le dossier de la chaise de Robyn. "Nous ne voulons pas abuser davantage de votre temps, Monsieur Winkler.

– Merci pour ce délicieux déjeuner, dit Robyn en se relevant et en les gratifiant d'un petit sourire vide dont elle ne fut pas mécontente.

– Une minute, Monsieur Wilcox. Asseyez-vous, je vous en prie, dit Winkler. Si vous n'y voyez pas d'inconvénient, j'aimerais encore discuter avec mon collègue."

Winkler et Patsch partirent vers les vestiaires en grande conversation. Le premier ne semblait plus avoir une démarche aussi élastique, et en se faufilant entre les tables, il fit un faux mouvement et heurta violemment l'un des garçons.

"Eh bien ? dit Robyn.

– Je crois qu'ils vont avaler la pilule, dit Vic. Winkler croyait avoir bouclé l'affaire. Il ne supporte pas l'idée de la voir lui échapper à la dernière minute."

Cinq minutes plus tard, les deux Allemands revinrent. Patsch avait l'air lugubre, mais Winkler souriait bravement. "Cent cinquante-cinq mille, dit-il, avec le Siemens transistorisé. C'est notre dernière offre."

Vic ressortit son carnet. "Ne nous trompons pas cette fois-ci, dit-il. Nous parlons bien de la 22EX avec le système transistorisé Siemens, pour cent cinquante-cinq mille livres, payable en sterlings à terme selon les conditions spécifiées dans votre offre : 25% à la commande, 50% à la livraison, 15% lors de la mise en service par vos ingénieurs, et 10% après deux mois de bon fonctionnement, c'est bien ça ?

– C'est bien ça.

– Pouvez-vous mettre cette nouvelle offre noir sur blanc et me la faire parvenir dans la journée ?

– On vous l'envoie à votre hôtel cet après-midi.

– Marché conclu, M. Winkler, dit Vic. Je trouverai bien les cinq mille livres supplémentaires ailleurs. Il serra la main de Winkler.

– Les renseignements qu'on m'avait donnés sur vous, Monsieur Wilcox, n'étaient pas faux", dit Winkler, avec un petit sourire forcé.

Ils se serrèrent tous la main une nouvelle fois en se séparant dans le hall d'entrée de l'hôtel. "Au revoir, Mademoiselle Penrose, dit Winkler. Amusez-vous bien à Francfort.

– *Auf Wiedersehen, Herr Winkler,* répondit-elle. *Ich würde mich freuen, wenn der Rest meines Besuches so erfreulich wird, wie dieses köstliche Mittagessen."*

Il la regarda bouche bée. "Je ne savais pas que vous parliez allemand.

– Vous ne me l'avez pas demandé, dit-elle avec un adorable sourire.

– Au revoir, alors, dit Vic, prenant Robyn par le bras. Vous recevrez une lettre la semaine prochaine. Mes agents techniques prendront ensuite contact avec vous. Il l'entraîna rapidement vers la porte tournante. Qu'est-ce que vous avez dit ? murmura-t-il.

– J'ai dit que je serais ravie si le reste de mon séjour pouvait être aussi agréable que ce délicieux déjeuner.

– Vous êtes gonflée !" dit-il, évitant de montrer son visage épanoui aux deux Allemands. Lorsque la porte tournante les eut débarqués dehors, il donna un coup de poing dans le vide en signe de victoire comme un footballeur qui vient de marquer un but. "On a retourné la situation contre

299

ces salauds ! s'écria-t-il. A cent cinquante-cinq mille livres, c'est une affaire !

– Chut ! Ils vont vous entendre.

– Ils ne peuvent plus se dédire maintenant. Qu'est-ce que vous voulez faire ?

– Vous n'avez pas un autre rendez-vous ?

– Non, j'ai inventé ce prétexte pour les obliger à se décider, je n'ai rien de prévu jusqu'à demain. On pourrait aller visiter la Vieille Ville si vous voulez – c'est du toc, je vous préviens. Ou faire une promenade sur la rivière. Ce que vous voulez. Je vous l'offre. Vous le méritez bien.

– Il pleut", fit observer Robyn.

Il tendit la main et leva les yeux vers le ciel. "En effet.

– Ce n'est pas très drôle de faire du tourisme sous la pluie. Ce que j'aimerais, je crois, c'est acheter un maillot de bain et retourner à notre merveilleux hôtel pour prendre un bain.

– Excellente idée. Voilà un taxi !"

Ils rentrèrent donc à l'hôtel en taxi ; Robyn choisit un maillot vert et bleu d'une seule pièce dans la boutique de sport et laissa Vic le payer. Il en profita pour s'acheter aussi un slip de bain. Il n'était pas grand amateur de ce genre d'exercice, mais il avait l'intention de ne plus quitter Robyn des yeux sauf pour aller passer son slip de bain.

Il y avait des années qu'il n'avait pas acheté un tel article, et depuis, ou bien il avait grossi ou bien les maillots de bain avaient vraiment rétréci. Lorsque Robyn sortit des vestiaires, il comprit en la voyant que cette dernière hypothèse était la bonne. La pointe des seins de Robyn ressortait en relief sous l'étoffe satinée du maillot collant, et le bas était si dégagé que des bouclettes de poils cuivrés dépassaient de dessous l'étoffe. Il eût apprécié davantage la situation s'il n'avait pas senti que son propre maillot à l'entrejambe faisait ressortir les rondeurs de ses organes génitaux comme une grappe de raisins.

Ils étaient tout seuls dans la piscine, mis à part un couple de gosses qui pataugeaient à l'extrémité la moins profonde. Robyn plongea gracieusement dans l'eau et se mit à faire des longueurs dans un crawl impeccable. Il aurait parié qu'elle était bonne nageuse. Il sauta à pieds joints, en se serrant le nez, et la suivit tant bien que mal à la brasse. Lorsqu'elle proposa qu'ils fassent la course, il stipula la brasse, mais elle n'eut aucun mal à le battre néanmoins. Elle ressortit de la piscine, l'eau ruisselant le long de ses flancs blancs, et tenta vainement avec ses pouces de ramener son maillot étriqué sur ses fessiers. Elle se planta à l'extrémité du plongeoir, sauta une fois, deux fois, fit un saut périlleux et plongea dans l'eau en faisant un gros splash. Elle refit surface, se mit à rire et bredouilla : *"J'ai loupé mon coup !"* et elle sortit du bassin pour réessayer. Vic se laissait flotter dans l'eau et la regardait médusé.

Il y avait un jacuzzi à l'une des extrémités de la piscine : le tourbillon d'eau chaude écumante vous massait agréablement les muscles et vous mettait dans un état de relaxation délicieux. Ils étaient assis dans l'eau jusqu'au cou, l'un en face de l'autre, comme des personnages de dessin animé dans le chaudron d'un cannibale. "Je n'avais jamais été dans ce genre de truc, dit Vic. C'est magique.

– Voilà une rubrique que vous pouvez cocher sur votre liste, dit Robyn.

– Quelle liste ?

– L'inventaire de vos désirs. La liste des choses que vous n'avez jamais faites.

– Ah, oui", dit Vic. Il pensa à une autre rubrique dont elle ignorait tout. Jennifer Rush se mit à chanter dans sa tête :

Inutile de partir, de me quitter,
Si tu penses que notre amour est sérieux ;
Car si c'est chaud et si ça vient du cœur,
La vie peut commencer.

"Il vaudrait mieux ne pas rester ici trop longtemps", dit Robyn. Elle ressortit, courut vers la piscine et, dans son élan, plongea. Il l'imita gauchement et fut saisi par le contact de l'eau fraîche après le jacuzzi bien chaud. Puis, de nouveau le jacuzzi, et de nouveau la piscine. Ensuite, ils se séparèrent pour aller prendre une douche et se sécher. Le vestiaire tenait à la disposition des invités tout un assortiment de serviettes, de peignoirs, de survêtements, de savons, de shampooings, de lotions pour le corps et de talcs. Ils sortirent tout roses, tout luisants et parfumés de ces ablutions et commandèrent un thé dans la salle de jeu. Ils jouèrent au ping-pong et Vic gagna la majorité des cinq parties. Puis il lui apprit à jouer au billard, expérience plutôt excitante. Jusqu'ici, il lui avait évidemment serré la main et l'avait guidée par le bras, mais, à part ces contacts occasionnels, il ne l'avait jamais touchée physiquement. Voilà maintenant qu'il lui passait les bras autour de la taille, l'enlaçant presque par derrière, pour tenter de corriger sa position et de rectifier la façon dont elle tenait la queue de billard. Jennifer Rush murmurait dans sa tête :

Je te tiens dans mes bras
Je sens vibrer ton corps,
Ta voix est chaude et tendre
Amour, ne m'quitte pas.

Ils explorèrent le gymnase et s'amusèrent à faire des exercices sur le vélo d'intérieur, le rameur et une sorte de machine de torture qui donnait l'impression d'avoir été inventée par l'Inquisition espagnole, tant et si bien qu'à la fin ils étaient en sueur et durent retourner prendre une douche. Puis ils décidèrent de se reposer une heure environ dans leurs chambres respectives.

Vic s'allongea sur son lit, fatigué mais finalement détendu après tous ces exercices ; il ferma les yeux et avait l'impression que sa tête était comme un ampli bourdonnant de la musique de Jennifer Rush. Les lobes de son cerveau étaient comme deux bobines sur lesquelles passait et repassait, en une boucle sans fin, la bande de ses chansons.

Tu es heureux, tu te sens bien,
De t'dire que tu lui fais du bien,

302

La route part tout droit devant toi.
Laisse-toi aller ! Saisis ta chance !
N'attends pas l'jour d'lire dans ses yeux
"C'est pour toujours".

Il se leva au bout d'une heure et se rasa pour la seconde fois de la journée. Dans la glace, ses cheveux avaient l'air aussi fins et flous que ceux d'un bébé à force d'être lavés et séchés. Il fit une raie bien droite, renvoya ses cheveux en arrière, mais ne put empêcher la mèche folle de devant de retomber sur son front. Chez les autres hommes, les cheveux ne retombaient jamais comme cela, se dit-il, irrité. Peut-être n'avait-il jamais trouvé son style de coiffure, après tout. Il essaya de faire la raie de l'autre côté, mais ça ne paraissait pas naturel. Puis il se coiffa vers l'avant, sans faire de raie du tout, mais ça avait l'air ridicule. Il se passa un peu de gel dans les cheveux, fit sa raie et se coiffa dans son style habituel. Au premier geste qu'il fit, la mèche retomba vers l'avant.

Il mit une chemise propre et examina sa cravate avec inquiétude ; elle avait été un peu éclaboussée de sauce au déjeuner. Il la tamponna légèrement avec un gant de toilette humide mais ne réussit au bout du compte qu'à faire un halo humide autour de la tache. C'était la seule cravate qu'il avait, malheureusement, et il ne pouvait tout de même pas porter une chemise à col ouvert avec son costume rayé. Pour la première fois de sa vie, Vic regretta de ne pas avoir apporté davantage de vêtements avec lui dans un voyage d'affaires. Robyn, il en était sûr, devait avoir apporté de quoi se changer pour la soirée. *"J'ai pensé qu'il fallait que je prenne la tenue de circonstance."*

Il ne fut pas déçu. Lorsqu'il frappa à la porte de sa chambre à l'heure dite, elle apparut sur le seuil dans une robe qu'il ne lui avait jamais vue, une robe légère, soyeuse et vaporeuse, dont les motifs marron, bleus et verts se fondaient discrètement ; ses souliers, ses boucles d'oreilles et même son sac à main n'étaient pas les mêmes que ceux qu'elle avait portés dans la journée.

"Vous êtes superbe", dit-il. Sa voix sonnait bizarrement

à ses oreilles comme si elle avait pris les accents passionnés de Jennifer Rush. Robyn sembla le remarquer car elle rougit légèrement et répondit d'un ton haché :

"Merci – vous voulez que je vienne tout de suite ? Je suis prête, et j'ai faim, vous me croirez si vous voulez. C'est tout cet exercice, sans doute.

– Vous voulez qu'on sorte quelque part pour dîner ? Ou vous préférez qu'on reste ici ?

– Ça m'est égal, dit-elle. Connaissez-vous un endroit particulier ?

– Non, dit-il. Mais partout où nous irons, il y aura une foule de gens venus pour la foire commerciale.

– Alors, dînons ici.

– Parfait", dit-il.

Vic voulut absolument commander du champagne pour le dîner. "On arrose ça, dit-il. On l'a bien mérité." Il leva son verre : "A la soufflerie de noyaux automatique 22EX de chez Altenhofer, avec système de contrôle transistorisé Siemens, au prix d'ami de cent cinquante-cinq mille livres.

– Tchin, dit Robyn, sentant les bulles éclater agréablement sous ses narines tandis qu'elle buvait. Hum, délicieux !"

Robyn n'avait pas raconté d'histoire lorsqu'elle avait dit à Herr Winkler que le champagne lui montait à la tête. Au début, il ne lui faisait aucun effet apparemment ; elle le trouvait tout simplement bon et elle avait tendance à en boire toujours plus et plus rapidement que s'il s'agissait d'un autre vin. Et puis, soudain – oh ! la la ! Elle se retrouvait au septième ciel. Ce soir, elle s'obligea à boire lentement, mais, curieusement, la bouteille se trouva vide avant qu'ils aient fini leur plat principal, la truite meunière, et elle eut la faiblesse d'accepter qu'il en commandât une seconde. Après tout, pourquoi n'aurait-elle pas le droit de planer un peu ? Elle se sentait en vacances : insouciante, hédoniste, débordante de vitalité. Rummidge et tous ses soucis semblaient infiniment loin. La salle à manger aux formes arrondies, éclairée par des lampes de cristal, le bruit civilisé que faisaient les verres, le tintement des couteaux sur les assiettes en porcelaine, les rires et les bavardages discrets, tout cela évoquait la cabine d'un vaisseau spatial, avec ses hublots masqués derrière d'épais rideaux en velours qui, une fois écartés, eussent laissé voir une Terre pas plus grosse ni plus consistante qu'un ballon de couleur laiteuse. Ici, on échappait à la gravité terrestre et on respirait des bulles de champagne. C'était là une sensation très excitante.

En face d'elle, Vic parlait à bâtons rompus de cette machine qui allait donner un regain de compétitivité à Pringle. Elle répondait avec des murmures emphatiques, sans vraiment prêter attention. Il ne semblait pas prêter lui-même beaucoup d'attention à ce qu'il disait. Ses yeux sombres, par-dessous sa mèche tombante, regardaient Robyn avec ferveur. Cet homme, se dit-elle, n'est finalement pas dépourvu de charme, malgré sa faible prestance. Avec des vêtements à sa taille, il aurait l'air tout à fait élégant. Il était en fait infiniment mieux quand il ne portait rien. Elle revoyait son torse blanc, ses larges épaules dans la piscine cet après-midi, son ventre plat et ses bras musclés, ses formes masculines sous le slip. Elle enleva son soulier sous la table et, du pied, effleura légèrement le mollet de Vic, tout en s'efforçant de rester impassible malgré l'interrogation inquiète qui se lisait dans les yeux du pauvre homme ; il était comme un prisonnier qui, s'approchant de la porte de sa cellule, s'agrippe aux barreaux et découvre soudain que la porte n'est pas fermée à clé et se demande alors s'il doit croire ou non à sa libération. Robyn elle-même n'avait encore rien décidé, elle flottait dans le temps et dans l'espace mais continuait de le taquiner avec malice.

"J'imagine que si je n'avais pas été là, Herr Winkler vous aurait trouvé une call-girl pour ce soir. Ce n'est pas comme ça que ça se passe dans ces foires commerciales ?

– C'est ce qu'on dit, en effet, dit-il, s'agrippant plus fermement encore aux barreaux. Mais je n'en ai pas l'expérience."

305

Le garçon présenta l'addition et Vic la signa. "Que voulez-vous faire maintenant ? demanda-t-il. On boit quelque chose au bar ?

– Non, je ne bois plus, dit-elle. J'aimerais danser. Elle éclata de rire en voyant son air consterné. Il y a une discothèque dans l'hôtel – j'ai lu ça dans l'ascenseur.

– Je suis incapable de danser ce genre de danse.

– N'importe qui peut le faire après tout ce champagne", dit-elle, en se relevant un peu chancelante.

Il y avait en fait deux discothèques dans l'hôtel ; la première, une sorte de cellule bourdonnante éclairée au stroboscope, en sous-sol, était spécialement destinée aux jeunes mais, pour le moment, elle n'était occupée que par le disc-jockey et les deux enfants qui étaient à la piscine ; la seconde, située dans une annexe du bar, ressemblait davantage à une boîte de nuit, et jouait des airs moins endiablés à une clientèle plus mûre. Vic regarda autour de lui, l'air soulagé. "Ça me va, dit-il. Il y a même des couples qui dansent ensemble.

– Ensemble ?

– Dans les bras l'un de l'autre. Comme moi j'ai appris à danser.

– Allons-y, alors", dit-elle. Elle le prit par la main et le conduisit sur la piste de danse. Une voix féminine, très gamine, chantait d'une voix stridente une chanson à la mélodie répétitive, dont les paroles étaient d'une bêtise sublime.

Je suis langoureuse, amoureuse
Faisons ensemble tout ce qui nous plaît...

Vic débuta par une sorte de fox-trot peu orthodoxe, en gardant ses distances. Puis Robyn exécuta un pas de swing bien rythmé, pirouetta et s'éloigna de lui, tant et si bien qu'il fut obligé de se trémousser tout seul, à deux mètres en face d'elle.

"Revenez, dit-il, d'un ton pathétique et comique à la fois, traînant les pieds gauchement, le torse droit, les bras raides le long du corps. Je ne peux pas danser ça.

306

– Vous vous en tirez très bien, dit-elle. Laissez-vous aller.

– Je ne me laisse jamais aller, dit-il. Ce n'est pas dans ma nature.

– Pauvre Vic !" Elle se rapprocha de lui en dansant le shimmy, mais juste au moment où, tel le nageur qui se noie, il allait l'atteindre, elle s'écarta.

Finalement, après plusieurs disques, elle eut pitié de lui. Ils s'assirent et commandèrent des jus de fruits. "Merci, Vic, c'était délicieux, dit-elle. Il y a des années que je n'avais pas dansé.

– Vous n'avez pas de bals à l'université ? demanda-t-il. Des 'bals de mai' ?" Il déterra cette expression comme si elle appartenait à une langue étrangère.

"Les bals de mai sont réservés à Cambridge. Je pense qu'ils ont des boums au Club des Profs de Rummidge, mais je ne connais personne qui y aille."

Les lumières baissèrent et une musique d'un tempo plus doux se fit entendre. Les couples sur la piste se serrèrent plus près. Une expression bizarre se dessina sur le visage de Vic, une expression qui, aux yeux de Robyn, paraissait être de l'effroi.

"Cet air, dit-il d'une voix enrouée.

– Vous le connaissez ?

– C'est Jennifer Rush.

– Vous l'aimez bien ?"

Il se leva. "On danse ?

– D'accord."

C'était une ballade lente et caressante avec un refrain absurde et sentimental qui disait *Je suis ta belle, oh toi l'homme de ma vie* et parlait du *pouvoir de l'amour ;* mais cette musique contribua beaucoup à améliorer le style de Vic. Ses membres avaient perdu leur raideur, ses mouvements suivaient parfaitement le rythme, il la tenait serrée contre lui, d'une main à la fois ferme et légère, s'aidant de ses hanches et de ses cuisses pour la guider sur la piste de danse. Il ne disait rien, et, comme elle avait le menton posé sur son épaule, elle ne voyait pas son visage, mais il semblait fredonner quelque chose à voix basse. Elle ferma les yeux et s'abandonna au rythme langoureux de cette musique stupide et sexy. Quand le disque fut terminé, elle lui donna un rapide baiser sur les lèvres.

"Qu'est-ce que ça veut dire ? dit-il, sortant soudain de son extase.

– Et si on allait se coucher ?" dit Robyn.

2

Ils ne se disent rien d'autre avant d'arriver dans la chambre de Robyn. Robyn n'a rien à dire, et Vic est médusé. Tandis que, main dans la main, ils parcourent les couloirs moquettés de l'hôtel, attendent l'ascenseur et montent jusqu'au second étage, leurs états d'esprits respectifs sont loin d'être identiques.

Robyn se sent euphorique. Elle se trouve un peu dévergondée mais pas perverse. Elle n'estime pas qu'elle est en train de séduire Vic mais plutôt qu'elle s'apprête à mettre fin à ses souffrances. On éprouve toujours une exaltation particulière la première fois qu'on se trouve avec un nouveau partenaire. On ne sait jamais très bien à quoi s'attendre. Son cœur bat plus fort que si c'était avec Charles qu'elle allait coucher. Mais elle n'est pas angoissée. Elle est en pleine possession de ses moyens. Elle se sent même un tantinet triomphante devant cette conquête : le capitaine d'industrie aux pieds de la critique littéraire féministe – un tableau bien plaisant.

Pour Vic, l'événement est infiniment plus grave ; il se sent infiniment plus troublé. Son rêve le plus secret depuis plusieurs semaines, coucher avec Robyn Penrose, se réalise enfin, et pourtant il y a quelque chose d'hallucinant de voir avec quelle aisance ce vœu s'accomplit. Il est tout ahuri de constater qu'il se laisse facilement guider par cette femme jeune et jolie qui l'emmène par la main dans sa chambre ; c'est comme si son âme caracolait à cloche-pied derrière son corps. Dans la glace, sur l'une des faces de l'ascenseur, il se voit côte à côte avec Robyn qui le dépasse d'au moins sept centimètres. Elle croise son regard et sourit, prend sa main et la porte contre sa joue. Il a l'impression de regarder une marionnette qu'on manipule. Il lui renvoie son sourire dans la glace, un petit sourire tendu.

Robyn ouvre la porte de sa chambre, accroche le carton *Do Not Disturb* à l'extérieur, et ferme à clé à l'intérieur. Elle se débarrasse de ses souliers et se trouve maintenant à peine plus grande que Vic. Il la pousse contre la porte et se met à l'embrasser passionnément, ses mains l'étreignent et parcourent tout son corps. Seule la passion, se dit-il, pourra lui permettre de franchir le seuil de l'adultère, et c'est comme cela qu'il imagine la passion.

Robyn est surprise et un peu affolée par ce comportement. "Doucement, Vic, dit-elle hors d'haleine. Pas la peine de m'arracher mes vêtements.
– Désolé, dit-il, s'arrêtant net ; ses bras retombent contre son corps et il la regarde d'un air humble. C'est la première fois que je fais ça.
– Oh, Vic, dit-elle, arrête de dire ça, c'est trop triste. Elle se dirige vers le minibar et jette un coup d'œil à l'intérieur. Sensas, dit-elle, il y a une demi-bouteille de champagne. Tu n'es pas obligé de faire quoi que ce soit si tu ne veux pas.
– Oh, mais je le veux, dit-il. Je t'aime.
– Ne sois pas idiot, dit-elle en lui tendant la bouteille. Cette chanson t'est montée à la tête. Tout ce bla-bla-bla sur le pouvoir de l'amour.
– C'est ma chanson préférée, dit-il. Maintenant, ce sera notre chanson à nous deux."
Robyn n'en croit pas ses oreilles.

Robyn tend deux verres. Vic n'en remplit qu'un. "Pas pour moi", dit-il.
Robyn le regarde par-dessus le rebord de son verre. "Tu n'as tout de même pas peur d'être impuissant ?
– Non", dit-il d'une voix rauque. C'est ce qu'il craint, bien sûr.
"Si ça arrive, ça ne fera rien, d'accord ?
– Je ne crois pas que ça se produira, dit-il.

310

– Tu peux te contenter de me faire un massage, si tu préfères.

– Je veux faire l'amour, dit-il.

– Se masser, c'est une façon de faire l'amour. C'est doux, c'est tendre, et ce n'est pas phallique.

– Je suis plutôt du genre phallique, dit-il en s'excusant.

– Eh bien, c'est une forme agréable d'approche", dit Robyn.

Le mot "approche" le fait bander affreusement.

Robyn passe la main derrière son dos, dégrafe sa robe et la fait glisser le long de ses épaules. En la suspendant dans la garde-robe, elle inspecte l'étiquette. *"Made in Italy.* J'ai encore raté le test de patriotisme." Elle enlève sa combinaison en la faisant passer par-dessus sa tête. *"Fabriqué en France.* Décidément." C'est une façon pour elle de maintenir l'atmosphère détendue. Elle regarde Vic, qui a les yeux fixés sur elle et tient toujours la bouteille de champagne. "Tu ne te déshabilles pas ? dit-elle. Je me sens un peu gênée d'être là comme ça." Elle n'a plus sur elle que sa chemise, sa culotte et son collant.

"Excuse-moi", dit-il, en se défaisant de sa veste, tirant sur sa cravate et arrachant sa chemise.

Elle ramasse la chemise sur le plancher et cherche l'étiquette. "Ha ! *Made in Hong Kong.*

– C'est Marjorie qui achète mes chemises.

– Inutile de t'excuser... Le costume a l'air anglais, lui. Elle suspend sa veste à un valet en bois. Bien trop anglais, si je puis me permettre, Vic."

Le seul vêtement de Robyn qui ait été fait en Grande-Bretagne est le dernier qu'elle enlève. "J'achète toujours mes culottes chez Marks and Spencer's", dit-elle avec un petit sourire.

Elle est debout devant lui, comme une déesse nue. Petits seins ronds aux mamelons roses et pointus. Taille mince, hanches larges, ventre légèrement arrondi. Une langue de feu au bas du ventre. Il tombe en adoration.

"Tu es belle, dit-il.

311

– Je vais t'avouer quelque chose de terrible. J'aimerais bien avoir des seins plus gros. Pourquoi ? Je me le demande bien. Il n'y a absolument aucune raison, mis à part les stéréotypes sexuels les plus grossiers.

– Tes seins sont magnifiques, dit-il en les baisant doucement.

– C'est bon, Vic, dit-elle. Tu commences à comprendre. C'est bon quand c'est doux."

Elle ouvre les draps du lit, met une bouteille d'huile à portée de la main sur la table de chevet, éteint toutes les lumières sauf une. Elle s'allonge sur le lit et tend la main. "Tu n'enlèves pas ton caleçon ? dit-elle.

– On ne pourrait pas éteindre ?

– Sûrement pas."

Il se détourne pour enlever son caleçon, puis s'approche du lit, en mettant ses mains devant lui pour cacher son sexe en érection.

"Dis donc, quel bâton ! dit-elle.

– Pourquoi tu appelles ça comme ça ?

– Je plaisantais. Rapide comme un lézard, elle sort sa langue et se met à lui lécher le sexe de la racine jusqu'à la pointe.

– Bon sang ! dit-il. Est-ce qu'on ne peut pas faire l'économie de ce massage ?

– Si tu veux, dit-elle, commençant elle-même à se sentir excitée par l'ardeur de son désir. Tu as un préservatif ?"

Vic la regarde, consterné. "Tu ne prends pas la pilule ou quelque chose ?

– Non. J'ai cessé de prendre la pilule pour des raisons de santé. Le stérilet aussi.

– Qu'allons-nous faire ? Je n'ai rien.

– Heureusement que j'ai quelque chose. Passe-moi ce sac en éponge, tu veux ?"

Il lui passe le sac. "Nous y voilà, dit-elle. Tu veux que je te le mette ?

– Seigneur, non ! s'exclame-t-il.
– Pourquoi pas ?"
Il part d'un rire un peu fou. "D'accord."
D'une main experte, elle déroule le préservatif sur son pénis. Lorsqu'elle relâche l'extrémité, celle-ci retombe sur le côté comme une mèche rebelle.
"Je n'en crois pas mes yeux", dit-il.

Robyn ne peut pas s'empêcher de jouer à la prof, bien sûr, de chercher à prouver quelque chose, à démystifier "l'amour".
"Je t'aime, dit-il, lui baisant le cou, lui caressant les seins et effleurant la courbe de sa hanche.
– Non, ce n'est pas vrai, Vic.
– Je suis amoureux de toi depuis des semaines.
– L'amour n'existe pas, dit-elle. C'est une ruse rhétorique. C'est un sophisme bourgeois.
– Tu n'as donc jamais été amoureuse ?
– Si, quand j'étais plus jeune, dit-elle. Je me suis laissé bercer pendant un temps par le discours d'usage sur l'amour romantique.
– Qu'est-ce que tu me chantes là ?
– Nous ne sommes pas des essences, Vic. Nous ne sommes pas des essences individuelles uniques qui pré-existent au langage. Il n'y a que le langage.
– Et ça ? dit-il, glissant la main entre ses cuisses.
– Le langage et la biologie, dit-elle, ouvrant ses jambes un peu plus. Bien sûr, nous avons un corps, des besoins et des appétits physiques. Mes muscles se contractent quand tu me touches là – tu le sens ?
– Je le sens, dit-il.
– Et c'est bon. Mais le discours de l'amour romantique prétend que ton doigt et mon clitoris sont les prolonge-ments de deux individus uniques qui auraient un besoin impérieux l'un de l'autre, et qui, pour être vraiment heu-reux, ont besoin l'un de l'autre pour toujours.
– C'est vrai, dit Vic. J'adore ta chatte soyeuse de tout mon être et pour toujours.
– Idiot, dit-elle, mais elle sourit, sensible malgré tout à

313

sa déclaration. Pourquoi tu appelles ça comme ça ?

– Je plaisantais, dit-il, en s'allongeant sur elle. Tu ne crois pas qu'on pourrait peut-être arrêter de parler maintenant ?

– D'accord, dit-elle. Mais je préfère être dessus."

3

"Tu t'imagines, chuchota Robyn. Il n'avait jamais fait l'amour comme ça avant.

– Vraiment ? lui répondit Penny Black en chuchotant. Tu as dit qu'il était marié depuis combien de temps ?

– Vingt-deux ans.

– Vingt-deux ans et toujours dans la position du missionnaire ? C'est presque de la perversion."

Robyn ricana, se sentant un peu coupable. Elle n'aimait pas ridiculiser Vic devant Penny Black, mais elle avait besoin de se confier à quelqu'un. Dix jours s'étaient écoulés depuis l'expédition de Francfort, et elle était au sauna avec Penny après leur match de squash du lundi – toutes les deux étaient assises sur le banc le plus haut, le plus chaud, et elles parlaient à voix basse parce que la femme de Philip Swallow, enveloppée pudiquement dans une serviette, était assise sur le banc le plus bas.

"Pour tout te dire, je ne crois pas qu'il y ait eu beaucoup de sexe dans leur mariage ces dernières années, dit Robyn.

– Ça ne m'étonne pas", dit Penny.

Mme Swallow se releva et sortit du sauna, saluant sèchement les deux jeunes femmes d'un petit signe de tête en refermant la porte.

"Mon Dieu, dit Robyn, tu crois qu'elle a pu penser que nous parlions d'elle et de Swallow ?

– Ne t'occupe pas des Swallow, dit Penny, parle-moi plutôt de ta java avec Wilcox. Qu'est-ce qui t'a pris ?

– Il m'a plu, dit Robyn, le menton entre les mains, les coudes calés sur les genoux. Dans cette conjoncture précise, il m'a plu.

– Je croyais que tu ne pouvais pas le supporter ? Je croyais que c'était un béotien autoritaire, un affreux phallocrate.

– Oui, il m'a fait cette impression au début. En fait, il n'est pas si mal que ça, quand on le connaît mieux. Et il est loin d'être idiot.

– Tout cela ne m'explique pas pourquoi tu as couché avec lui.

– Je te l'ai dit, Penny, il m'a plu ce soir-là. Tu sais comment ça se passe : on se trouve dans un lieu étranger, on prend quelques verres, on fait quelques tours sur la piste de danse...

– Ouais, ouais, je sais, j'ai fait des cours en université d'été. Mais quoi, Robyn – un propriétaire d'usine qui n'est déjà plus très jeune !

– Directeur Général.

– Comme tu voudras... c'est presque du viol.

– Il n'a pas été violent du tout. Bien au contraire.

– Je ne voulais pas dire physiquement, mais psychologiquement. Je crois que tu t'es laissé avoir par l'argent et le pouvoir de cet homme. Il est l'antithèse de tout ce que tu représentes. Penny Black hocha la tête d'un air critique. C'est encore le vieux fantasme de viol cher aux femmes qui refait surface dans toute son horreur, Robyn, j'en ai bien peur. Quand Wilcox t'a sautée, c'était comme si l'usine violait l'université.

– Ne sois pas ridicule, Penny, dit Robyn. S'il y en a eu un qui a violé l'autre, c'est bien moi. L'ennui, c'est qu'il en fait tout un cinéma. Il prétend être amoureux de moi. Je lui ai bien dit que je ne croyais pas à ce concept, mais ça ne sert à rien. Il n'arrête pas de me téléphoner et de me demander de le rencontrer. Je ne sais pas quoi faire.

– Dis-lui que tu es très attachée à Charles.

– L'ennui, c'est que ce n'est pas vrai. On ne se voit plus actuellement.

– Dis-lui que tu es lesbienne, dit Penny, lui jetant un petit regard malicieux. Ça devrait suffire à le décourager."

Robyn éclata de rire, un peu gênée, et ramena ses jambes l'une contre l'autre. Elle soupçonnait Penny Black d'être un tantinet lesbienne. "Il sait que je ne suis pas gouine, dit-elle, il ne le sait que trop.

– Qu'est-ce qu'il mijote dans sa petite tête ? dit Penny.

Est-ce qu'il veut t'installer comme sa maîtresse ou quoi ?
Elle gloussa. Tu ferais peut-être bien d'y réfléchir sérieusement, ça pourrait te rendre service quand tu vas perdre
ton boulot.

— Il prétend qu'il veut m'épouser, dit Robyn. Il est disposé à divorcer et à m'épouser.

— Oh là là ! Il y va fort !

— C'est surtout ridicule, bien sûr.

— Et tout ça à cause d'une petite baise ?

— Trois, en fait", dit Robyn.

La première fois, il avait éjaculé presque aussitôt, à
l'instant même où elle s'était allongée sur lui en le serrant
bien fort – il avait éjaculé en poussant un grognement
sonore, comme un arbre que l'on arrache du sol par les
racines. Un peu plus tard, il eut de nouveau une petite
érection et put lui donner un orgasme, mais elle dut avoir
recours à un petit massage à l'huile pour le faire éjaculer
de nouveau. Il en pleura – de gratitude, d'humiliation, des
deux à la fois peut-être, elle n'aurait su le dire. Au petit
matin, alors que la lumière grise de l'aube commençait
tout juste à filtrer à travers les rideaux, elle se réveilla et
trouva la main de Vic glissée entre ses jambes ; elle se
retourna, s'allongea sur le dos et, encore dans les brumes
du sommeil, elle le laissa la prendre à sa manière à lui,
sous les couvertures, sans dire un mot – mais dans une
débauche de cris et de grognements à laquelle elle s'asso-
cia elle aussi. Lorsqu'elle se réveilla la seconde fois, il faisait grand jour et il était retourné dans sa chambre, ce qui
la soulagea infiniment. Elle ne le croyait pas capable de
tant de tact. Ils allaient maintenant pouvoir faire comme si
les événements de la nuit avaient été une parenthèse dans
leurs relations normales. Dégrisée, et bien éveillée, elle
n'avait nulle envie de se rappeler tout ça.

Mais, au petit déjeuner dans le restaurant, il la regarda
par-dessous sa mèche avec une ferveur inquiète de chien
battu, répondant à peine à son bavardage, mangeant peu,
buvant des quantités de cafés, fumant ses Marlboro comme
un pompier. Lorsqu'ils remontèrent pour faire leurs

valises, il la suivit dans sa chambre et lui demanda ce qu'ils allaient faire maintenant. Robyn lui dit qu'elle allait peut-être jeter un coup d'œil à la Vieille Ville pendant qu'il traiterait ses affaires à la foire commerciale, et, lui, répondit, je ne parlais pas de ça, je voulais dire qu'allons-nous faire après ce qui s'est passé hier soir ? Alors, elle dit, nous n'avons pas besoin de faire quoi que ce soit, en fait. On a été un peu fous, mais c'était bon. Bon, dit-il, bon, c'est tout ce tu as à dire ? C'était merveilleux. D'accord, dit-elle, pour lui faire plaisir, c'était mer-veilleux. J'ai très bien dormi, pas toi ? J'ai à peine fermé l'œil, dit-il, et ça se lisait sur sa figure. Mais c'était mer-veilleux, dit-il, surtout la dernière fois, on a eu du plaisir en même temps la dernière fois, n'est-ce pas ? Ah bon, dit-elle, je ne m'en souviens pas vraiment, je dormais encore à moitié. Ne te moque pas de moi, dit-il. Je ne me moque pas de toi, dit-elle. Ça ne veut rien dire pour toi, j'imagine, dit-il, ce n'était qu'une... comment on dit, une représenta-tion d'un soir, je suppose que tu as l'habitude de faire ça, mais moi pas. Moi non plus, répliqua-t-elle vivement, je n'ai couché avec personne d'autre qu'avec Charles depuis des années, et je ne vois plus Charles ces temps-ci. Mais ce n'est pas vraiment ton affaire, ajouta-t-elle. Mais elle vit aussitôt qu'il avait l'air soulagé. Eh bien, alors, dit-il, c'était de l'amour. Non, ça n'en était pas, dit-elle, puisque je te dis que ça n'existe pas, l'amour. L'amour, ce genre d'amour, c'est une escroquerie littéraire. Une escroquerie publicitaire et médiatique aussi. Je ne le crois pas, dit-il. Il faut qu'on en reparle. Je te retrouve pour déjeuner au Plaza, là où on a mangé hier.

"Alors, j'ai foutu le camp, expliqua Robyn après avoir résumé cette petite scène à Penny Black. J'ai téléphoné à l'aéroport et découvert qu'avec mon ticket je pouvais ren-trer à Rummidge dans la matinée en passant par Heathrow, alors je suis partie.

– Sans rien dire à Wilcox ?

– J'ai laissé un message au Plaza. Je ne me sentais pas de force de supporter une discussion sentimentale pendant le déjeuner et de causer de la nuit précédente. Et, en plus, je me sentais très coupable de ne pas avoir donné mes cours au Département. Je suis rentrée très tôt à Rummidge, à cause du décalage horaire. J'ai pris un taxi pour me rendre à l'université et je suis arrivée juste à temps pour mon deuxième séminaire de littérature féminine. Swallow était très soulagé de me voir arriver. Je crois que la discussion sur la menstruation avec le premier groupe lui avait donné pas mal de fil à retordre – il n'avait pas l'air d'être dans son assiette. Et j'ai aussi pu assurer le séminaire du groupe de troisième année que devait prendre Rupert Sutcliffe, au grand soulagement des étudiants. Ce soir-là, je suis rentrée chez moi en bus, plutôt contente de moi. Mais, bien sûr, quand je suis arrivée au coin de ma rue, il était là à m'attendre.

– Tu as eu peur ? dit Penny Black. Tu as pensé qu'il pouvait t'agresser ?

– Bien sûr que non, dit Robyn. Et puis, comment avoir peur de quelqu'un qui a sept centimètres de moins que toi ?''

En la voyant s'approcher de chez elle, Vic était sorti de sa voiture, le visage blême et tendu. Pourquoi tu es partie comme ça ? dit-il. J'avais des choses à faire à Rummidge, dit-elle, fouillant dans son sac pour chercher ses clés. Si j'avais su que c'était si facile, je serais revenue hier soir, au lieu de passer la nuit, ç'aurait été mieux pour tout le monde. Puis-je entrer ? dit-il. Je veux bien, dit-elle, si tu y tiens, mais on ne t'attend pas chez toi ? Pas encore, dit-il. Il faut que je te parle. D'accord, dit-elle, à condition qu'on ne parle pas d'amour ou de ce qui s'est passé hier soir. Tu sais parfaitement bien que c'est de ça que je veux parler, dit-il. C'est la condition, dit-elle. D'accord, dit-il, j'imagine que je n'ai pas le choix.

Elle le fit entrer dans le salon et alluma le radiateur à gaz. Il regarda partout autour de lui. Tu devrais demander à une femme de ménage de venir faire un peu de nettoyage, dit-il. Je ne demanderais jamais à une femme de venir faire mon sale boulot, dit-elle, c'est contraire à mes principes. Eh bien un homme, alors, dit-il, il y a des hommes de ménage, je crois, maintenant. Je ne peux pas me le permettre, dit-elle. Je paierai, dit-il, et elle lui adressa un regard sévère pour le mettre en garde. J'aime ma maison comme elle est, dit-elle. C'est peut-être le chaos à tes yeux, mais pour moi c'est un système de classement comme un autre. Je sais exactement où trouver n'importe quoi sur le plancher. Une femme de ménage rangerait tout ça, et je serais perdue.

Elle proposa de faire du thé, et il la suivit dans la cuisine. Il eut l'air affolé en voyant le tas de vaisselle sale dans l'évier. Pourquoi tu n'achètes pas un lave-vaisselle ? dit-il. Parce que je n'en ai pas les moyens, et, non, tu ne m'en achèteras pas un, dit-elle. De toute façon, j'aime bien faire la vaisselle, c'est une sorte de thérapie. Tu n'as pas l'air d'avoir souvent besoin de cette thérapie, dit-il.

"Quel toupet ! commenta Penny Black.

– Ça ne m'a même pas vexée, dit Robyn. J'ai plutôt pris cela comme un bon signe – ça voulait dire au moins qu'il n'avait plus son humeur larmoyante. Elle descendit et enjamba les bancs pour aller jeter de l'eau sur le poêle avec un seau en plastique. La vapeur chuinta rageusement et la température s'éleva de quelques degrés. Elle remonta sur son perchoir. J'ai fait ce que j'ai pu pour l'empêcher de penser à ces histoires d'amour et je l'ai branché sur l'aspect commercial de notre voyage à Francfort. C'est alors que j'ai eu une sacrée mauvaise surprise."

"Alors, quand est-ce que tu vas l'avoir, ton nouveau petit jouet, avait-elle demandé, tandis qu'ils revenaient au salon avec leur tasse de thé. Oh, dans six ou neuf mois, je pense, dit-il. Peut-être douze. C'est si long que ça ? dit-elle. Ça dépend, dit-il, ou bien ils ont déjà quelque chose de tout prêt qui fait l'affaire, ou bien ils sont obligés de partir de zéro. J'espère que ce ne sera pas plus de neuf mois, dit-il, car j'ai l'impression que nous allons sortir du creux de la vague. Les affaires vont reprendre l'année prochaine et avec cette nouvelle soufflerie de noyaux couplée au KW, nous serons prêts à affronter un marché en expansion. J'imagine qu'il va vous falloir produire plus pour rentabiliser la machine, dit-elle. Oui, dit-il, mais on va économiser aussi sur les frais de fonctionnement. Il y aura moins de pannes, moins d'heures supplémentaires pour rattraper les pannes, et, bien sûr, je vais pouvoir laisser partir plusieurs hommes. Que veux-tu dire, laisser partir ? dit-elle. Eh bien, la nouvelle machine va à elle toute seule faire le travail d'une demi-douzaine de vieilles machines, dit-il, si bien que la plupart des ouvriers qui travaillent sur ces machines vont se trouver en surnombre. Mais c'est affreux, dit-elle, si j'avais su ça, je ne t'aurais jamais aidé à acheter cette satanée machine. Mais ça crève les yeux, dit-il, c'est pour ça qu'on achète une machine CN, pour réduire le coût de la main-d'œuvre. Si j'avais su que ça allait provoquer des licenciements, je ne me serais jamais mêlée de ça, dit-elle. C'est stupide, dit-il, si on veut survivre comme entreprise, on ne peut pas se permettre de faire du sentiment pour quelques hommes qu'on licencie. Du sentiment, s'écria-t-elle, c'est bien à toi de parler ! Toi qui as les genoux qui flageolent quand tu entends Jennifer Rush, toi qui crois être amoureux la première fois que tu baises. Ce n'est pas la même chose, dit-il, sursautant en entendant le mot baise, je parle affaires, tu ne comprends pas. Je comprends seulement que certains hommes qui ont un boulot aujourd'hui ne l'auront plus dans un an, dit-elle, grâce à toi, à moi et à Herr Winkler. Il fallait bien qu'un jour ou l'autre on remplace ces vieilles machines, dit-il, elles tombent en panne sans arrêt et elles sont d'un maniement difficile ; on n'arrête pas d'avoir des ennuis avec elles, tu en sais quelque chose... Il bredouilla et se tut, en voyant le visage de Robyn. Elle le regardait d'un air incrédule. Tu ne vas pas me dire que Danny Ram travaille sur une de ces machines, dit-elle. Je croyais que tu le savais", dit-il.

"Tu vois d'ici comme j'ai pu me sentir stupide, dit Robyn. Après toute la peine que je m'étais donnée en janvier pour aider Danny Ram à garder son boulot, voilà maintenant que je découvrais que j'avais contribué à le lui faire perdre de nouveau.

– C'est dégoûtant, reconnut Penny Black. Comment se fait-il que tu ne le savais pas ?

– Je n'ai jamais su exactement quel boulot il faisait, dit Robyn. Tu comprends, je ne connais pas le nom de toutes ces machines, ni à quoi elles servent. Je ne suis pas ingénieur.

– Inutile de te faire du mouron, dit Penny Black. Je parie que Wilcox se serait débarrassé de lui, de toute façon, dès que tu aurais eu le dos tourné. Le salaud me fait l'impression d'être un dur à cuire.

– Dur en surface mais mou au milieu. Quand il a vu à quel point j'étais bouleversée, il a commencé à faire marche arrière et il a prétendu qu'il ne serait peut-être pas nécessaire de licencier des hommes après tout. Si tout allait bien, dit-il, on pourrait peut-être créer une équipe de nuit – tu imagines ce que ça peut être de travailler la nuit dans ce trou, ce n'est déjà pas de la tarte le jour... mais enfin passons. Ensuite, il a dit qu'il promettait de trouver un autre boulot pour Danny Ram ailleurs dans l'usine.

– Rien que pour te faire plaisir ? Et sur le dos d'un autre pauvre type, je suppose.

– Exactement. C'est ce que je lui ai dit."

Tu joues avec la vie des gens comme si c'était quelque chose qu'on achète, qu'on vend et dont on se débarrasse, dit-elle. Tu m'offres l'emploi de Danny Ram comme une faveur, un pot-de-vin, un cadeau, tout comme d'autres offrent des colliers de perles à leur maîtresse. Je ne te demande pas d'être ma maîtresse, dit-il, je te demande d'être ma femme. Elle resta bouche bée à le regarder puis rejeta la tête en arrière et se mit à rire. Tu es devenu fou, dit-elle, tu as oublié que tu étais déjà marié ? Je vais divorcer, dit-il. Je ne veux plus entendre ces idioties, dit-elle, tu ferais mieux de rentrer chez toi, je crois, j'ai tout un tas de dissertations à corriger. Le trimestre se termine demain. Ecoute-moi, dit-il, mon mariage est mort depuis des années, on n'a plus rien en commun, Marjorie et moi. Et qu'est-ce que tu crois que nous ayons en commun toi et moi ? demanda-t-elle. Pas une seule idée, pas une seule valeur, pas le moindre centre d'intérêt. On a la nuit dernière, dit-il. Oh, arrête, je ne veux plus entendre parler de la nuit dernière, dit-elle. C'était juste une petite baise, rien de plus. Ne dis plus ça, je t'en prie, dit-il. On croirait à t'entendre que ça n'était jamais arrivé avant, dit-elle. Ça ne m'était jamais arrivé à moi avant, dit-il, pas comme ça. Oh, tais-toi, dit-elle, va-t'en, rentre chez toi, je t'en supplie. Elle se redressa dans son fauteuil, ferma les yeux et fit quelques exercices respiratoires de yoga. Elle entendit le plancher craquer lorsqu'il se releva, et sentit sa présence tomber sur elle comme une ombre. Quand est-ce que je vais te revoir ? dit-il. Je n'en ai aucune idée, dit-elle, sans même ouvrir les yeux. Je ne vois pas pourquoi on se reverrait, sauf par hasard. Ce programme stupide est terminé. Je n'ai plus à mettre les pieds dans ton horrible usine, Dieu merci. Je te contacterai, dit-il, et, comme elle avait les yeux fermés, il en profita pour l'embrasser rapidement sur les lèvres. Elle se releva d'un bond, et, le mitraillant des yeux de toute sa hauteur, elle lui dit les lèvres serrées : *Laisse-moi tranquille !* D'accord, dit-il, je m'en vais. Arrivé à la porte, il se retourna et la regarda. Quand tu es en colère, dit-il, tu ressembles à une déesse.

"Une *déesse* ? Penny Black répéta le mot d'un ton admiratif.
– C'est ce qu'il a dit. Dieu sait ce qu'il voulait dire par là."
Penny Black déplaça son corps massif d'une fesse sur l'autre en faisant trembler ses seins pendants. Des filets de sueur coulaient entre ses deux seins et se perdaient dans l'épaisse touffe humide de son bas ventre. "Je dois reconnaître, Robyn, toute idéologie mise à part... Enfin, ce n'est pas tous les jours qu'une femme se fait traiter de déesse.
– C'est plutôt agaçant, en ce qui me concerne, agaçant et gênant. Il n'arrête pas de me téléphoner, et il m'écrit tous les jours.
– Qu'est-ce qu'il dit ?
– Je ne sais pas. Je raccroche aussitôt et je jette ses lettres sans les lire.

– Pauvre Vic !

– Inutile d'avoir pitié de lui – tu ferais mieux de dire pauvre Robyn ! Je suis incapable d'avancer dans ma recherche.

– Il a le mal d'amour, le pauvre Vic. Un de ces jours, il va venir jusque chez toi te jouer la sérénade.

– Oui, il va passer un enregistrement de Jennifer Rush et de Randy Crawford sous ma fenêtre. Elles partirent toutes les deux d'un petit rire nerveux. Non, je t'assure, ce n'est pas drôle, dit Robyn.

– Est-ce que sa femme est au courant ?

– Je ne crois pas, dit Robyn. Mais elle doit se douter de quelque chose. Et j'ai reçu la visite de sa fille aujourd'hui.

– Sa *fille* ?"

Sandra Wilcox s'était présentée au Département sans prendre de rendez-vous, et c'était par hasard que Robyn se trouvait dans son bureau à ce moment-là en train de vérifier le texte d'une épreuve d'examen. La jeune fille était habillée très mode, tout en noir, son maquillage trop épais lui faisait comme un masque blanc, et ses cheveux étaient coiffés de manière très élaborée et on aurait dit qu'elle venait de se faire électrocuter. Oh ! Salut Sandra, avait dit Robyn, entre, tu n'es pas à l'école aujourd'hui ? Il a fallu que j'aille chez le dentiste cet après-midi, dit Sandra. Il était trop tard pour retourner à l'école, alors j'ai pensé venir vous voir. Ah bon ! dit Robyn, et qu'est-ce que je puis faire pour toi ? Ce n'est pas moi, c'est mon père, dit Sandra. Eh bien, qu'est-ce qu'il a qui ne va pas ? demanda Robyn inquiète. Je veux dire, c'est mon père qui m'a dit de venir, dit Sandra. Ah, je vois, dit Robyn, avec un petit rire, mais elle s'était un peu trahie devant la jeune fille, et cela demeura comme un sous-texte pendant tout le temps qu'elles discutèrent des avantages et des inconvénients qu'il pouvait y avoir à rentrer à l'université. Pourquoi tu n'essaierais pas de t'inscrire en 1988, dit Robyn, tu prendrais ainsi une année de réflexion après la terminale pour te décider ? Oui, je pourrais, j'imagine, dit Sandra, je pourrais prendre un boulot chez Tweezers – j'y travaille déjà le

samedi. Tweezers, dit Robyn, qu'est-ce que c'est que ça ?
Un salon de coiffure unisexe, dit Sandra.

Elle jeta un coup d'œil autour du bureau. Vous avez lu
tous ces livres ? dit-elle. Pas tous, dit Robyn, mais il y en a
que j'ai lus plusieurs fois. Pour quoi faire ? dit Sandra. Tu
n'as pas l'intention de t'inscrire en Anglais, j'imagine,
Sandra, dit Robyn. Non, dit Sandra. Ah bon ! dit Robyn,
parce qu'il y a beaucoup de choses à lire et à relire en
Anglais. Si je me décide, ce sera pour faire Psycho, dit
Sandra. J'aime bien voir comment les gens pensent. Je ne
suis pas sûre que la psychologie t'aidera beaucoup pour
cela, dit Robyn, il y est surtout question de rats, pour
autant que je sache. Tu apprendrais sûrement davantage
sur les gens et leur façon de penser en lisant des romans.
Mes parents, par exemple, dit Sandra, j'aimerais bien
savoir ce qui les pousse à agir. Mon père se comporte
bizarrement, ces temps-ci. Ah oui ! dit Robyn, comment
cela ? Il n'écoute pas un mot de ce qu'on lui dit, dit
Sandra, il a l'air de vivre comme dans un rêve. Il est rentré
dans une voiture l'autre jour. Ah, mince alors, j'espère
qu'il n'a pas eu de mal, dit Robyn. Non, sa voiture n'a eu
qu'une petite bosse, mais c'est son premier accident en
vingt-cinq ans. Maman est inquiète à son sujet, je vous
assure, et sa consommation de Valium a beaucoup aug-
menté. Ta mère prend du Valium régulièrement ? demanda
Robyn. Pas rien qu'un peu, dit Sandra, vous n'avez qu'à la
prendre et à la secouer, et elle se met à faire un bruit de
crécelle. Et maintenant, papa lit des livres, des romans, il
n'avait encore jamais fait ça de sa vie. Quelle sorte de
romans ? dit Robyn. Le *Jane Eyre* que j'ai à l'école, par
exemple, dit Sandra, on l'étudie pour l'examen. Je le cherchais partout l'autre jour, et ça m'a mise en retard pour
l'école. J'ai fini par le trouver sous un coussin dans son
fauteuil du salon. Qu'est-ce qu'il peut bien chercher dans
Jane Eyre à son âge ?

"Il cherche manifestement à étudier tes centres d'intérêt, dit Penny Black. C'est plutôt attendrissant en définitive.

– Plutôt affolant, tu veux dire, dit Robyn. Que puis-je faire ? Un de ces jours, je vais voir arriver Mme Wilcox dans mon bureau, abrutie par le Valium, me suppliant de ne pas lui enlever son mari. J'ai l'impression d'être embarquée dans un roman réaliste classique régi par les lois de la causalité et de la morale. Comment puis-je m'en sortir ?

– J'en ai assez comme ça, dit Penny Black, en se relevant.

– Excuse-moi, dit Robyn d'un air contrit.

– Je veux dire que j'en ai assez de cette chaleur. Je vais prendre une douche.

– Je te suis, dit Robyn. Mais que puis-je faire ?

– Tu ferais bien de foutre le camp encore une fois", dit Penny Black.

4

Robyn entassa donc ses livres, ses notes et son ordinateur BBC à l'arrière de sa Renault, ferma sa petite maison et alla passer le reste des vacances de Pâques chez ses parents dans leur maison face à la mer, sur la Côte Sud. Elle demanda à Pamela, la secrétaire du Département, de ne communiquer son adresse à personne, sauf en cas d'extrême urgence, lui expliquant qu'elle souhaitait avancer dans sa recherche loin de toute distraction. Elle usa du même prétexte auprès de ses parents quelque peu surpris de la voir débarquer à l'improviste et pour une si longue visite. Sa vieille chambre était presque comme elle l'avait laissée en partant pour l'université ; les photos de David Bowie, des Who et des Pink Floyd avaient été enlevées des murs, et la tapisserie avait été changée, mais les boiseries étaient toujours peintes de ce même rose vif qu'elle avait choisi pendant les dernières années de son adolescence. Elle installa sa machine à traitement de texte sur le bureau éraflé et taché où elle avait bûché pour son examen de Terminale, juste en dessous de la fenêtre d'où elle apercevait, quand elle levait les yeux de son travail, la ligne bleue de la Manche qui se dessinait discrètement à l'horizon entre les toits des deux maisons voisines.

Elle passa le plus clair de son temps dans sa chambre, mais lorsqu'elle allait en ville pour faire des courses, ou simplement pour se dégourdir les jambes, elle avait l'impression malgré elle de se retrouver dans un pays étranger, et pourtant Rummidge n'était qu'à un peu plus de deux cents kilomètres de là. Il n'y avait pas une seule usine dans les environs, pas de classe ouvrière non plus. Les rares personnes au visage basané ou noir que l'on rencontrait étaient surtout des étudiants de l'université ou des touristes venus en car admirer la magnifique cathédrale ancienne qui se dressait dans un cadre paisible de pelouses vertes et d'arbres centenaires. Les magasins étaient petits, très spécialisés et tenus par des commerçants délicieux et courtois. Les clients semblaient tous porter des vêtements neufs de chez Jaeger et conduire des Volvo qui sortaient tout droit de l'usine. Les rues et les jardins étaient parfaitement entretenus, l'air était doux et propre, fleurant bon la mer. En songeant à Rummidge, en plein cœur de l'Angleterre, avec ses constructions noires et serrées, ses bruits, ses fumées, sa laideur, ses usines métallurgiques aveugles et ses longues rues bordées de maisons en terrasse qui se traînaient comme des vers de terre sur les collines, ses autoroutes congestionnées et ses canaux noirs, son abominable cœur en béton jonché d'immondices et défiguré par les graffitis, Robyn se demandait si c'était par hasard ou par ruse que la bourgeoisie anglaise avait réussi à tenir la révolution industrielle à l'écart de ses lieux favoris.

"Vous ne savez pas à quoi ressemble le monde réel, là-bas, dit-elle à ses parents, un soir au souper.

– Oh, mais si, dit son père. C'est pour ça que nous avons choisi de rester ici. J'aurais pu obtenir la Direction du Département à Liverpool il y a plusieurs années. J'y suis allé et j'ai parcouru les rues pendant une matinée, et j'ai dit au Président, non, je vous remercie, mais je préfère rester professeur toute ma vie plutôt que de venir vivre ici.

– Tu ne regretteras pas de quitter Rummidge, j'imagine, ma chérie ? dit sa mère.

– Si, je le regretterai beaucoup, dit Robyn. Surtout si je ne trouve pas un autre poste.

– Si seulement quelque chose se présentait ici, soupira sa mère. Ton père pourrait user de son influence.

– Surtout pas, dit le professeur Penrose, je serais bien obligé de promouvoir ta candidature, mais je ne pourrais rien faire pour assurer ta nomination. Le professeur Penrose s'exprimait toujours avec grandiloquence et pondération, peut-être pour dissimuler ses origines australiennes, se disait parfois Robyn. Mais le problème ne se présentera pas, malheureusement. Nous subissons les mêmes réductions budgétaires que partout ailleurs. Il n'y a aucune chance pour que se créent de nouveaux postes à la Faculté des Lettres, à moins que la circulaire de la Commission Budgétaire des Universités ne se révèle plus généreuse que prévu.

– De quelle circulaire veux-tu parler ? demanda Robyn.

– La CBU va annoncer, sans doute en mai, la ventilation des fonds disponibles entre toutes les universités, sur la base d'une évaluation de leur capacité de recherche et de la viabilité de leurs Départements. Le bruit court qu'une ou deux universités vont être fermées complètement.

– Ils n'oseraient pas faire ça ! s'exclama Robyn.

– Ce gouvernement est capable de tout, dit le professeur Penrose qui était membre du parti social-démocrate. Ils s'acharnent à vouloir détruire notre système universitaire qui est pourtant le meilleur au monde. Qu'est-il advenu de l'esprit du rapport Robbins ? L'enseignement supérieur pour tous ceux qui peuvent en bénéficier. Est-ce qu'on t'a raconté, dit-il, avec un sourire en évoquant ce souvenir devant sa fille, que quelqu'un m'a demandé un jour si nous t'avions appelée Robyn à cause du rapport Robbins ?

– Oui, plusieurs fois, papa, dit Robyn. Inutile de dire que je déplore toutes ces réductions budgétaires, mais ne crois-tu pas, rétrospectivement, que la façon dont on a appliqué le rapport Robbins a été une erreur ?"

Le professeur Penrose posa son couteau et sa fourchette et regarda Robyn par-dessus ses lunettes. "Que veux-tu dire ?

– Eh bien, par exemple, on a construit beaucoup de nouvelles universités dans des parcs à la périphérie des villes, du moment que ces villes étaient le siège d'un comté ou possédaient une cathédrale, tu crois que c'était une bonne idée ?

– Mais pourquoi veux-tu que les universités soient dans des lieux sordides plutôt que dans des lieux agréables ? dit Mme Penrose d'un ton plaintif.

– Parce que ça perpétue l'idée, entretenue par Oxbridge, d'un enseignement supérieur comme modèle pastoral, comme espace idyllique privilégié, coupé de la vie ordinaire.

— Absurde, dit le professeur Penrose. Les universités nouvelles ont été implantées précisément dans des endroits qui, pour une raison ou pour une autre, n'avaient pas bénéficié du développement de l'enseignement supérieur.

— Ça se justifierait si ces universités étaient au service de leur communauté, mais ce n'est pas le cas. Chaque année, à l'automne, on assiste à une migration absurde de jeunes gens fortunés qui vont de Norwich à Brighton ou de Brighton à York. Et, une fois qu'ils sont là, il faut bien les loger, alors on les installe dans des cités universitaires qui coûtent cher.

— Apparemment, tu t'es fait une idée très utilitaire de l'université depuis que tu es domiciliée à Rummidge", dit le professeur Penrose qui était l'une des très rares personnes dans l'entourage de Robyn à utiliser le mot "domicilié" dans la conversation courante. Robyn ne répondit pas. Elle avait parfaitement conscience d'avoir adopté certains des arguments de Vic Wilcox, mais il n'était pas dans ses intentions de parler de lui à ses parents.

Pendant la vaisselle, Mme Penrose demanda à Robyn si elle aimerait inviter Charles pour le week-end.

"On ne se voit plus pour le moment, dit-elle.

— Mon Dieu, c'est donc à l'eau une fois de plus ?

— Qu'est-ce qui est à l'eau ?

— Tu sais très bien de quoi je veux parler, ma chérie.

— Si tu veux parler, comme je le pense, de mariage entre nous, il n'y a jamais rien eu de définitif, maman.

— Je ne pourrai jamais vous comprendre, vous, les jeunes, soupira tristement Mme Penrose. Charles est un jeune homme si charmant, et vous avez tant de choses en commun.

— Peut-être trop, dit Robyn.

— Que veux-tu dire ?

— Je ne sais pas, dit Robyn qui avait parlé sans réfléchir. C'est tout simplement un peu lassant d'être toujours d'accord sur tout.

— Basil est venu nous voir avec une fille qui n'est vrai-

330

ment pas comme il faut, dit Mme Penrose. J'espère qu'il n'a pas l'intention de l'épouser.

— Debbie ? Quand était-ce ?

— Oh, un jour en février. Alors, comme ça, tu l'as rencontrée toi aussi ?

— Oui. Je crois que c'est à l'eau, comme tu dirais.

— Ah, bon, c'était une petite terriblement vulgaire, j'ai trouvé."

Robyn sourit intérieurement.

Basil confirma lui-même les spéculations de Robyn lorsqu'il revint à la maison pour le week-end de Pâques. Il chantait sur tous les toits qu'il était très content de lui et n'arrêtait pas de parler de son nouveau boulot dans une banque japonaise de la City où il touchait un salaire infiniment plus élevé. "Non, je ne vois plus Debbie, dit-il, pas plus en société qu'au travail. Et Charles ?

— Je ne sais pas, dit Robyn. Je me suis coupée de tout, j'essaie de finir mon livre.

— De quel livre tu parles ?

— Un livre sur la représentation de la femme dans le roman du XIXe siècle.

— Est-ce que le monde a vraiment besoin d'un autre livre sur le roman du XIXe siècle ? dit Basil.

— Je ne sais pas, mais tout ce que je sais, c'est qu'il y en aura un de plus, dit Robyn. C'est ma seule chance d'obtenir un poste permanent quelque part."

Quand Basil repartit pour Londres, le soir du lundi de Pâques, la paix et la tranquillité revinrent dans la maison, et Robyn put reprendre son travail sur son livre. Elle avançait beaucoup. Dans cette maison, on savait respecter le travail intellectuel. Pas de bruit de radio. La sonnerie du téléphone était discrète. La femme de ménage ne pouvait utiliser l'aspirateur qu'à des moments rigoureusement fixés. Le professeur Penrose travaillait dans son bureau et Robyn dans sa chambre, et Mme Penrose allait et venait silencieusement de l'un à l'autre, apportant une tasse de café ou de thé à intervalles appropriés, posant la tasse pleine sur le bureau sans rien dire et reprenant la tasse vide. Pour limiter au maximum les distractions, Robyn s'interdit même de prendre sa dose quotidienne de *Guardian,* et seules les informations de minuit à la télé lui apportèrent l'écho de ce qui se passait dans le vaste monde : le raid américain en Libye, les émeutes dans les prisons anglaises, les confrontations violentes entre les imprimeurs en grève et la police de Wapping. Toutes ces exactions publiques et ces conflits qui, en temps normal, auraient suscité son indignation et l'auraient peut-être poussée à l'action (signature d'une pétition, participation à une manifestation), effleuraient à peine son esprit, tant elle était absorbée par son livre. A la fin des vacances, elle avait fait les trois quarts de son premier jet.

Elle repartit pour Rummidge pleine d'entrain. Elle était contente de ce qu'elle avait écrit, même si elle attendait avec impatience que quelqu'un d'autre confirmât son impression, un esprit proche du sien, un lecteur avisé mais bienveillant, quelqu'un comme Charles, en fait. Ils avaient toujours compté l'un sur l'autre en pareil cas. Dommage, en la circonstance, qu'ils ne se voyaient plus. Bien sûr, rien de décisif ou de définitif n'avait été dit. Il n'y avait pas de raison qu'elle ne lui téléphonât pas en rentrant chez elle pour lui demander s'il accepterait de lire son premier jet, aucune raison vraiment. Il ne serait même pas nécessaire de se rencontrer ; évidemment, cela rendrait les choses infiniment plus faciles s'il consentait à venir un week-end pour lire le manuscrit sur place. Robyn décida de téléphoner à Charles le soir même.

Lorsqu'elle rentra chez elle à Rummidge, il y avait une lettre de Charles sur le paillasson, en plus des neuf lettres de Vic Wilcox qu'elle jeta tout droit dans la poubelle. Elle ouvrit tout de suite la lettre de Charles qui était particulièrement volumineuse et la lut debout dans la cuisine sans même prendre la peine d'enlever son manteau. Ensuite, elle se débarrassa de son manteau, se fit une tasse de thé, s'assit et relut la lettre.

Ma Chère Robyn,
J'ai essayé plusieurs fois de te téléphoner, sans succès,

et la secrétaire de ton Département s'obstine à me dire, je ne sais pourquoi, qu'elle ne sait pas où tu es, alors je t'écris – ce qui est peut-être aussi bien, finalement, vu les circonstances. Le téléphone est un média peu satisfaisant pour communiquer quelque chose d'important, il ne permet ni l'absence authentique de l'écriture ni la présence véritable de la conversation en face à face, ce n'est qu'un piètre compromis. Un sujet de thèse, peut-être ? "La communication téléphonique et l'aliénation affective dans la fiction moderne : Evelyn Waugh, Ford Madox Ford, Henry Green…"

Mais les sujets de thèses, ce n'est plus pour moi. Voilà ce que j'ai à te dire : j'ai décidé de changer de carrière. Je vais devenir banquier d'affaires.

"Avez-vous fini de rire ?" comme dit Alton Locke à ses lecteurs. Je suis bien sûr un peu vieux pour opérer un tel changement dans ma vie, mais je suis absolument persuadé que je peux m'en tirer et ce défi m'enthousiasme. Je crois que c'est la première fois que je fais quelque chose d'aussi risqué, et je me sens un autre homme. Je dois suivre un apprentissage pendant quelque temps, bien sûr, mais, même comme ça, je vais toucher un meilleur salaire que celui que je gagne actuellement, et ensuite, eh bien, tous les espoirs sont permis. Ce n'est pas seulement l'argent, cependant, qui m'a conduit à cette décision, même si, je dois le reconnaître, je suis vraiment fatigué d'avoir à me battre avec des fins de mois difficiles, mais le sentiment, en tant que professeur d'université, surtout dans un endroit comme l'Université du Suffolk, d'avoir été oublié par la marée de l'histoire, rejeté sur l'estran d'une idéologie obsolète.

Toi et moi, Robyn, nous avons grandi à une époque où l'Etat jouait le jeu : écoles publiques, universités publiques, arts subventionnés par l'argent public, protection sociale et médecine financées par l'Etat – voilà les choses auxquelles croyaient les esprits les plus progressistes, les plus dynamiques. Mais ce n'est plus le cas aujourd'hui. La gauche fait semblant d'y croire encore mais n'arrive à convaincre personne, encore moins à se convaincre elle-même. Les gens qui travaillent dans les institutions publiques sont déprimés, démoralisés, fatalistes. J'en veux pour preuve l'extraordinaire résignation avec laquelle les établissements universitaires ont accepté les réductions budgétaires (y a-t-il eu une seule démission parmi les profs de rang magistral, mis à part les départs à la retraite anticipés ?). Ça ne sert à rien de critiquer Thatcher et de la faire passer pour une sorcière qui aurait ensorcelé la nation. Elle suit le *Zeitgeist*. Quand les syndicats offrent à leurs membres des tarifs réduits pour souscrire une assurance complémentaire auprès de la BUPA, c'en est fini du bon vieux socialisme d'antan. Mais que sera le socialisme nouvelle vague ? Je n'en sais rien, mais je crois qu'il est plus facile de le savoir en observant les choses de la City que de l'Université du Suffolk. La première chose qui m'a frappé dans la City quand j'ai commencé à observer Debbie au travail, c'est l'énergie brute qui émane de cet endroit, et la seconde, son système éminemment démocratique. Une fille du peuple comme Debbie qui se fait trente mille livres et des poussières par an, ce n'est pas du tout exceptionnel. Contrairement au stéréotype qui veut que le courtier soit sorti d'Eton, peu importe ton origine sociale à la City de nos jours, du moment que tu es bon à ton boulot. L'argent est un grand niveleur, par le haut.

Quant à nos universités, j'en suis arrivé à me dire qu'elles sont élitistes là où elles devraient être égalitaires et égalitaires là où elles devraient être élitistes. On n'inscrit qu'une toute petite partie d'un groupe d'âge comme étudiants, et on leur donne une éducation vorace en main-d'œuvre (élitiste), et on prétend malgré tout que toutes les universités se valent et doivent recevoir les mêmes finances, et tous les professeurs d'université sont égaux et doivent recevoir les mêmes traitements, avec au bout du compte la titularisation automatique (égalitaire). Tout cela a bien marché tant que le pays a consenti à verser de plus en plus d'argent dans le système, mais dès que l'on a réduit l'apport budgétaire, les universités n'ont pu équilibrer leur budget qu'en incitant des gens à prendre une retraite anticipée, ceux-là mêmes, bien souvent, dont elles pouvaient le moins se passer. Pour ceux qui restent, l'avenir est sombre : des effectifs accrus, un service d'enseignement plus lourd, de faibles chances de promotion ou de mutation à un autre poste. Tu sais tout comme moi que, mise à part une direction de Département ici ou là, les nouvelles nominations ne sont faites, quand elles le sont encore, qu'au niveau le plus bas de l'échelle. J'imagine que, si je restais dans l'enseignement supérieur, je serais bloqué à l'Université du Suffolk pendant encore quinze ans, et peut-être plus. Je ne me sens pas de force à affronter cela.

L'occasion de changer d'orientation s'est présentée à moi, bizarrement, un jour où je développais toutes ces idées, ou des idées analogues, devant un magnat de la banque de Debbie que j'avais rencontré à une soirée où elle m'avait emmené. J'ai proposé, de manière un peu fantasque, qu'on privatise les universités afin de résoudre la crise financière qu'elles traversent et de promouvoir une concurrence saine entre elles. Le personnel pourrait acheter des actions dans sa propre université et être intéressé ainsi financièrement au succès de l'institution. Je ne parlais pas vraiment sérieusement, en fait j'étais à moitié pété, mais le magnat fut assez impressionné. On a besoin d'hommes comme vous qui ont des idées hardies, dit-il, pour découvrir de nouveaux domaines d'investissement. C'est cela qui m'a fait songer à changer de carrière. Quand je suis allé voir le magnat quelques jours plus tard, il m'a beaucoup encouragé. Il a l'intention de mettre sur pied une sorte d'équipe stratégique pour la planification à l'intérieur de sa banque, et il propose que je me joigne à cette équipe une fois que j'aurai acquis une expérience de base dans le domaine des valeurs, etc. Je dois avouer, malgré tout ce que j'ai dit plus haut sur la démocratie, que ça m'a aidé d'avoir été à Westminster, parce que son fils y est. Et aussi d'avoir fait des maths jusqu'en Terminale.

Mais, vas-tu me demander, que sont devenues toutes les idées auxquelles nous avons consacré nos deux vies depuis dix ans, que devient la théorie critique et tout le

reste ? Eh bien, je ne vois là aucune contradiction fonda-
mentale. Je considère simplement que j'abandonne un système sémiotique, le littéraire, pour en prendre un autre, le
numérique, que je troque un jeu dont les enjeux philoso-
phiques sont importants contre un autre dont les enjeux
monétaires sont également importants – mais ça reste un
jeu, dans tous les cas, et le plaisir qu'on en tire vient finalement du fait que l'on joue et non du fait que l'on gagne,
puisqu'il n'y a aucun gagnant au sens absolu du terme, le
jeu étant sans fin. Bien sûr, je n'ai nulle intention d'abandonner mes lectures. Je ne vois aucune raison pour que le
déconstructionnisme ne soit pas mon hobby, tout comme
d'autres jettent leur dévolu sur les chemins de fer en
modèle réduit ou les poissons tropicaux, et ce sera plus
facile de poursuivre ma recherche sans avoir à m'inquiéter
de l'intégrer dans mon travail.

Pour être franc avec toi, j'avais depuis longtemps des
doutes quant à l'application pédagogique de la théorie
poststructuraliste, des doutes que j'ai écartés, comme un
prêtre écarte ses doutes théologiques, je suppose, les mettant dans un coin les uns après les autres jusqu'au jour où
il n'y a plus de place pour les cacher et il lui faut reconnaître en lui-même et avouer en public qu'il a perdu la foi.
Un jour, il y a quelques mois, nous étions en train de discuter chez toi et tu plaidais contre l'enseignement du poststructuralisme, en te faisant l'avocat du diable – tu t'en
souviens ? Tu cherchais à te rassurer – ton copain, le directeur d'usine, t'avait un peu ébranlée – alors je t'ai dit ce
que tu voulais entendre, mais c'était proche de ce que je
pensais. Tu formulais tout un tas de doutes que j'avais, et
j'ai failli "me déboutonner" tout à coup.

La théorie poststructuraliste est un jeu philosophique
très troublant réservé à des joueurs très intelligents. Mais
c'est une telle ironie de l'enseigner à des jeunes gens qui
n'ont pratiquement rien lu d'autre que les textes au programme de Terminale et *Adrian Mole*, qui ignorent
presque tout de la Bible et de la mythologie classique, qui
sont incapables de reconnaître une phrase incorrecte ou de
réciter un poème en le scandant comme il faut – c'est une

telle ironie de leur enseigner l'arbitraire du signifiant la troisième semaine de leur première année qu'à la fin ça en devient totalement insupportable...

Ainsi donc, j'ai démissionné de l'Université du Suffolk – avec indemnité de licenciement même, tant ils ont hâte de réduire leur personnel, et je me retrouve avec un joli pécule de trente mille livres que j'espère sincèrement accroître d'au moins vingt-cinq pour cent sur le marché des actions ordinaires d'ici à la fin de l'année. Je vais m'installer chez Debbie, si bien que mes dépenses courantes vont être modestes. J'espère que nous resterons toi et moi de bons amis. J'aurai toujours pour toi la plus vive admiration et la plus sincère affection. Bonne chance pour l'avenir – s'il y a quelqu'un qui mérite d'être titularisé à l'université, c'est bien toi, Robyn.

Tendrement, Charles

"Petit merdeux, dit Robyn à haute voix lorsqu'elle eut fini de lire la lettre. Affreux petit merdeux." Mais le mot "affreux" était une hyperbole. Il y avait des choses dans cette lettre qu'elle ne pouvait s'empêcher d'approuver, à côté de tout un tas d'autres choses qu'elle trouvait fausses et haïssables. *Quel embrouillamini, tout ça* !

Pendant ce temps-là, Vic Wilcox passait des jours difficiles à ruminer son amour non partagé. Pendant la semaine, ça allait encore car il pouvait se distraire avec le travail. Il accéléra plus que jamais son programme de rationalisation chez Pringle, harcela ses directeurs impitoyablement, présida d'interminables réunions, doubla la fréquence de ses visites surprises dans les ateliers. On percevait presque immédiatement cette tension dès qu'on poussait la porte de l'atelier des machines : plus de décibels, et à un rythme accéléré. Dans la fonderie, on se mit à faire de la place pour accueillir la nouvelle soufflerie de noyaux, et Vic en profita pour entreprendre un grand ménage. Toutes les saletés qui s'étaient accumulées au fil des années furent dégagées sous sa haute surveillance.

Mais la journée de travail, même pour quelqu'un

comme Vic, ne peut dépasser une certaine limite. Il lui restait infiniment trop d'heures à ruminer – le trajet du matin et du soir, les soirées et les week-ends à la maison, et surtout ces longues heures du petit matin où il restait éveillé dans la chambre plongée dans l'obscurité sans pouvoir s'arrêter de penser à Robyn Penrose et à leur nuit d'amour (car il persistait à voir les choses comme ça). Inutile de dresser l'inventaire de ses pensées. Elles étaient, pour l'essentiel, répétitives et prévisibles : un mélange de fantasmes et de souvenirs érotiques, de rêves assouvis et de larmoiements, avec quelques bribes de Jennifer Rush comme fond sonore. Mais, plus que jamais, il s'enfermait dans son silence à la maison. Il était sujet aux distractions. Dans la cuisine, il se mettait à laver des tasses que l'on venait de laver et d'essuyer. Il allait chercher un outil et, une fois arrivé dans le garage, il ne se rappelait plus ce qu'il voulait en faire. Un matin, ayant pris la route de Wallsbury Ouest et remarquant vaguement à mi-chemin que la circulation était exceptionnellement fluide, il se rappela brusquement que c'était dimanche et qu'il était censé aller chercher son père. Un soir, il monta pour changer de pantalon et commença mécaniquement à se déshabiller et à se mettre en pyjama. Ce ne fut qu'au moment de se mettre au lit qu'il s'arracha à sa rêverie. Marjorie, qui entrait dans la chambre juste à ce moment-là, le dévisagea et dit : "Qu'est-ce que tu fais ?

– Je me couche de bonne heure, improvisa-t-il, ouvrant les couvertures.

– Mais il n'est que huit heures et demie !

– Je suis fatigué.

– Tu dois être malade. Tu veux que j'appelle le médecin ?

– Non, je suis simplement fatigué. Il se mit au lit et ferma les yeux pour ne pas voir l'air soucieux de Marjorie.

– Il y a quelque chose qui ne va pas, Vic ? dit-elle. Tu as des ennuis au travail ?

– Non, dit-il. Tout va bien au travail. L'usine tourne à ravir. On va faire du bénéfice ce mois-ci.

– Eh bien alors, qu'est-ce qui ne va pas ? Tu n'es plus

toi-même. Tu n'es plus le même depuis que tu es allé en Allemagne. Tu ne crois pas que tu as attrapé un virus ou je ne sais quoi ?

– Non, dit Vic. Je n'ai pas attrapé de virus." Il n'avait pas dit à Marjorie que Robyn l'avait accompagné à Francfort.

"Je vais te chercher une aspirine."

Vic l'entendit marcher dans la chambre, tirer les rideaux et dire à Raymond de baisser la stéréo parce que papa ne se sentait pas bien. Pour éviter toute discussion, il avala son aspirine et, peu après, sombra dans le sommeil. A trois heures du matin, il était complètement éveillé. Comme il lui restait plusieurs heures avant la sonnerie du réveil, il se projeta intérieurement des films pornos, avec lui-même et Robyn Penrose comme vedettes principales, et, plein de mauvaise conscience, se glissa dans la salle de bains contiguë pour s'abandonner au plaisir des écoliers.

"Marjorie s'inquiète à ton sujet", dit son père le dimanche suivant, tandis que Vic le reconduisait chez lui le soir après le thé.

Vic feignit d'être surpris. "Pourquoi ?

– Elle dit que tu n'es plus toi-même. Et elle dit vrai.

– Je vais bien, dit Vic. Quand a-t-elle dit ça ?

– Cet après-midi, quand tu es sorti. Ça rime à quoi de sortir comme ça tout seul ?

– Tu dormais, papa, dit-il. Et Marjorie n'aime pas marcher.

– Tu aurais pu lui demander."

Vic conduisait en silence.

"Ce n'est pas une gonzesse, au moins ? dit son père.

– Quoi ? Vic eut un petit rire forcé et incrédule.

– Tu ne sors pas avec une jeune gonzesse, par hasard ? J'ai vu ça bien des fois, s'empressa-t-il d'ajouter comme s'il craignait de recevoir une réponse à cette question. Entre patrons et secrétaires. Ça se passe sans arrêt au travail.

– Ma secrétaire est une emmerdeuse, dit Vic. Et puis, elle n'a pas eu besoin de moi.

– Je suis content de te l'entendre dire. Le jeu n'en vaut pas la chandelle, crois-moi. J'ai vu ça bien des fois, des types qui quittent leur femme pour une jeune gonzesse. Ils ont tous fini complètement fauchés, à force d'entretenir deux familles sur une seule paye. Ils ont perdu leur maison, leurs meubles. La femme a tout pris. Penses-y, Vic, la prochaine fois qu'une jeunesse écervelée te fait de l'œil."

Cette fois, Vic n'eut pas à se forcer pour éclater de rire.

"Tu peux rire, dit le vieux Mr. Wilcox vexé, mais tu ne serais pas le premier à te ridiculiser à cause d'une jolie frimousse ou d'un petit derrière bien tourné. Ça ne dure jamais, malheureusement. Jamais.

– Ce n'est pas comme les meubles ?

– Sûrement pas."

Cette conversation, bien qu'un peu absurde, eut pour effet de mettre Vic sur ses gardes. Il écrivit ses lettres à Robyn de l'usine à l'heure du déjeuner quand Shirley n'était pas dans son bureau, et il les posta lui-même. Il s'arrêtait à des cabines pour lui téléphoner en allant au travail ou en revenant. Bien sûr, toutes ses tentatives pour la joindre n'aboutirent à rien, mais elles eurent au moins pour effet de soulager un peu ses sentiments contrariés, et son secret demeura inviolé.

Marjorie était visiblement troublée, cependant. Le shopping devint chez elle une véritable manie. Elle revenait tous les jours avec une robe neuve ou une nouvelle paire de chaussures, et, la plupart du temps, les échangeait dès le lendemain. Une fois, elle revint de chez le coiffeur avec une nouvelle coiffure et pleura des heures en voyant le résultat. Elle commença à suivre un régime fait uniquement de pamplemousses et l'abandonna au bout de trois jours. Elle s'acheta un vélo d'intérieur et on l'entendait souffler et haleter derrière la porte de la chambre d'amis où elle l'avait installé. Elle loua une table de bronzage chez Riviera qui la lui livra à domicile, et se fit griller en maillot deux pièces, se protégeant les yeux avec des lunettes foncées, mais, redoutant mortellement de se faire trop rôtir, elle serrait dans la main avec fébrilité un minu-

teur de cuisine au cas où l'interrupteur automatique tomberait en panne. Vic comprit que tous ces efforts ne visaient
qu'à le séduire et qu'elle suivait probablement les conseils
d'un magazine féminin de pacotille. Cela le touchait,
certes, mais il restait malgré tout lointain et indifférent. A
la périphérie de son obsession, Marjorie le regardait en
silence avec des yeux remplis d'affection et d'inquiétude,
comme un chien devant le foyer. Il sentait qu'il n'avait
qu'à tendre la main pour qu'elle lui saute dessus et lui
lèche le visage. Mais il se sentait incapable de le faire. Au
petit matin, quand il était réveillé, il ne cherchait plus la
chaleur animale de son corps douillet. Il restait au bord du
matelas, le plus loin possible de cette masse épaisse, gavée
de Valium, qui grognait et geignait dans son sommeil, se
demandant bien comment rétablir le contact avec Robyn
Penrose.

VI

L'histoire est terminée. Je vois d'ici le lecteur avisé qui chausse ses lunettes pour en chercher la morale. Ce serait faire injure à sa sagacité que de le mettre sur la piste. Je ne puis dire qu'une chose : que Dieu l'aide dans sa quête !

Charlotte Brontë : *Shirley*

1

Le nouveau trimestre débuta par une période de beau temps. Les étudiants folâtraient sur les pelouses du campus, les jeunes filles, en robe d'été claire, semblaient s'épanouir comme des crocus sous la chaleur du soleil. L'air vibrait de rires et de musique, on badinait sous les arbres. Certains professeurs décidèrent de faire leurs cours dehors, et, assis sur l'herbe, jambes croisées, discouraient de philosophie ou de physique devant des petits groupes d'éphèbes indolents, comme aux plus beaux jours de l'Age d'Or. Mais ces apparences idylliques étaient trompeuses. Les étudiants étaient inquiets : ils allaient devoir affronter les examens, et, au sortir de l'université, faire face au monde précaire du travail. Le personnel était inquiet en attendant la circulaire de la CUF avec tout ce qu'elle impliquait pour leur avenir. Pour Robyn, cependant, cette circulaire était son dernier espoir. Si Rummidge, et en particulier le Département d'Anglais, recevait de grosses subventions de la Commission Universitaire des Finances, il y avait une petite chance, lui avait dit Philip Swallow, une toute petite chance, que lorsque Rupert Sutcliffe allait prendre sa retraite l'année suivante (pas une retraite anticipée – bien au contraire, fit observer Swallow d'un ton acerbe, il aurait dû la prendre depuis longtemps), ils auraient peut-être le droit de le remplacer.

Ayant travaillé à son livre jusqu'à la dernière minute des vacances, Robyn se trouva moins bien préparée que d'habitude pour ses cours, et la première semaine fut mouvementée. Elle dut veiller tard le soir, car il était urgent qu'elle se remît en tête l'intrigue de *La Foire aux vanités*, *Le Portrait de Dorian Gray*, *L'Arc-en-ciel*, *La Terre vaine* et *1984*, textes sur lesquels elle s'était engagée imprudemment à faire des séminaires concentrés sur une semaine, sans compter qu'il lui fallait réviser son cours sur Virginia Woolf et lire, pour la première fois de sa vie, *Toits pointus* de Dorothy Richardson qu'elle avait mis au programme de ses séminaires de littérature féminine. Ce travail écrasant lui permit plus facilement d'oublier Charles et son apostasie. Pour ce qui était de Vic Wilcox, sa fuite précipitée de Rummidge le mois d'avant semblait avoir eu l'effet désiré : il avait cessé de la harceler de lettres et de coups de téléphone. Robyn se trouva soudain libérée des assiduités des deux hommes qui avaient occupé une place dans sa vie affective dans un passé récent ou lointain. Elle était enfin libre de disposer d'elle-même comme elle voulait. Certes, cette prise de conscience ne provoqua pas chez elle tous les effets bénéfiques qu'elle eût pu escompter – elle se sentait bizarrement un peu seule et abandonnée à la fin de la semaine – mais cela devait être dû au surmenage.

Le samedi lui offrit un divertissement mondain qui fut le bienvenu. Un ami de Philip Swallow, le professeur Morris Zapp, qui venait de la côte Ouest des Etats-Unis, avait fait une brève escale à Rummidge avant de repartir vers d'autres horizons ; les Swallow donnaient en son honneur une soirée à laquelle Robyn avait été conviée. Elle connaissait bien ses publications : spécialiste à l'origine de Jane Austen dans la bonne tradition textuelle de la Nouvelle Critique, il s'était converti (de manière assez opportuniste, selon Robyn) à une sorte de déconstructionnisme dans les années soixante-dix et jouissait, à ce double titre, d'une réputation internationale. Il était aussi une sorte de légende locale à Rummidge, car il avait autrefois permis au Département de franchir sans obstacle la révolution estudiantine de 1969, alors que lui et Philip Swallow avaient échangé leurs postes. Ils n'avaient d'ailleurs pas seulement échangé leurs postes, au dire de Rupert Sutcliffe qui chuchota à l'oreille de Robyn qu'il y avait eu un flirt entre Zapp et Hilary Swallow tandis que Swallow contait fleurette à Désirée, épouse de Zapp à cette époque-là, qui devint plus tard l'auteur à succès de *Jours difficiles* et *Hommes,* deux énormes best-sellers écrits dans un style que Robyn qualifiait parfois de "féministe vulgaire". Elle était curieuse de faire la connaissance du Professeur Zapp. Robyn arriva un peu en retard à la maison des Swallow, une villa victorienne rénovée, et le salon était déjà plein de monde, mais, tandis qu'elle remontait le sentier et se dirigeait vers le porche, elle n'eut aucune peine à repérer l'invité d'honneur par la fenêtre. Il portait une veste écossaise en coton gaufré à carreaux bleu vif sur un fond jaune canari, et il fumait un cigare de la taille d'un petit zeppelin. Il était corpulent sans être gros, il avait des cheveux grisonnants qui se dégarnissaient sur le front, un visage ridé et bronzé, et une moustache grise qui retombait aux extrémités de manière assez lugubre, peut-être parce qu'à cet instant précis Bob Busby l'accablait de ses assiduités.

Philip Swallow ouvrit la porte et fit entrer Robyn dans le salon. "Je vais vous présenter à Morris, dit-il. Il a besoin qu'on vienne à sa rescousse."

Robyn suivit obligeamment Swallow qui se fraya un passage à travers la foule et poussa Bob Busby d'un petit coup d'épaule pour l'écarter de Morris Zapp. "Morris, dit-il, je te présente Robyn Penrose, la fille dont je te parlais.

– Tu dis fille, Philip ? Fille ? Il y a des hommes qui ont été castrés pour moins que ça à l'Université d'Euphoria. Tu veux dire femme. Ou dame. Qu'est-ce que vous préférez ?" demanda-t-il à Robyn en lui serrant la main.

– Personne, ça me va, dit Robyn.

– Personne, très bien. Tu n'offres pas quelque chose à boire à cette personne, Philip ?

– Si, bien sûr, dit Swallow, l'air décontenancé. Rouge ou blanc ?

– Pourquoi tu ne lui donnes pas une vraie boisson ? dit Zapp qui tenait à la main un verre de whisky sec, apparemment.

– Oui, oui, bien sûr, si… Swallow avait l'air encore plus décontenancé.

– Du blanc, ça m'ira très bien, dit Robyn.

– Je sais toujours quand je suis en Angleterre, dit Morris Zapp tandis que s'éloignait Philip Swallow, parce que, quand on va à une soirée, la première chose qu'on vous dit c'est *'Rouge ou blanc ?'* Autrefois, je croyais que c'était une sorte de mot de passe, comme si la Guerre des Roses n'était peut-être pas encore terminée.

– Vous restez ici pour quelque temps ? demanda Robyn.

– Je pars pour Dubrovnik demain. Vous y êtes déjà allée ?

– Non, dit Robyn.

– Moi non plus. Je viole une règle que je m'étais imposée : ne jamais aller à un congrès dans un pays communiste.

– N'est-ce pas là une règle un peu sectaire ? dit Robyn.

– Il n'y a rien de politique là-dedans, c'est seulement que j'ai entendu dire tant d'atrocités sur les hôtels en Europe de l'Est. Mais il paraît que la Yougoslavie est à moitié occidentalisée, alors je me suis dit, tant pis, je prends le risque.

– Ça fait beaucoup de déplacements pour un congrès.

– En fait, il y en a plusieurs. Après Dubrovnik, je vais à Vienne, à Genève, à Nice et à Milan. A Milan, c'est pour une visite privée, dit-il, en redressant les extrémités de sa moustache avec le dos de sa main. Je vais voir un vieux copain. Mais pour le reste, ce sont des congrès. Vous êtes allée à des congrès intéressants dernièrement ?

– Non, j'ai même loupé le congrès de la Société des Anglicistes cette année.

– Si c'est le genre de congrès auquel j'ai assisté en 1979, alors vous avez bien fait de ne pas y aller, dit Morris Zapp. Je veux parler de vrais congrès, de congrès internationaux.

– Je ne pourrais pas me permettre d'y aller, dit Robyn. Nos subventions pour aller aux congrès à l'étranger ont été réduites à leur plus simple expression.

– Réductions, réductions, réductions, dit Morris Zapp, vous n'avez tous que ce mot à la bouche dans ce pays. D'abord Philip, ensuite Busby, maintenant vous.

– C'est ça la vie dans les universités anglaises ces temps-ci, Morris, dit Philip Swallow en présentant un verre de Soave presque tiède à Robyn. Je passe mon temps à me battre dans des commissions pour décider comment

348

faire face à toutes ces réductions. Je n'ai pas lu un seul livre depuis des mois, quant à en écrire un, n'en parlons pas.

– Moi, si, dit Robyn.

– Lu ou écrit ? dit Morris Zapp.

– Ecrit, dit Robyn. Enfin, aux trois quarts, à peu près.

– Ah, Robyn, dit Philip Swallow, on a tous un peu honte en face de vous. Qu'allons-nous faire sans vous ? Il repartit en traînant les pieds et en hochant la tête.

– Vous quittez Rummidge, Robyn ?" dit Morris Zapp.

Elle expliqua la situation. "Vous comprenez, conclut-elle, ce livre est très important pour moi. Si, par hasard, un poste venait à se libérer dans les douze mois à venir, j'aurais de bonnes chances de l'obtenir, avec deux livres à mon actif.

– Vous avez raison, dit Morris Zapp. Il y a tout un tas de professeurs de rang magistral dans ce pays qui ont publié moins que vous. Son regard alla se poser sur Philip Swallow. De quoi traite-t-il, votre livre ?"

Robyn lui expliqua. Morris Zapp poussa des vivats enthousiastes en l'entendant évoquer le contenu et la méthodologie. Les noms des grands critiques et des grandes théoriciennes féministes crépitaient entre eux comme des rafales de mitrailleuse : Elaine Showalter, Sandra Gilbert, Susan Gubar, Shoshana Felman, Luce Irigaray, Catherine Clément, Susan Suleiman, Mieke Bal – Morris Zapp les avait toutes lues. Il recommanda un article dans le dernier numéro de *Poetics Today* qu'elle n'avait pas vu. A la fin, il lui demanda si elle avait prévu de publier son livre en Amérique.

"Non, mes éditeurs anglais ont distribué eux-mêmes mon premier livre aux Etats-Unis – celui sur le roman industriel. Je pense que c'est aussi ce qui va se passer avec celui-ci.

– De qui s'agit-il ?

– Lecky, Windrush et Bernstein."

Morris Zapp fit la grimace. "Ils sont affreux. Philip ne vous a pas dit ce qu'ils lui ont fait ? Ils ont égaré tous les exemplaires prévus pour le service de presse. Ils les ont envoyés avec un an de retard.

– Seigneur ! dit Robyn.

– Combien avez-vous vendu d'exemplaires en Amérique ?

– Je ne sais pas. Pas beaucoup.

– Je suis lecteur pour les Presses universitaires d'Euphoria, dit Morris Zapp. Envoyez-moi votre manuscrit et j'y jetterai un coup d'œil.

– C'est très gentil de votre part, dit Robyn, mais j'ai déjà signé un contrat avec Lecky, Windrush et Bernstein.

– Si l'Université d'Euphoria fait une offre pour les droits aux Etats-Unis, ça ne peut être que leur intérêt d'accepter, dit Morris Zapp. Ils pourraient vendre le texte sur film. Bien sûr, il est possible que je n'aime pas le livre. Mais vous me faites l'impression d'être une fille astucieuse.

– Une personne.

– Une personne, excusez-moi.

– Comment puis-je vous faire passer mon manuscrit ?

– Pouvez-vous le laisser ici demain matin avant huit heures et demie ? dit Morris Zapp. Je prends la navette de 9 h 45 pour Heathrow."

Robyn quitta la soirée très tôt. Philip Swallow l'intercepta tandis qu'elle se faufilait à travers le vestibule bourré de monde et se dirigeait vers la porte d'entrée. "Oh, vous nous quittez déjà ? dit-il.

– Le professeur Zapp m'a gentiment offert de jeter un coup d'œil à mon manuscrit. Il est toujours sur disquettes, et je dois rentrer chez moi pour l'imprimer.

– Dommage, vous auriez dû l'amener, dit Philip Swallow.

– Qui ça ?

– Votre jeune ami qui enseigne à Suffolk.

– Oh, Charles ! Je ne vois plus Charles. Il est devenu banquier d'affaires.

– Vraiment ? C'est très intéressant." Philip Swallow se balançait légèrement sur ses jambes – de fatigue ou d'ébriété ? difficile à dire – et il était appuyé le coude contre le mur, coupant ainsi la retraite à Robyn. Elle vit, par-dessus son épaule, que Mrs. Swallow les surveillait d'un air soupçonneux. C'est extraordinaire, vous ne trouvez pas, comme l'argent est devenu fascinant ces derniers temps ? Vous savez quoi ? Je me suis mis tout à coup à lire les pages financières du *Guardian* après avoir sauté directement de la rubrique des arts à celle des sports pendant trente ans.

— Je dois dire que ça ne m'intéresse pas beaucoup, dit Robyn, passant par-dessous le bras de Swallow. Il faut que je m'en aille, malheureusement.

— Je crois que ça a commencé quand j'ai acheté quelques actions de British Telecom, dit Swallow, pivotant sur ses talons et la suivant jusqu'à la porte d'entrée. Vous vous rendez compte qu'elles valent aujourd'hui deux fois plus que je les ai achetées ?

— Félicitations, dit Robyn. Combien avez-vous fait de bénéfice ?

— Deux cents livres, dit Swallow. Je regrette maintenant de ne pas en avoir acheté davantage. J'hésite à prendre des British Gas. Votre jeune ami pourrait peut-être me conseiller, qu'en pensez-vous ?

— Ce n'est pas mon jeune ami, dit Robyn. Vous pouvez lui écrire pour lui demander, si vous voulez."

Robyn veilla toute la nuit pour tirer le manuscrit de son livre. Elle pensait que ça en valait la peine si elle pouvait obtenir l'appui d'un éditeur aussi prestigieux que les Presses universitaires d'Euphoria. D'ailleurs, il y avait quelque chose dans Morris Zapp qui inspirait confiance. Il avait fait passer dans cette atmosphère déprimée et démoralisée de Rummidge comme une brise vivifiante, laissant entendre qu'il existait encore des endroits de par le monde où les universitaires et les critiques poursuivaient leurs tâches professionnelles avec confiance et enthousiasme, où les congrès se multipliaient et où on pouvait obtenir des subventions pour y aller, où la conversation dans les soirées entre collègues avait davantage de chances de tourner autour du dernier livre ou du dernier article controversé que de porter sur la dernière réduction des crédits de fonctionnement du Département. Elle éprouvait un regain de confiance en son livre et en sa vocation, tandis que, morte de fatigue et les yeux rouges, elle se penchait sur son ordinateur.

Même en qualité brouillon, il fallut des heures à la machine pour recracher les soixante mille mots, si bien qu'il était près de huit heures un quart du matin lorsque Robyn termina son travail. Elle prit sa voiture et alla livrer son manuscrit, traversant à toute vitesse les quartiers déserts en ce dimanche matin. C'était une matinée claire et ensoleillée, et le vent soufflait si fort qu'il arrachait les fleurs des cerisiers. Un taxi ronronnait le long du trottoir devant la maison des Swallow. A l'intérieur du porche, Hilary Swallow, vêtue d'une robe de chambre, disait au revoir à Morris Zapp, tandis que Philip, qui portait la valise de Morris Zapp, attendait à mi-chemin le long du sentier du jardin, tel le cocu complaisant qui reconduit l'amant de la nuit. Mais, l'amour passionné qu'avaient partagé autrefois, paraît-il, Zapp et Mrs. Swallow, s'était manifestement refroidi depuis longtemps, comme put en juger Robyn en voyant l'air platement amical avec lequel ils effleurèrent la joue l'un de l'autre. En fait, il était difficile d'imaginer que ces trois personnes déjà assez âgées aient pu un jour être impliquées dans une intrigue sexuelle.

"Presse-toi, Morris ! cria Swallow. Ton taxi t'attend. Il se retourna et aperçut Robyn. Seigneur Dieu – Robyn ! Que faites-vous ici à une heure aussi matinale ?"

Tandis qu'elle lui réexpliquait tout, Morris Zapp descendait le sentier en se dandinant, les pans de son imperméable ouvert fouettant ses genoux. "Eeeeh, Robyn, comment ça va ?" Il retira de sa poche intérieure un cigare qui ressemblait à une arme à canon long et le cala entre ses dents.

"Voilà le manuscrit.

– Formidable, je vais le lire dès que je pourrai. Il alluma son cigare, en protégeant la flamme contre le vent.

– Il n'est pas terminé, comme je vous l'ai dit. Et pas relu, non plus.

– Bien sûr, bien sûr, dit Morris Zapp. Je vous ferai savoir ce que j'en pense. S'il me plaît, je vous téléphone-

352

rai, sinon je vous le renverrai par la poste. Est-ce que votre numéro de téléphone est sur le manuscrit ?

– Non, dit Robyn. Je vais vous le donner.

– Oui, donnez-le-moi. Avez-vous remarqué que dans notre monde moderne les bonnes nouvelles arrivent par le téléphone et les mauvaises par la poste ?

– Maintenant que vous le dites, dit Robyn, griffonnant son numéro de téléphone sur le papier d'emballage.

– Morris, le taxi, dit Philip Swallow.

– Pas de panique, Philip, il ne va pas partir sans moi – n'est-ce pas chauffeur ?

– Non, monsieur, dit le chauffeur de taxi, assis à son volant, ça ne change rien pour moi.

– Tu vois, dit Morris Zapp, fourrant le manuscrit de Robyn dans une serviette débordant de livres et de revues.

– Je voulais simplement dire que le compteur tournait.

– Et alors ?

– Je suis un peu obsédé par le gaspillage, j'en ai bien peur, depuis que je suis Doyen, soupira Philip Swallow. Je n'y peux rien.

– Tiens bon, Philip, dit Morris Zapp. Ne te laisse pas couillonner. Il s'étranglait à force de rire, et la fumée de son cigare le faisait tousser. Tu devrais revenir un jour à l'Université d'Euphoria pour une petite visite. Ça te ferait du bien de voir comment on dépense l'argent.

– Tu vas y rester jusqu'à ta retraite ? dit Philip Swallow.

– La retraite ? J'ai horreur de ce mot, dit Morris Zapp. En fait, on vient de se rendre compte que la mise à la retraite obligatoire est contraire à la Constitution, c'est une forme de discrimination par l'âge. Et pourquoi veux-tu que j'aille ailleurs ? J'ai un contrat avec Euphoria qui stipule que personne d'autre en Lettres et en Sciences Humaines ne peut avoir une paie supérieure à la mienne. S'ils veulent aller chercher une grosse tête dans une des plus grandes universités et lui offrir un salaire mirobolant, ils sont obligés de me donner au moins mille dollars de plus que lui.

– Pourquoi restreindre cela aux Lettres et Sciences Humaines, Morris ? dit Swallow.

– Il faut être réaliste, dit Zapp. Les types qui peuvent vaincre le cancer ou faire sauter la planète méritent un peu plus que les critiques littéraires comme nous.

– Je n'avais encore jamais entendu de déclarations aussi modestes de toi, dit Swallow.

– Qu'est-ce que tu veux, on ramollit tous en vieillissant, dit Morris Zapp, grimpant dans le taxi. *Ciao,* la compagnie."

Les fleurs de cerisiers tourbillonnèrent dans la rue comme des confettis lorsque le taxi partit. Ils restèrent au bord du trottoir et firent de grands gestes d'adieu jusqu'à ce que la voiture disparût au coin de la rue.

"Il est drôle, je trouve, dit Robyn.

– C'est un filou, dit Philip Swallow. Un gentil filou. Je suis surpris qu'il ait voulu voir votre livre.

– Pourquoi ?

– Il ne supporte pas les féministes, généralement. Elles lui ont donné tellement de fil à retordre par le passé, dans les congrès et dans les revues.

– Il semblait être très à la page sur toute cette littérature.

– Oh, Morris est toujours à la page, il faut lui reconnaître ça. Je me demande seulement à quoi il joue…

– Vous ne pensez tout de même pas qu'il pourrait plagier mon livre ? dit Robyn qui savait que de telles choses se produisaient parfois.

– Je ne pense pas, dit Philip Swallow. Il aurait quand même de la peine à faire passer un texte féministe comme étant de lui. Vous voulez rentrer prendre une tasse de café ?

– Non, merci, j'ai veillé toute la nuit pour pouvoir tirer mon livre. Tout ce que je veux, pour l'instant, c'est retrouver mon lit.

– Comme vous voulez, dit Philip Swallow, en l'accompagnant jusqu'à sa voiture. Et votre rapport, il avance ?

– Mon rapport ?

– Sur le Système de Stage ?

– Oh, ça ! J'ai pris du retard, je dois dire, dit Robyn.

354

J'ai passé tout mon temps à travailler sur mon livre, vous comprenez.

– Oui, dit Philip Swallow. Vous feriez aussi bien de le laisser de côté en attendant l'étape suivante, je suppose."

Robyn ne comprit pas ce que Philip Swallow avait voulu dire, mais elle attribua le caractère énigmatique de sa remarque à sa surdité, et elle était d'ailleurs trop fatiguée pour essayer de comprendre. Elle rentra chez elle et dormit jusque tard dans la soirée, et lorsqu'elle se réveilla, elle avait tout oublié. Ce ne fut qu'à son arrivée à l'université le lendemain matin, en voyant Vic Wilcox parler avec Philip Swallow sur le palier bourré de monde, devant le bureau du Département d'Anglais, qu'elle se rappela les paroles de Swallow et elle éprouva alors une vive appréhension. A voir Vic, debout là, les bras croisés derrière le dos, dans son costume sombre de travail et ses souliers de cuir bien astiqués, au beau milieu de tous ces étudiants en vêtements clairs et amples qui tournoyaient et voletaient autour de lui, on aurait dit un corbeau qui se serait égaré dans une volière d'oiseaux exotiques. Même Philip Swallow, avec sa veste beige en toile froissée et ses Hush Puppies éraflées, paraissait alerte et décontracté en comparaison. Il lui fit signe en la voyant.

"Ah, vous voilà, dit-il. J'ai trouvé votre stagiaire qui attendait à votre porte, 'errant tristement comme une âme en peine'. Apparemment, il est ici depuis neuf heures.

– Salut, Robyn", dit Vic.

Robyn fit semblant de ne pas le voir. "Que voulez-vous dire, *mon* stagiaire ? dit-elle à Swallow.

– Ah, tout s'explique, dit-il en hochant la tête.

– *Que voulez-vous dire, mon stagiaire ?* répéta Robyn, levant le ton pour se faire entendre dans le brouhaha ambiant.

– Oui, la seconde étape du Système de Stage. On en a parlé hier.

– Je ne savais pas à quoi vous faisiez allusion, dit Robyn. Et je ne le sais toujours pas", ajouta-t-elle, bien que maintenant elle commençât à en avoir une petite idée.

Philip Swallow les regardait l'un après l'autre, désemparé. "Mais je croyais que Mr. Wilcox...

– Je vous ai écrit à ce propos, dit Vic en s'adressant à Robyn d'un ton quelque peu affecté.

– La lettre a dû se perdre, dit Robyn. A l'autre bout du palier, devant le panneau d'affichage des Troisième Année, elle vit Marion Russell qui les observait et essayait apparemment de remettre Vic Wilcox.

– Mon Dieu, dit Swallow. Comme ça, vous n'attendiez pas Mr. Wilcox ce matin ?

– Non, dit Robyn. Je ne l'attendais ni ce matin ni aucun autre matin.

– Voyons, dit Swallow, pendant les vacances – je crois que vous étiez absente à ce moment-là – Mr. Wilcox a écrit au Président pour suggérer qu'il y ait un suivi au Système de Stage. Il avait été si impressionné apparemment par l'expérience – Swallow découvrit ses dents en forme de pierres tombales en adressant un sourire suffisant à Vic – qu'il estimait nécessaire de la poursuivre, en sens inverse, pour ainsi dire.

– Oui, à mon tour d'être votre stagiaire, pour une fois, dit Vic. Après tout, s'il s'agit d'améliorer les relations entre l'industrie et l'université, il faut que ça aille dans les deux sens. Dans l'industrie, dit-il benoîtement, nous avons un tas de choses à apprendre, nous aussi.

– Pas question, dit Robyn.

– Eh bien, c'est parfait, dit Swallow en se frottant les mains.

– J'ai dit JE NE MARCHE PAS, cria Robyn.

– Et pourquoi cela ? Philip Swallow avait l'air inquiet.

– Mr. Wilcox sait très bien pourquoi, dit Robyn.

– Non, je ne sais pas, dit Vic.

– Ce n'est pas juste envers les étudiants, avec les examens qui arrivent. Il assisterait nécessairement à tous mes cours.

– Je me ferais petit comme une souris, dit Vic. Je ne vous gênerais pas.

– Je ne crois pas que les étudiants y verraient un inconvénient, Robyn, dit Philip Swallow. Ce n'est qu'un jour par semaine, après tout.

– Un jour par semaine ? dit Robyn. Je suis étonnée que Mr. Wilcox puisse se permettre de quitter son usine une journée entière. Je croyais qu'il était indispensable.

– Les affaires tournent très bien en ce moment, dit Vic. Et j'ai pas mal de jours de congé à rattraper.

– Si Mr. Wilcox accepte de consacrer ses congés à ce projet, je pense vraiment que... Swallow tourna ses yeux quelque peu injectés de sang vers Robyn d'un air suppliant. Le Président est absolument enthousiaste."

Robyn se rappela la circulaire tant attendue de la CUF et songea à la chance, la toute petite chance, qu'elle représentait pour elle d'obtenir un poste permanent à Rummidge. Je n'ai pas tellement le choix, si je comprends bien ? dit-elle.

"Très bien ! dit Philip Swallow, soulagé et rayonnant. Je vous laisse dans les mains expertes de Robyn, Monsieur Wilcox. Métaphoriquement, s'entend. Ah, ah, ah ! Il serra la main de Vic et disparut dans le bureau du Département. Robyn conduisit Vic Wilcox le long du couloir jusqu'à son bureau.

– Je trouve que la manœuvre est un peu sournoise, dit-elle, lorsqu'ils furent seuls.

– Que veux-tu dire ?

– Tu ne vas tout de même pas me faire croire que ça t'intéresse vraiment de voir comment fonctionne un Département d'Anglais au sein d'une université ?

– Eh bien, si, ça m'intéresse beaucoup. Il inspecta la pièce. Tu as lu tous ces livres ?

– Quand j'ai débarqué chez Pringle, tu as manifesté un souverain mépris pour tout le travail que je faisais.

– J'avais des préjugés, dit-il. C'est fait pour ça le Système de Stage, pour vaincre les préjugés.

– Je crois plutôt que tu as tramé tout ça pour me revoir, dit Robyn. Elle laissa tomber son sac en cuir sur le bureau et se mit à sortir ses livres, ses dossiers et ses dissertations.

– Je veux voir ce que tu fais, dit Vic. Je ne demande qu'à apprendre. J'ai lu tous ces livres dont tu as parlé, *Jane Eyre* et *Les Hauts de Hurlevent*."

Robyn ne put s'empêcher de mordre à l'hameçon. "Et qu'en as-tu pensé ?

– *Jane Eyre,* ça allait, même si ça traîne un peu en longueur. Avec *Les Hauts de Hurlevent,* j'étais toujours perdu, je ne savais jamais qui était qui.

– C'est voulu, bien sûr, dit Robyn.

– Ah bon ?

– Les mêmes noms réapparaissent constamment en permutations diverses et sur plusieurs générations. Cathy, l'aînée, naît sous le nom de Catherine Earnshaw et devient Catherine Linton en se mariant. Cathy, la benjamine, naît sous le nom de Catherine Linton, devient Catherine Heathcliff par son premier mariage à Linton Heathcliff, le fils d'Isabella Linton et de Heathcliff, pour devenir ensuite Catherine Earnshaw par son second mariage à Hareton Earnshaw, si bien qu'elle finit par avoir le même nom que sa mère, Catherine Earnshaw.

– Tu devrais participer à 'Mastermind', dit Vic.

– C'est incroyablement confus, surtout avec tous ces changements de temps, dit Robyn. C'est pour ça que *Les Hauts de Hurlevent* est un roman aussi remarquable pour l'époque.

– Je ne vois pas ce que tu veux dire. Il y aurait beaucoup plus de gens à l'apprécier s'il était plus simple.

– La difficulté engendre le sens. Ça oblige le lecteur à travailler plus dur.

– Mais la lecture, c'est tout sauf le travail, dit Vic. C'est ce qu'on fait quand on rentre chez soi, pour se détendre.

– Ici, dit Robyn, la lecture est un travail. La lecture est une production. Et ce que nous produisons, c'est du sens."

Quelqu'un frappa et la porte s'entrouvrit lentement de quelques dizaines de centimètres. La tête de Marion Russell apparut derrière la porte comme une marionnette en chiffon, regarda Robyn et Vic en roulant des yeux, et se retira. La porte se referma et on entendit des murmures et des bruissements discrets pareils à ceux que font les souris.

"C'est ma séance de séminaire de dix heures, dit Robyn.

– C'est à dix heures que tu commences à travailler habituellement ?

– Je n'arrête pas de travailler. Quand je ne travaille pas ici, je travaille chez moi. Ce n'est pas l'usine, ici, tu comprends. On ne pointe pas à l'entrée et à la sortie. Assieds-toi là dans ce coin et fais-toi aussi discret que possible.

– Sur quoi va porter cette séance de travail ?

– Tennyson. Tiens, prends ça. Elle lui donna un exemplaire des *Poèmes* de Tennyson, une édition victorienne bon marché, avec des illustrations sentimentales, qu'elle avait achetée chez un bouquiniste du temps où elle était étudiante ; elle avait utilisé cette édition pendant des années, jusqu'à ce que paraisse l'édition annotée de Ricks chez Longman. Elle se dirigea vers la porte et ouvrit. Bon, entrez", dit-elle avec un sourire aimable.

Pour cette séance, c'était à Marion Russell de lancer la discussion ; elle devait lire un court essai sur un thème qu'elle avait choisi elle-même à partir d'un vieux sujet d'examen ; mais lorsque les étudiants entrèrent les uns après les autres dans le bureau et s'assirent en rond autour de la table, Marion n'était pas là.

"Où est Marion ? demanda Robyn.

– Elle est allée aux toilettes, dit Laura Jones, une grande fille vêtue d'un survêtement bleu marine qui faisait une double licence en anglais et en éducation physique, et qui était aussi championne de golf.

– Elle a dit qu'elle ne se sentait pas bien", dit Helen Lorimer qui avait les ongles peints avec un vernis vert assorti à la couleur de ses cheveux, et portait des boucles d'oreilles en plastique représentant, à une oreille, un visage souriant et, à l'autre, un visage renfrogné.

"Elle m'a donné son texte pour que je le lise", dit Simon Bradford, un jeune garçon fluet, au regard vif, qui portait des lunettes à verres épais et une barbe bouclée.

"Attendez une minute, dit Robyn. Je vais voir ce qu'elle a. Ah, tenez – je vous présente Mr. Wilcox, il va assister au cours dans le cadre du programme de l'Année de l'Industrie. J'imagine que vous savez tous au moins que cette année a été désignée Année de l'Industrie ? Ils la regardèrent tous, les yeux vides. Demandez à Mr. Wilcox de vous expliquer ce que c'est", dit-elle tandis qu'elle quittait la pièce.

Elle trouva Marion Russell cachée dans les toilettes des profs. "Qu'est-ce qui ne va pas, Marion ? dit-elle brusquement. Un peu de nervosité prémenstruelle ?

– Cet homme, dit Marion Russell. C'était lui à l'usine, n'est-ce pas ?

– Oui.

– Qu'est-ce qu'il fait ici ? Il est venu se plaindre ?

– Non, bien sûr que non. Il est ici pour assister au séminaire.

– Pour quoi faire ?

– C'est difficile de t'expliquer maintenant. Allez, viens, tout le monde t'attend.

– Je ne peux pas.

– Pourquoi ?

– C'est trop gênant. Il m'a vue en petite culotte et tout le reste.

– Il ne te reconnaîtra même pas.

– Sûr que si.

– Je te dis que non. Tu es une autre personne habillée comme ça." Marion Russell portait un sarouel et un tee-shirt ample avec dessus le portrait de Bob Geldof, pareil au visage du Christ sur la serviette de Véronique.

– Sur quoi as-tu fait ton essai ?

– Sur le conflit entre l'optimisme et le pessimisme dans la poésie de Tennyson, dit Marion Russell.

– Eh bien, viens qu'on t'écoute."

Si Vic avait expliqué aux autres étudiants ce qu'était l'Année de l'Industrie, il avait dû être très bref, car la pièce était totalement silencieuse quand Robyn revint avec Marion Russell. Vic examinait, le front plissé, son exemplaire de Tennyson, et les étudiants l'observaient, comme des lapins observent une hermine. Il leva les yeux quand Marion entra, mais, comme l'avait prévu Robyn, il n'y eut pas la moindre lueur dans ses yeux qui pût indiquer qu'il la reconnaissait.

Marion se mit à lire son essai d'une voix basse et monotone. Tout alla très bien jusqu'au moment où elle fit remarquer que le vers de "Locksley Hall", *"Laissez l'univers tourner à jamais, le long des rainures fracassantes du changement"*, reflétait l'optimisme des Victoriens à l'ère des chemins de fer. Vic leva la main.

"Oui, Monsieur Wilcox ? Le ton et le regard de Robyn n'avaient absolument rien d'encourageant.

– Il devait penser aux tramways, pas aux trains, dit Vic. Les roues des trains ne roulent pas dans des rainures."

Simon Bradford partit d'un gros rire strident ; puis, croisant le regard de Robyn, il eut l'air de regretter de s'être ainsi manifesté.

"Tu trouves cette suggestion amusante, Simon ? dit-elle.

– Eh bien, dit-il, les tramways, ce n'est pas très poétique, vous ne trouvez pas ?

– On parlait de l'ère des chemins de fer dans le livre que j'ai lu, dit Marion.

– Quel livre, Marion ? dit Robyn.

– Un livre de critique, je ne me souviens plus lequel, maintenant, dit Marion, fouillant dans sa pile de notes.

– Il faut toujours donner ses sources, dit Robyn. En fait, c'est un point très intéressant, bien qu'assez secondaire. Lorsqu'il a écrit ce poème, Tennyson avait l'impression que les trains roulaient dans des rainures. Elle lut alors la note en bas de page de son édition annotée Longman : *'Lorsque j'ai pris le premier train entre Liverpool et Manchester en 1830, je pensais que les roues roulaient dans des rainures. Il faisait nuit noire et il y avait une telle foule autour du train à la gare que nous n'avons pas vu les roues. C'est alors que j'ai écrit ce vers.'*

C'était maintenant au tour de Vic de rire. "Eh bien il aurait pu l'écrire un peu mieux, vous ne trouvez pas ?

– Alors, quelle est la réponse ?" dit Laura, une fille qui prenait tout au pied de la lettre et notait tout ce que disait Robyn pendant les séminaires." Est-ce un train ou un tramway ?

– Les deux, ou bien l'un ou l'autre, dit Robyn. En fait, ça n'a pas tellement d'importance. Poursuis, Marion.

– Attendez voir, dit Vic. Ça ne peut être les deux choses à la fois. *'Rainures'* est une, comment dites-vous, une métonymie, exact ?"

Les étudiants furent manifestement impressionnés lorsqu'il sortit ce terme technique. Robyn était elle-même assez touchée qu'il ait pu s'en souvenir, et ce fut presque avec regret qu'elle dut le corriger.

"Non, dit Robyn. C'est une métaphore. *'Les rainures du changement'* est une métaphore. Le monde qui avance dans le temps est comparé à quelque chose qui se déplace sur des rails en métal.

– Mais les rainures vous indiquent de quel type de rail il s'agit.

– Exact, reconnut Robyn. C'est une métonymie à l'intérieur d'une métaphore. Ou, pour être précis, une synecdoque : la partie pour le tout.

– Mais si j'ai en tête une image de rainures, je ne peux pas penser à un train. Il faut que ce soit un tramway.

– Qu'en dites-vous, vous autres ? dit Robyn. Helen ?"

Helen Lorimer leva les yeux à contrecœur et croisa le regard de Robyn. "Eh bien, si Tennyson s'imaginait qu'il décrivait un train, alors c'est un train, je suppose, dit-elle.

– Pas nécessairement, dit Simon Bradford. Voilà un exemple de paralogisme intentionnel." Il regarda Robyn pour obtenir une confirmation. Simon Bradford avait assisté à l'un de ses cours de théorie critique l'année précédente. Ce n'était pas le cas d'Helen Lorimer qui n'avait visiblement jamais entendu parler de paralogisme intentionnel – elle parut décontenancée, comme sa boucle d'oreille de gauche.

Il y eut un bref instant de silence pendant lequel ils regardèrent tous Robyn, attendant une réponse.

"C'est une aporie, dit Robyn. Une sorte d'aporie accidentelle, une forme d'ambiguïté non décidable, de contradiction insoluble. Nous savons que Tennyson voulait évoquer les chemins de fer, et, comme a dit Helen, nous sommes obligés d'en tenir compte. (En entendant cette paraphrase flatteuse de son argument, Helen Lorimer eut le visage qui s'illumina et se mit à ressembler à sa boucle d'oreille de droite.) Mais nous savons aussi que les trains de chemin de fer ne roulent pas dans des rainures, et rien de ce qui roule dans des rainures ne semble constituer une métaphore adéquate de notre thème. Comme a dit Simon, les tramways ne sont pas poétiques. L'esprit du lecteur est donc continuellement dérouté tandis qu'il cherche à dégager le sens de ce vers.

– Vous voulez dire que c'est un vers loupé ? dit Vic.

– Au contraire, dit Robyn. Je pense que c'est un des rares bons vers du poème.

– S'il y a une question sur l'ère des chemins de fer à l'examen, dit Laura Jones, est-ce qu'on peut le citer ?

– Oui, Laura, dit Robyn avec patience. Du moment que vous êtes conscients de l'aporie.

– Comment vous épelez ça ?"

Robyn écrivit le mot avec un feutre de couleur sur le tableau blanc fixé au mur de son bureau. *"Aporie.* En rhétorique classique, ça veut dire incertitude réelle ou factice quant au sujet dont on discute. Aujourd'hui, les déconstructionnistes l'utilisent en référence à des types plus extrêmes de contradictions ou de subversion de la logique ou encore quand l'attente du lecteur a été mise en échec dans le texte. On peut dire que c'est le trope favori du déconstructionnisme. Hillis Miller compare l'aporie à un sentier de montagne qu'on suit jusqu'à ce qu'il s'arrête et qui vous laisse là au bord d'une corniche, incapable de reculer ou d'avancer. Le mot vient en fait d'un mot grec signifiant 'un sentier impraticable'. Poursuis, Marion."

Quelques minutes plus tard, Vic, apparemment encouragé par le succès de son intervention sur le mot *"rainures",* leva de nouveau la main. Marion défendait l'idée, assez pertinente, que Tennyson savait davantage manier les émotions que les idées, et elle avait cité pour preuve l'effusion lyrique de l'amant dans *Maud : "Viens dans le jardin, Maud / La nuit noire peuplée de chauvesouris s'en est allée."*

"Oui, Monsieur Wilcox ? dit Robyn en fronçant les sourcils.

– C'est une chanson, dit Vic. *Viens dans le jardin, Maud*. Mon grand-père la chantait autrefois.

– Oui ?

– Le type dans le poème chante une chanson à son amie, une chanson très connue. Ça change quelque chose, non ?

– C'est Tennyson qui a écrit le poème *Viens dans le jardin, Maud*, dit Robyn. Quelqu'un l'a mis en musique plus tard.

– Oh, dit Vic. Excusez-moi. Ou est-ce encore une aporie ?

– C'est une erreur, dit Robyn. Je vous saurais gré de ne plus interrompre, désormais, sinon Marion ne pourra pas finir son exposé."

Vic se réfugia dans un silence blessé. Il s'agitait fébrilement sur sa chaise, poussait de temps en temps de gros soupirs d'ennui – les étudiants, gênés, s'arrêtaient alors en plein milieu de ce qu'ils disaient – , il tournait les pages de son livre en mouillant son doigt et finalement replia le livre si énergiquement que le dos craqua en un bruit sec, cependant il n'interrompit plus le cours. Au bout d'un moment, il sembla se désintéresser de la discussion et se mit à lire Tennyson pour son propre compte. Lorsque la séance fut terminée et que les étudiants furent repartis, il demanda à Robyn s'il pouvait emprunter le livre.

"Bien sûr. Mais pourquoi ?

– Eh bien, j'ai pensé que si je le lisais un peu avant le cours, je saurais mieux de quoi il est question la semaine prochaine.

– Oh, mais nous ne ferons pas Tennyson la semaine prochaine. Ce sera *Daniel Deronda,* je crois.

– Tu veux dire que tu en as fini avec Tennyson ? C'est bien cela ?

– Oui, du moins pour ce qui concerne ce groupe.

– Mais tu ne leur as même pas dit s'il était optimiste ou pessimiste.

– Ce n'est pas à moi de leur dire ce qu'il faut penser, dit Robyn.

– Alors, comment veux-tu qu'ils apprennent les bonnes réponses ?

– Il n'y a pas de bonnes réponses à dc telles questions. Il y a simplement des interprétations.

– A quoi ça rime, alors ? dit-il. A quoi ça sert de passer toute une journée à discuter sur des livres si on n'a rien appris au bout du compte ?

– Mais si, on a appris une chose, dit Robyn. On sait au moins que le langage est un médium infiniment plus perfide et plus instable qu'on ne l'imaginait.

– Ça te suffit comme ça ?

– C'est déjà beaucoup pour quelqu'un comme toi, dit-elle, rangeant les livres et les papiers sur son bureau. Tu veux emprunter *Daniel Deronda* pour la semaine prochaine ?

– Qu'est-ce qu'il a écrit ?

– Ce n'est pas un écrivain, c'est un livre. Ecrit par George Eliot.

– C'est un bon écrivain, au moins, ce type-là ?

– Ce type-là était une femme, en fait. Tu vois comme la langue est instable. Mais, pour te répondre, oui, très bon. Tu veux échanger *Daniel Deronda* contre Tennyson ?

– Je les prends tous les deux, dit-il. Il y a de bonnes choses là-dedans. Il ouvrit le Tennyson et lut à haute voix, suivant le texte avec son gros index :

La femme est un homme en réduction, et tous tes désirs, à côté des miens,
Ne sont que lune par rapport au soleil, et qu'eau par rapport au vin.

– J'aurais parié que tu allais boire 'Locksley Hall' comme du petit lait, dit Robyn.

– Ça touche une fibre sensible chez moi, dit-il, en tournant les pages. Pourquoi tu n'as pas répondu à mes lettres ?

– Parce que je ne les ai pas lues, dit-elle. Je ne les ai même pas ouvertes.

– Ce n'est pas très gentil.

– Je savais parfaitement ce qu'elles contenaient, dit-elle. Et si tu as envie d'être idiot et sentimental et de me vomir du Tennyson à la figure, j'annule tout de suite la deuxième partie du système de stage.

– Je ne peux pas m'en empêcher. Je pense sans arrêt à Francfort.

– N'y pense plus. Fais comme si ça n'était jamais arrivé. Tu veux du café ?

– Tu ne vas pas me faire croire que ça ne voulait rien dire pour toi !

– C'était une aporie, dit-elle. Un sentier impraticable. Qui ne conduisait nulle part.

– Oui, dit-il amèrement. Et je me suis retrouvé coincé sur une corniche. Je ne peux plus ni avancer, ni reculer.

Robyn soupira. "Je regrette, Vic. Tu vois quand même bien qu'on est très différents, toi et moi ? Sans compter que tu as d'autres engagements dans ta vie.

– Ne t'occupe pas de ça, dit-il. Je suis parfaitement capable de m'occuper d'eux.

– Nous venons de deux mondes différents.

– Je peux changer. J'ai déjà changé. J'ai lu *Jane Eyre* et *Les Hauts de Hurlevent*. J'ai fait enlever toutes les pin-up à l'usine, j'ai...

– Tu as fait quoi ?

– On a fait un grand ménage – j'en ai profité pour faire enlever les pin-up qui étaient sur les murs.

– Ils ne vont pas tarder à en mettre d'autres, j'imagine ?

– J'ai demandé aux syndicats de mettre cela au vote. Les chefs d'ateliers n'étaient pas très chauds, mais les Asiatiques étaient massivement pour. Ils sont un peu prudes, tu comprends.

– Eh bien, je suis très impressionnée," dit Robyn. Elle lui fit un grand sourire en guise de bénédiction. Ce fut là son erreur. A sa grande stupeur, il lui saisit la main et tomba à genoux à côté du fauteuil, dans une attitude qui n'était pas sans rappeler à Robyn l'une des gravures dans sa vieille édition des *Poèmes* de Tennyson.

– Robyn, donne-moi au moins une chance !"

Elle retira violemment sa main. "Lève-toi, idiot !" dit-elle.

Juste à ce moment-là, on frappa à la porte et Marion Russell, tout essoufflée, fit irruption dans la pièce. Elle s'arrêta sur le seuil et regarda, surprise, Vic qui était toujours à genoux. Robyn se laissa glisser de son fauteuil et s'agenouilla sur le plancher. "Mr. Wilcox vient de laisser tomber son crayon, Marion, dit-elle. Tu peux nous aider à le retrouver.

– Oh ! dit Marion. Je suis désolée mais j'ai un cours. Je suis revenue pour chercher mon sac." Elle montra du doigt un sac en plastique plein de livres sous la chaise qu'elle avait occupée.

"C'est bon, dit Robyn, prends-le.

– Excusez-moi." Marion Russell prit son sac, marcha à reculons en direction de la porte, et, contemplant la scène une dernière fois, quitta la pièce.

"Allez, ça suffit comme ça, dit Robyn en se relevant.

– Pardonne-moi, je me suis laissé aller, dit Vic, en se brossant les genoux.

– Va-t-en, je t'en prie, dit Robyn. Je vais dire à Swallow que j'ai changé d'avis.

– Permets-moi de rester. Ça n'arrivera plus. Il semblait gêné et désemparé. Elle se rappela alors l'instant où, étant rentrés tous les deux dans sa chambre à l'hôtel de Francfort, il lui avait sauté dessus derrière la porte et l'avait relâchée aussi brusquement.

– Je ne te fais pas confiance. Je crois que tu es un peu fou.

– Je te promets."

Robyn attendit qu'il la regardât droit dans les yeux avant d'ajouter : "Plus jamais d'allusion à Francfort ?

– Non.

– Plus jamais de sérénade ?"

Il ravala sa salive et acquiesça tristement d'un signe de tête. "D'accord."

Robyn pensa au tableau qu'ils avaient dû présenter à Marion Russell et ricana. "Viens, on va aller prendre un café", dit-elle.

Comme toujours à cette heure de la matinée, la salle des professeurs était bondée, et ils durent faire un peu la queue pour avoir du café. Vic regarda autour de lui d'un air intrigué.

« Qu'est-ce qui se passe ici ? dit-il. C'est déjà l'heure du déjeuner pour tous ces gens-là ?

– Non, c'est juste le café du matin.

– Ils ont droit à combien de temps ?

– Droit ?

– Tu veux dire qu'ils peuvent traînasser ici aussi longtemps qu'ils veulent ? »

Robyn regarda ses collègues assis paresseusement dans des fauteuils qui souriaient et bavardaient entre eux, ou parcouraient les quotidiens ou les hebdomadaires, tout en buvant leur café ou en grignotant des biscuits. Elle vit soudain ce spectacle familier à travers les yeux d'un étranger et rougit presque. « Nous avons tous notre travail à faire, dit-elle. Chacun s'organise comme il peut pour le faire.

– Si vous ne commencez pas avant dix heures et que vous vous arrêtez pour la pause café à onze heures, dit Vic, je ne vois pas comment vous pouvez avoir le temps de travailler. » Il semblait incapable de trouver le juste milieu entre la sensiblerie ridicule et l'agressivité. La première attitude ayant échoué, il passait sans transition à la seconde.

Robyn paya les deux tasses de café et conduisit Vic vers deux sièges vides devant l'une des grandes baies qui donnaient sur la cour centrale du campus. « Ça peut te paraître bizarre, dit-elle, mais tout un tas de gens ici sont en train de travailler en ce moment.

– Je ne l'aurais jamais cru. Quelle sorte de travail ?

– Ils discutent des problèmes de l'Université, ils fixent l'ordre du jour des commissions. Ils échangent des idées sur leur recherche ou se consultent à propos de certains étudiants. Tout un tas de choses comme ça. »

Dommage que juste à ce moment-là le professeur d'Egyptologie, qui était assis juste à côté, demandât bien fort à son voisin : « Comment vont tes tulipes cette année, Dobson ?

– Si j'étais responsable, dit Vic, je ferais fermer cette salle et je demanderais à la femme derrière le comptoir de passer dans les couloirs avec une table roulante."

Le professeur d'Egyptologie se retourna sur son siège et dévisagea Vic qui poursuivit :

"Ils n'ont pas beaucoup d'allure, tous ces hommes ici ! Pas de cravate, la plupart. Regarde ce type là-bas, il a la chemise qui sort du pantalon.

– C'est un théologien éminent, dit Robyn.

– Ça ne l'excuse pas, on dirait qu'il a dormi tout habillé", dit Vic.

Philip Swallow s'approcha d'eux, une tasse de café dans une main et un épais dossier dans l'autre. "Puis-je me joindre à vous ? dit-il. Comment ça se passe, Monsieur Wilcox ?

– Mr. Wilcox est scandalisé par nos mœurs relâchées, dit Robyn. Chemises à col ouvert et pauses café qui n'en finissent pas.

– Ça ne marcherait pas dans l'industrie, dit Vic. Les gens en abuseraient.

– Je ne suis pas sûr que certains de nos collègues n'en abusent pas, dit Swallow en regardant autour de lui. Il faut reconnaître que ce sont souvent les mêmes personnes qu'on voit s'éterniser ici à l'heure du café.

– Eh bien, c'est vous le patron, non ? dit Vic. Pourquoi vous ne leur donnez pas un avertissement ?"

Philip Swallow eut un gros rire caverneux. "Je ne suis le patron de personne. Vous faites la même erreur que le gouvernement, j'en ai bien peur.

– Comment cela ?

– Eh bien, vous imaginez que les universités sont organisées comme des entreprises, avec une séparation nette entre l'administration et les travailleurs, alors qu'en fait ce sont des institutions collégiales. C'est pour ça que toutes ces réductions budgétaires ont foutu une telle merde. Excusez mon langage, Robyn."

Robyn balaya l'excuse d'un geste de la main.

"Vous comprenez, poursuivit Philip Swallow, lorsque le gouvernement a réduit nos finances, il espérait manifestement améliorer l'efficacité, réduire le surencadrement et tout le reste, comme ça s'est fait dans l'industrie. Bon, je veux bien reconnaître que ce n'était pas totalement superflu – le contraire aurait été étonnant. Mais, dans l'industrie, l'administration décide qui sera licencié parmi les ouvriers, les cadres supérieurs décident qui va partir parmi les jeunes cadres, et ainsi de suite. Les universités n'ont pas la même structure pyramidale. Tout le monde est égal, en un sens, une fois la période d'essai terminée. Personne ne peut être licencié contre son gré. Personne ne votera pour licencier un pair.

– Encore heureux, dit Robyn.

– Tout ça, c'est très bien, Robyn, mais personne n'accepte de voter pour un changement de programme si cela risque de mettre quelqu'un en surnombre. Je préfère ne pas compter le nombre d'heures que j'ai passées dans des commissions à discuter des réductions, dit Philip Swallow d'un ton las, et pendant tout ce temps, je ne me souviens pas d'avoir entendu une seule fois quelqu'un admettre qu'il y avait quelque chose d'inepte dans nos façons de faire. Tout le monde reconnaît qu'il faut faire des sacrifices, parce que le gouvernement tient les cordons de la bourse, mais, en pratique, personne n'accepte de les faire.

– Eh bien, vous n'allez pas tarder à être en faillite, dit Vic.

– Ça serait déjà arrivé s'il n'y avait pas eu les départs anticipés à la retraite, dit Swallow. Mais, bien sûr, les personnes qui ont choisi de prendre leur retraite anticipée ne sont pas toujours celles que nous pouvons nous permettre de perdre. Et puis, le Gouvernement a été obligé de nous donner beaucoup d'argent pour que les conditions soient attrayantes pour ceux qui partent. On en est arrivé ainsi à payer des gens pour qu'ils partent travailler en Amérique ou se mettent à travailler à leur propre compte, ou pour qu'ils ne fassent rien, au lieu de dépenser cet argent à payer des jeunes profs brillants comme Robyn, par exemple.

– Ça m'a l'air d'un drôle de gâchis, dit Vic. Il faut

changer le système, c'est évident. Et donner davantage d'autorité à l'administration.

– Non ! dit Robyn avec véhémence. Ce n'est pas la solution. Si vous tentez de transformer les universités en institutions commerciales, vous détruisez alors tout ce qui fait leur valeur. Mieux vaut prendre le problème par l'autre bout. Transformer l'industrie sur le modèle des universités. Faire que les usines soient aussi des institutions collégiales.

– Ha ! On ne tiendrait pas cinq minutes sur le marché, dit Vic.

– Tant pis pour le marché, dit Robyn. Peut-être que les universités sont inefficaces, à certains égards. Peut-être que nous perdons tout un tas de temps à discutailler dans les commissions parce que personne n'a le pouvoir absolu. Mais c'est préférable à un système où tout le monde a peur de la personne située juste à l'échelon au-dessus, où on se bat chacun pour soi, on traficote ses feuilles de frais ou on saccage les toilettes, et tout ça parce que chacun sait qu'il peut être licencié du soir au lendemain, si ça arrange la compagnie, sans que personne ne s'en inquiète. Je préfère tous les jours l'université, malgré ses innombrables défauts.

– Oui, c'est un très bon boulot, dit Vic, encore faut-il pouvoir l'obtenir." Il tourna la tête et regarda la cour centrale du campus par la baie vitrée, grande ouverte, qui laissait entrer la chaleur du jour.

Robyn suivit son regard. Les étudiants, dans leurs jolis habits d'été, étaient dispersés comme des pétales sur les pelouses vertes en train de lire, de causer, de se bécoter ou d'écouter discourir leur professeur. Le soleil brillait sur la façade de la bibliothèque dont les portes tournantes en verre scintillaient par intermittence comme les rayons d'un phare, laissant entrer et sortir les lecteurs avec des mouvements d'éventail ; le soleil brillait aussi sur les autres bâtiments de toutes formes et de toutes tailles consacrés aux sciences naturelles, à la chimie, à la physique, à la mécanique, à l'éducation ou au droit. Il brillait sur les jardins botaniques, le centre sportif, les terrains de jeux, les pistes où des gens devaient être en train de s'entraîner, de jogger et de faire de l'exercice. Il brillait sur le grand amphithéâtre où l'orchestre et le chœur de l'université allaient exécuter *Le rêve de Gerontius* un peu plus tard ce trimestre, et sur le club des étudiants avec sa salle du conseil, ses salles de réunions et les bureaux de son journal ; il brillait aussi sur la galerie d'art financée par des fonds privés qui abritait une collection restreinte mais exquise d'œuvres d'art. Robyn avait de plus en plus le sentiment que l'université était le type idéal de communauté humaine, un lieu où le travail et le jeu, la culture et la nature étaient en parfaite harmonie, où il y avait de l'espace, de la lumière et de jolis bâtiments construits dans un site agréable, et où les gens étaient libres de chercher l'excellence, l'accomplissement de soi, chacun à son rythme et selon ses goûts.

Et soudain elle se dit, avec un frisson de compassion, que ce même soleil devait briller sur les toits en tôle ondulée des bâtiments de l'usine de Wallsbury Ouest, faisant grimper rapidement la température à l'intérieur de la fonderie ; et elle imagina les ouvriers qui sortaient comme des hommes ivres dans la lumière de midi, trempés de sueur, les yeux aveuglés par la lumière éclatante, et qui allaient manger leur casse-croûte, accroupis sur la chaussée couverte de taches d'huile, à l'ombre d'un mur en brique, et qui, au bruit d'une sirène, retournaient tous dans la chaleur, le bruit et la puanteur pour quatre longues heures de dur labeur.

Mais non ! Au lieu de les laisser retourner dans cet enfer, elle les transporta, en imagination, sur le campus : tout le personnel – manœuvres, ouvriers qualifiés, contrôleurs, directeurs, secrétaires, balayeurs et cuisiniers, tous avec leurs bleus de travail raides de graisse, leurs salopettes toutes sales, leurs petites robes de chez Prisunic et leurs costumes rayés – tous, elle les entassa dans un bus, leur fit traverser la ville et les débarqua devant les grilles du campus. Elle les laissa se promener à travers le campus en un cortège sans fin, telle une armée en déroute, avec à leur tête Danny Ram et les deux Sikhs de la coupole et le géant noir du vibreur, roulant de gros yeux blancs au milieu de leurs visages basanés et noirs de suie tandis qu'ils regardaient autour d'eux avec une curiosité hébétée les jolis bâtiments, les arbres, les parterres de fleurs et les pelouses, de même que les superbes jeunes gens qui travaillaient et jouaient autour d'eux. Et les superbes jeunes gens et leurs professeurs s'arrêtaient de folâtrer, de discuter, ils se relevaient et s'avançaient pour accueillir les gens de l'usine, leur serrer la main et leur souhaiter la bienvenue, et puis une centaine de petits groupes se formaient sur l'herbe, regroupant un nombre égal d'étudiants et de professeurs, d'ouvriers et de cadres, afin d'échanger leurs idées et de voir comment concilier les valeurs de l'université et les impératifs du commerce et d'organiser tout cela pour le plus grand bien de la société.

Robyn se rendit compte que Philip Swallow lui parlait. "Je vous demande pardon, dit-elle. Je rêvassais.

– C'est le privilège de la jeunesse, dit-il en souriant. J'ai cru un moment que vous deveniez un peu dure d'oreille, Robyn."

2

"Question suivante, dit Philip Swallow, qu'est-ce que nous allons faire du rapport établi par la Commission de révision des programmes ?

– Tu peux le jeter à la poubelle, suggéra Rupert Sutcliffe.

– Rupert peut bien ricaner, dit Bob Busby qui était président de la Commission de révision des programmes, mais ce n'est pas si facile que ça de réviser les programmes. Tout le monde dans le Département veut protéger ses propres intérêts. Comme tous les programmes, celui-ci est un compromis.

– Un compromis totalement inapplicable, si je puis me permettre, dit Rupert Sutcliffe. Si je calcule bien, ça suppose qu'on mette en place tous les ans cent soixante-treize examens différents en fin d'année.

– On n'a pas encore examiné la question du contrôle des connaissances, dit Bob Busby. On a simplement voulu essayer de trouver d'abord un consensus sur la structure de base de nos cours.

– Mais le contrôle des connaissances est vital, dit Robyn. C'est ce qui détermine l'approche générale des étudiants vis-à-vis de leurs études. Ne serait-ce pas l'occasion de se débarrasser une fois pour toutes des examens finals et d'adopter une forme de contrôle continu ?

– Le Conseil de Fac n'accepterait jamais ça, dit Bob Busby.

– Et à juste titre, dit Rupert Sutcliffe. Le contrôle continu devrait être réservé aux écoles primaires.

– Je dois vous rappeler, dit Philip Swallow d'un ton las, et je le rappellerai à l'Assemblée du Département en temps utile, que le but de cet exercice c'est d'économiser nos ressources par suite des réductions budgétaires. Trois collègues vont nous quitter, pour différentes raisons, à la fin de l'année. Il est plus que probable qu'il y aura d'autres départs l'an prochain. Si nous persistons à vouloir proposer le programme actuel alors que nous avons de moins en moins d'enseignants, la charge d'enseignement de chacun va s'accroître dans des proportions insupportables. La Commission de Révision des Programmes a été mise en place pour traiter ce problème et non pour établir un programme totalement nouveau avec des cours que chacun, dans l'idéal, aimerait assurer.

– Rationalisation", dit Vic à l'autre bout de la table.

Toutes les personnes réunies dans le bureau de Philip Swallow, y compris Robyn, tournèrent la tête et regardèrent Vic avec étonnement. Généralement, il se taisait pendant les réunions de commissions auxquelles il assistait avec elle – il n'était pas intervenu non plus pendant ses séminaires depuis le premier jour. Pendant ses visites hebdomadaires à l'université, il restait assis dans un coin du bureau, ou dans le fond d'un amphi, tranquille et attentif, et il la suivait le long des couloirs ou des escaliers de la Faculté des Lettres comme un chien fidèle. Parfois, elle se demandait ce qu'il pensait de tout cela, mais la plupart du temps elle oubliait purement et simplement qu'il était là, comme par exemple ce matin. On en était à la quatrième semaine du trimestre, et ils assistaient à une réunion de la Commission de l'ordre du jour.

Comme tout le reste au Département, cette Commission de l'ordre du jour avait une histoire et un folklore que Robyn était parvenue à reconstituer à partir de sources diverses. Pendant des décennies, le Directeur du Département avait été un excentrique notoire nommé Gordon Masters qui passait le plus clair de son temps à pratiquer des sports de plein air et n'avait jamais convoqué d'Assemblée de Département, sauf pour la réunion annuelle du Jury d'Examen. A la suite des manifestations estudiantines de 1969 (qui avaient acculé Masters, psychologiquement très perturbé, à prendre sa retraite), son successeur, Dalton, avait été contraint, par un nouveau règlement de l'université, de tenir régulièrement des

Assemblées de Département, mais il avait adroitement déjoué les visées démocratiques de ce règlement en gardant secret l'ordre du jour de ces Assemblées. Ses collègues ne pouvaient donc soulever des points importants que dans les Questions Diverses, et Dalton s'arrangeait toujours pour faire durer la discussion sur les trivialités ennuyeuses de son propre ordre du jour de telle sorte que, lorsque la réunion en arrivait aux QD, il n'y avait plus de quorum. Pour contrer cette stratégie, Philip Swallow, alors Professeur Titulaire, récemment requinqué par son séjour en Amérique lors d'un programme d'échanges, s'était arrangé pour obtenir la création d'une nouvelle sous-commission, appelée Commission de l'ordre du jour, dont la fonction était de préparer les discussions pour l'Assemblée Générale du Département. Swallow avait hérité de ce dispositif lorsqu'il était lui-même devenu Directeur du Département à la suite du décès soudain de Dalton dans un accident de voiture, et il utilisait la Commission de l'ordre du jour comme une sorte de minicabinet, pour examiner la politique du Département sur tel ou tel sujet, afin de voir comment présenter les choses en séance plénière et d'éviter au maximum les débats trop passionnés. La Commission de l'ordre du jour était composée de lui-même, président *de facto,* de Rupert Sutcliffe, de Bob Busby, de Robyn et d'un représentant étudiant qui était rarement là et se trouvait absent dans la circonstance.

"La rationalisation, c'est de cela que vous êtes en train de parler, dit Vic. Réduire les coûts, améliorer l'efficacité. Maintenir le rendement avec une main-d'œuvre moins importante. C'est la même chose dans l'industrie.

– Voilà une réflexion intéressante, dit Philip Swallow poliment.

– Peut-être que Mr. Wilcox pourrait nous concocter un nouveau programme, dit Rupert Sutcliffe en minaudant.

– Non, je ne pourrais pas faire ça, mais je peux vous donner des conseils, dit Vic. Il n'y a qu'une façon absolument infaillible de réussir en affaires : faire quelque chose que le public veut, le faire bien, et le faire en un seul modèle.

– La formule de Henry Ford, si je me rappelle bien, dit Bob Busby. Sa barbe frétillait, tant il était fier d'avoir pu étaler son savoir.

– Ce n'est pas lui qui a dit : 'L'Histoire, c'est de la foutaise' ? dit Rupert Sutcliffe. Cela ne me paraît pas un modèle très prometteur pour un Département d'Anglais.

– C'est un modèle absurde, dit Robyn. Si nous le suivions, nous n'aurions qu'un seul type de cours pour tous les étudiants, sans aucune option.

– Oh, pourtant, ce n'est pas une idée si saugrenue, dit Rupert Sutcliffe. C'était le genre de programme que nous avions avec Masters. A cette époque-là, je trouve que nous avions davantage de temps pour réfléchir, et aussi pour causer entre nous. Les étudiants savaient au moins à quoi s'en tenir.

– Inutile de regretter le bon vieux temps ; on s'ennuyait ferme, en fait, dit Bob Busby, irrité. Notre discipline s'est considérablement développée depuis tes débuts dans l'enseignement, Rupert. Aujourd'hui, il y a la linguistique, la communication, la littérature américaine, la littérature du Commonwealth, la théorie littéraire, les études fémines, sans parler d'une bonne centaine de jeunes écrivains britanniques qui méritent qu'on les prenne au sérieux. On ne peut pas couvrir tout ça en trois ans. Nous avons besoin d'un système à options.

– C'est comme ça qu'on se retrouve avec cent soixante-treize épreuves d'examen, et des conflits d'horaires à n'en plus finir, dit Rupert Sutcliffe.

– C'est quand même mieux qu'un programme qui ne donne aucun choix aux étudiants, dit Robyn. De toute façon, Mr. Wilcox n'est pas tout à fait franc avec nous. Il ne fabrique pas qu'une seule chose dans son usine. Il fabrique tout un tas de produits différents.

– C'est vrai, dit Vic. Mais pas autant qu'on en fabriquait quand j'ai pris la succession. Ce que je veux dire, c'est qu'une même opération répétée plusieurs fois coûte toujours moins cher et est toujours plus fiable qu'une opération qu'on doit réorganiser différemment à chaque fois.

– Mais la répétition, c'est la mort ! s'écria Robyn. La différence, c'est la vie. La différence est le fondement même du sens. Le langage est un système de différences, comme l'a dit de Saussure.

– Mais c'est toujours un système, dit Rupert Sutcliffe. Toute la question est de savoir si nous avons encore un système, ou simplement un affreux embrouillamini. Et j'ai bien peur que ce document – il donna une petite tape sur le rapport de la Commission de révision des programmes avec la paume de la main – ne fasse qu'accentuer cet embrouillamini."

Philip Swallow, qui avait suivi ce débat en se tenant la tête dans les mains, se redressa et parla : "Je pense qu'une fois encore la vérité se situe entre ces deux extrêmes. Bien sûr, je reconnais la validité de l'argument de Robyn ; si nous enseignions tous la même chose à longueur d'année, on finirait tous par devenir fous ou par mourir d'ennui, et nos étudiants aussi. D'un autre côté, il faut reconnaître, je crois, que nous essayons de faire trop de choses en même temps sans en faire une seule vraiment très bien."

Philip Swallow semblait plutôt en forme aujourd'hui, se dit Robyn. Un minuscule ver en plastique transparent, qui sortait de son oreille droite en faisant une boucle et disparaissait sous sa tignasse de cheveux argentés, indiquait qu'il avait peut-être enfin adopté un appareil de correction auditive.

"L'histoire explique un peu la chose, poursuivit-il. Il fut un temps, et Rupert s'en souvient, où il y avait un programme unique comprenant essentiellement un survol de la littérature anglaise, de Beowulf à Virginia Woolf, que tous les étudiants suivaient ensemble, avec plusieurs cours magistraux et un séminaire par semaine, et la vie était très simple et facile, bien qu'un peu banale. Ensuite, dans les années soixante et soixante-dix, on a commencé à ajouter tout un tas de nouveaux ingrédients passionnants, comme ceux que vient de mentionner Bob – mais sans rien enlever à l'ancien programme. Si bien qu'on en est arrivé à un système complexe de cours à options qui viennent s'ajouter aux cours magistraux et aux séminaires du programme de base. D'accord, ça pouvait marcher, même si c'était un peu fou, tant qu'il y avait assez d'argent pour recruter de nouveaux professeurs, mais maintenant que l'argent commence à manquer, nous devons être lucides et reconnaître que le programme actuel est trop lourd. C'est comme un trois-mâts avec trop de voiles et un équipage de plus en plus réduit. On s'épuise à force de monter dans les gréements et d'en redescendre, juste pour empêcher le satané navire de chavirer ; pas question d'aller où que ce soit ou de jouir du voyage. Si tu me permets, Bob, je pense que ta Commission ne s'est pas attaquée au vrai problème. Est-ce que je peux te demander de revoir la chose avant que le problème ne soit soulevé devant l'Assemblée du Département ?

– D'accord, dit Bob Busby en soupirant.

– Bon, dit Philip Swallow. Ça devrait laisser du temps pour discuter d'un autre sujet à l'ordre du jour : le PED.

– Grand Dieu, qu'est-ce que c'est que ça ? dit Rupert Sutcliffe.

– Les Projets d'Entreprises des Départements. Une nouvelle idée du Président.

– Encore une ! dit Bob Busby en grognant.

– Il veut que chaque département soumette des projets pour collecter de l'argent dans le secteur privé afin de financer ses propres activités. Des suggestions ?

– A quoi tu penses, à une vente de charité, par exemple ? dit Rupert Sutcliffe. Ou à une journée de vente d'insignes ?

– Non, non, Rupert ! Un système d'expertise-conseil, de services de recherche, quelque chose dans ce genre, dit Swallow. Bien sûr, c'est infiniment plus facile pour les Sciences de proposer des idées. Mais je crois savoir que l'Egyptologie a l'intention d'organiser des voyages guidés sur le Nil. La question que nous devons nous poser est la suivante : en tant que Département, qu'avons-nous à vendre au monde extérieur ?

– On a des tas de jolies filles, dit Bob Busby, partant d'un gros rire, mais son rire s'arrêta net lorsque son regard croisa celui de Robyn.

– Je ne comprends pas, dit Robyn. Nous croulons déjà sous le travail avec notre enseignement, nos étudiants, notre recherche. Si en plus nous devons maintenant gagner de l'argent, où allons-nous trouver le temps et l'énergie ?

– En théorie, les sommes supplémentaires que nous percevrons devraient nous permettre d'embaucher davantage de personnel. L'université prélèvera ses vingt pour cent, et nous pourrons dépenser le reste comme nous l'entendrons.

– Et si nous perdons de l'argent, dit Robyn, qu'arrivera-t-il alors ?"

Philip Swallow haussa les épaules. "L'université garantira tous les programmes déjà approuvés. Bien sûr, dans ce cas, on n'obtiendrait pas de personnel supplémentaire.

– Et on aura perdu un temps précieux.

– C'est le risque, en effet, dit Philip Swallow. Mais c'est l'esprit de notre temps. Initiatives personnelles, capitalisme à risque. N'est-ce pas, monsieur Wilcox ?

– Je suis d'accord avec Robyn, dit Vic, à la grande surprise de celle-ci. Ce n'est pas que je ne croie pas au marché. J'y crois beaucoup, au contraire. Mais vous, ici, vous n'en faites pas partie. Vous ne feriez que jouer au capitalisme. Vous devriez vous en tenir à ce que vous savez le mieux faire.

– Que voulez-vous dire, jouer au capitalisme ? dit Philip Swallow.

– Vous ne pouvez pas vraiment perdre puisque l'Université accepte de garantir toutes vos pertes. Vous ne pouvez pas vraiment gagner, si je comprends bien, puisque vous n'avez rien à en tirer personnellement en cas de succès. Imaginez, c'est juste un exemple, que Robyn vous propose un projet commercial pour le Département d'Anglais – disons, une expertise-conseil pour la formulation des notices de sécurité sur un site industriel.

– Voilà une bonne idée, en fait, dit Philip Swallow, qui en prit note.

– Et imaginez que ce soit une excellente pompe à fric. Est-ce qu'elle toucherait une prime supplémentaire ? Est-ce qu'elle aurait droit à une augmentation de salaire ? Est-ce qu'elle aurait un avancement plus rapide que M. Sutcliffe qui a manifestement décidé de rester en dehors de tout ça ?

– Bien sûr que non, dit Philip Swallow. Cependant, poursuivit-il, d'un air triomphant, dans ce cas, nous pourrions la garder avec nous !

– Formidable, dit Vic. Elle se tue à gagner de l'argent qui servira à payer son salaire de misère, et l'Université en tire tout le bénéfice pour le redistribuer à des parasites comme Sutcliffe.

– Dites donc, je n'apprécie pas beaucoup, dit Rupert Sutcliffe.

– Il serait infiniment plus logique pour elle de s'installer comme expert-conseil à son propre compte, dit Vic.

– Mais je ne veux pas être expert-conseil, dit Robyn. Je veux seulement être professeur d'université."

Le téléphone sonna dans le bureau, et Swallow, qui était en bout de table, se pencha en arrière sur sa chaise pour attraper le combiné. "Je vous avais dit de ne me passer aucune communication, Pam", dit-il irrité ; mais, aussitôt, son expression changea et il prit un air grave et attentif. "Oh, alors, passez-le-moi." Il écouta en silence, se contentant de dire : "Oh", "Je vois", et "Oh, mon Dieu", et ces deux ou trois minutes parurent interminables à tout le monde. Tandis que se poursuivait cette conversation à sens unique, il se penchait en arrière de plus en plus sur sa chaise, comme s'il était irrésistiblement attiré loin de la table par la force magnétique de son interlocuteur. Robyn et tous les autres regardaient, impuissants, tandis que la chaise s'approchait du point de non-retour. Comme on pouvait s'y attendre, lorsque Philip Swallow se retourna pour replacer le combiné, il s'écroula par terre et sa tête vint heurter la corbeille à papiers. Ils se précipitèrent tous pour l'aider à se relever. "Ça va, ça va", dit-il en se frottant le front. "La circulaire de la CBU vient d'arriver. Les nouvelles ne sont pas bonnes, malheureusement. Notre subvention va être réduite de dix pour cent finalement. Le Président pense que nous allons devoir perdre encore une centaine de postes." Philip Swallow évita de regarder Robyn pendant qu'il faisait cette déclaration.

"Eh bien, voilà, dit Robyn, lorsqu'ils furent de retour dans son bureau. Mon dernier espoir de garder mon poste vient de s'envoler.

– Je suis désolé pour toi, dit Vic. Tu es vraiment excellente dans tout ce que tu fais."

Robyn eut un petit sourire triste. "Merci, Vic. Puis-je me servir de toi comme référence ?"

Des gouttes de pluie ruisselaient le long de la vitre, brouillant sa vue comme des larmes. Le beau temps du début du trimestre n'avait pas duré. Il n'y avait plus de faunes ni de nymphes à folâtrer sur les pelouses détrempées aujourd'hui, seulement quelques personnes qui se hâtaient le long des allées sous des parapluies.

"Je suis sincère, dit-il. Tu es un prof né. Ce truc sur la métaphore et la métonymie, par exemple, je le retrouve partout dans l'atelier. Les pubs à la télé, les suppléments des journaux en couleurs, la façon dont parlent les gens."

Robyn se retourna et le regarda d'un air rayonnant. "Je suis contente de te l'entendre dire. Si, toi, tu comprends, alors tout le monde peut comprendre.

– Eh bien, je te remercie, dit-il.

– Excuse-moi, je ne voulais pas te blesser. Ça prouve seulement que Charles avait tort de dire que nous ne devrions pas enseigner de la théorie à des étudiants qui n'ont rien lu. C'est un mauvais argument. Personne n'a lu aussi peu que toi, je crois.

– J'ai lu davantage ces dernières semaines que je ne l'avais fait depuis l'école, dit-il. *Jane Eyre*, *Les Hauts de Hurlevent* et *Daniel Deronda*. Enfin, la moitié de *Daniel Deronda*. Ce type-là – il sortit de sa poche une édition brochée de *Culture et Anarchie* de Matthew Arnold, au programme pour le séminaire de l'après-midi, et il la brandit fièrement – et aussi Tennyson. Bizarrement, c'est Tennyson que je préfère. Je n'aurais jamais cru que je pourrais aimer lire de la poésie, mais ça me plaît. J'aime en apprendre des bribes par cœur et me les réciter dans la voiture.

– A la place de Jennifer Rush ? dit-elle en le taquinant.

– Je suis un peu lassé de Jennifer Rush.

– Parfait !

– Ses chansons ne riment pas comme il faut. Tennyson sait manier les rimes, lui.

– C'est vrai. Qu'est-ce que tu as appris par cœur, par exemple ?"

La regardant droit dans les yeux, il récita :

– *Dans ma vie, il y avait une image : celle qui s'était pendue à mon cou s'était enfuie.*

J'étais enveloppé dans un linceul d'ombre, assis seul sur l'épave.

– C'est très beau, dit Robyn, après un instant de silence.

– J'ai trouvé que c'était adapté à la situation.

– Oublie cela, dit Robyn brusquement. D'où c'est tiré ?

– Tu ne sais pas ? Un poème appelé 'Locksley Hall – Soixante Ans Plus Tard'.

– Je ne crois pas avoir lu ça.

– Alors, comme ça, j'ai lu quelque chose que tu n'as pas lu ? Incroyable. Il avait l'air content de lui comme un gosse.

– Eh bien, dit-elle, si tu as pris goût à la poésie, le Système de Stage n'a pas été inutile.

– Et pour toi ?

– J'ai appris à louer le ciel de ne pas avoir à travailler en usine, dit-elle. Plus vite ils installeront ces usines sans lumière dont tu parlais, mieux ça vaudra. Personne, pour gagner sa vie, ne devrait être obligé de faire et de refaire la même chose à longueur de journée.

– Comment les gens vont-ils gagner leur vie alors ?

– Ils n'auront pas besoin de cela. Ils pourront être étudiants, à la place. Les robots feront tout le travail et produiront toute la richesse.

– Oh, alors, tu reconnais qu'il faut quelqu'un pour le faire ?

– Je reconnais que les universités ne poussent pas sur les arbres, si c'est ce que tu veux dire.

– Eh bien, c'est au moins un début."

On frappa, on ouvrit et la tête de Pamela, la secrétaire du Département, apparut derrière la porte. "Un appel extérieur pour toi, Robyn."

"Salut, dit la voix de Morris Zapp lorsqu'elle prit le téléphone dans le bureau du Département. Comment ça va ?

– Je vais bien, dit-elle. Et vous ? Où êtes-vous ?

– Je vais très bien et je suis chez moi à Euphoria. C'est une belle nuit chaude et étoilée et je suis installé sur ma terrasse avec un téléphone sans fil et j'admire la belle vue sur la baie. J'en profite pour passer quelques coups de téléphone. Ecoutez, j'ai lu votre livre. Je le trouve sensationnel."

Robyn sentit son moral monter aussitôt comme un ballon qu'on lâche. "Vraiment ? dit-elle. Allez-vous le recommander à vos presses universitaires ?

– C'est déjà fait. Vous allez recevoir une lettre d'eux. Demandez-leur le double de ce qu'ils offrent comme avance.

– Oh, je ne crois pas que j'aurais l'audace de le faire, dit Robyn. Combien ils offrent, en fait ?

– Je n'en ai aucune idée, mais, quoi qu'il en soit, insistez pour avoir le double.

– Ils seraient capables de dire non et de se désister.

– Non, pas de danger, dit Morris Zapp. Ils seront d'autant plus pressés de signer un contrat avec vous. Mais ce n'est pas pour cela que je vous appelle. C'est pour un poste.

– Un poste ? Robyn mit la main sur son autre oreille pour ne pas entendre le bruit que faisait la machine à écrire de Pamela.

– Ouais, on est en train de recruter quelqu'un ici, avec promesse de titularisation, en études féminines, et cela à compter de l'automne. Ça vous intéresse ?

– Eh bien, oui, dit Robyn.

– Sensas. Maintenant, j'ai besoin de votre CV, aussi vite que possible. Pourriez-vous m'envoyer un fax ?

– Un quoi ?

– F-a-x, fax ! Fax ? Bon, laissez tomber. Envoyez-le moi en chronopost. Il faudrait aussi que vous veniez quelques jours ici pour rencontrer les collègues et donner une conférence, enfin la procédure habituelle – ça vous va ? On vous paiera votre avion, bien sûr.

– Parfait, dit Robyn. Quand ?

– La semaine prochaine ?

– La semaine *prochaine !*

– La semaine d'après si vous préférez. Le problème – je préfère être franc avec vous, Robyn – c'est qu'il y a une autre candidate appuyée par les plus stupides de mes collègues. Je voudrais vous mettre dans le coup le plus vite possible. Je sais qu'ils vont craquer en entendant votre accent. On n'a pas d'autre Anglais dans le Département pour le moment. C'est un plus en votre faveur, on a tout un tas d'Anglophiles ici, sans doute parce qu'on est si loin de l'Angleterre.

– Qui est l'autre candidate ?

– Ne vous inquiétez pas d'elle. Ce n'est pas une chercheuse sérieuse. Simplement un écrivain. Faites-moi confiance. Il vous suffit de faire ce que je vous demande, et le poste est à vous.

– Eh bien… comment puis-je vous remercier ? dit Robyn.

– On trouvera bien un moyen, dit Morris Zapp, mais le sous-entendu semblait inoffensif, un simple réflexe conditionné, apparemment. Vous ne voulez pas savoir combien vous allez gagner ?

– Si, bien sûr, dit Robyn. Combien ?

– Je ne peux pas vous dire exactement. Vous êtes jeune, bien sûr. Mais je dirais, au moins quarante mille dollars."

Robyn ne répondit pas, faisant un rapide calcul mental.

"Je sais que ce n'est pas beaucoup... dit Morris Zapp.

– Ça me paraît tout à fait raisonnable, dit Robyn qui venait de calculer que ça faisait exactement le double de ce qu'elle gagnait à Rummidge.

– Et ça devrait monter très vite. Les gens comme vous sont très demandés actuellement.

– Que voulez-vous dire, les gens comme moi ?

– Les féministes qui peuvent faire de la théorie littéraire. La théorie fait fureur ici. Votre vie serait une suite sans fin de congrès et de tournées de conférences. Et l'Université d'Euphoria vient de proposer sa candidature

385

pour accueillir un nouvel Institut de Recherche Avancée sur la côte Ouest. Si ça marche, on va avoir tous les gros bonnets de Yale, de Johns Hopkins et de Duke qui vont vouloir venir passer un semestre chez nous.

– Ça paraît excitant, dit Robyn.

– Ouais, vous allez adorer ça, dit Morris Zapp. N'oubliez pas le CV et demandez à ceux qui vous font des lettres de recommandation d'écrire directement à notre Directeur, Morton Ziegfield. Je vous recontacterai d'ici peu. *Ciao !*"

Robyn posa le téléphone et éclata de rire.

Pamela leva les yeux de sa machine. "Ta mère va bien, alors ?

– Ma mère ?

– Elle a essayé de t'avoir un peu plus tôt, pendant que tu étais à la réunion sur l'Ordre du Jour.

– Non, ce n'était pas ma mère, dit Robyn. Mais je me demande ce qu'elle voulait.

– Elle a dit qu'il ne fallait pas t'inquiéter, qu'elle t'appellerait ce soir.

– Qu'est-ce qui t'a fait penser alors, que c'était ma mère ?" dit Robyn, agacée de voir que la secrétaire fourrait son nez dans sa vie privée. Pamela eut l'air vexée, et Robyn en éprouva aussitôt du remords. Pour se racheter, elle communiqua la bonne nouvelle : "Enfin, voilà quelqu'un qui m'offre un poste. En Amérique !

– Oh, dis donc !

– Mais garde ça pour toi, Pamela. Est-ce que le professeur Swallow est dans son bureau ?"

"Désirée Zapp ! dit Philip Swallow lorsqu'elle lui eut raconté son histoire. L'autre candidate doit être Désirée.

– Vous croyez ? dit Robyn.

– Je veux bien le parier. Elle a écrit, au dos de sa carte de Noël, qu'elle cherchait un poste en université, de préférence sur la côte Ouest. Vous imaginez Désirée dans le même département que Morris ! Il éclata de rire en songeant au scénario qu'il venait d'imaginer. Morris fera tout ce qu'il pourra pour l'en empêcher.

– Au point de m'engager moi ?

– Vous devriez être flattée, dit Philip Swallow. Il ne vous proposerait pas comme candidate s'il estimait que vous n'aviez aucune chance de l'emporter. Il a dû être très impressionné par votre livre. Bien sûr, c'est pour ça qu'il insistait tant pour le lire. Il a dû venir en Europe pour chercher de jeunes talents. J'imagine que Fulvia Morgana a dû lui dire non…" Philip Swallow regarda d'un air distrait par la fenêtre, comme s'il essayait de retrouver son chemin à travers l'esprit labyrinthique de Morris Zapp, et il palpa doucement la petite bosse que la corbeille à papiers avait laissée sur son front.

"Comment puis-je me battre contre Désirée Zapp ? Elle est connue dans le monde entier.

– Mais, comme a dit Morris, ce n'est pas une chercheuse sérieuse, dit Philip Swallow. Je pense que ça va être son argument. Les critères scientifiques. La rigueur théorique.

– Mais il doit y avoir des dizaines de candidates avec un bon dossier scientifique en Amérique.

– Elles n'ont peut-être pas envie de se battre contre Désirée. Elle est une sorte d'héroïne pour les féministes là-bas. Ou elles ont peut-être peur d'elle, tout simplement. Elle est capable de jouer de sales tours. Vaut mieux que vous le sachiez tout de suite, Robyn. La vie universitaire en Amérique est une foire d'empoigne. Si vous obtenez le poste – la lutte ne fera que commencer. Il faudra que vous continuiez de publier pour justifier votre poste. Lorsque le moment viendra de vous titulariser, la moitié de vos collègues essaieront de vous poignarder dans le dos, et je ne dis rien de l'autre moitié. Ça vous tente vraiment ?

– Je n'ai pas le choix, dit Robyn. Je n'ai pas d'avenir dans ce pays.

– Pas pour le moment, apparemment, soupira Swallow. Et le pire dans tout ça, c'est qu'une fois que vous serez partie, vous ne reviendrez plus.

– Qu'en savez-vous ?

– Personne ne revient. Même s'ils acceptent l'idée de voir leur salaire retomber au niveau anglais, on n'a pas les moyens de leur payer l'avion pour qu'ils viennent pour un entretien. Mais je ne vous blâme pas de sauter sur l'occasion.

– Vous voudrez bien m'écrire une lettre de recommandation ?

– Oui, je vais vous écrire une lettre enthousiaste, dit Philip Swallow. C'est le moins que je puisse faire."

Robyn retourna à son bureau d'un pas élastique, et dans sa tête tourbillonnait confusément une foule d'idées, agréables pour la plupart. Philip Swallow avait réussi à rendre un peu moins alléchante la proposition de Morris Zapp, mais ça faisait bien plaisir, pour une fois, de se voir courtiser par un employeur potentiel, quelles que soient les conditions. Elle avait totalement oublié Vic et, l'espace d'un instant, elle fut surprise de le trouver recroquevillé sur une chaise près de la fenêtre, en train de lire *Culture et Anarchie* à la lumière grise de ce jour pluvieux. Lorsqu'elle lui communiqua la nouvelle, il ne parut pas vraiment ravi.

"Quand as-tu dit que ce boulot commençait ? dit-il.

– A l'automne. J'imagine que ça veut dire en septembre.

– Il ne me reste pas beaucoup de temps alors.

– Pour quoi faire ?

– Pour, enfin tu sais, pour te faire changer d'avis...

– Oh, Vic ! dit-elle. Je croyais que tu avais oublié cette idée stupide.

– Je ne peux pas oublier que je t'aime.

– Ne te mets pas à pleurnicher, dit-elle. C'est mon jour de chance. Ne le gâche pas.

– Excuse-moi, dit-il en regardant ses souliers. Il donna une chiquenaude sur la pointe de l'un d'eux pour faire tomber de la boue séchée.

– Vic, dit-elle, en hochant la tête tristement, combien de fois va-t-il falloir que je te dise que je ne crois pas à ce genre d'amour individualiste ?

– Oui, c'est ce que tu dis", répondit-il.

Elle se rebiffa un peu en entendant cela. "Suggérerais-tu par hasard que je ne crois pas à ce que je dis ?

– Je croyais que nos paroles ne disaient jamais ce que nous voulons dire et inversement, dit-il. Je croyais qu'il existait toujours un écart entre le Je qui parle et le Je qui est parlé.

– Oh, oh ! dit Robyn, en mettant ses mains sur ses hanches. Je vois qu'on apprend vite sa leçon !

– Ce que je veux dire, dit-il, c'est que si tu ne crois pas à l'amour, pourquoi alors tu te préoccupes tant de tes étudiants ? Pourquoi tu t'inquiètes de Danny Ram ?"

Robyn rougit. "Ce n'est pas du tout la même chose.

– Si, ça l'est. Tu t'intéresses à eux parce que ce sont des individus.

– Je m'intéresse à eux parce que je m'intéresse à la connaissance et à la liberté.

– Des mots, tout ça. La connaissance et la liberté, ce ne sont que des mots.

– C'est tout ce qui existe en définitive. *Il n'y a pas de hors-texte* [1].

– Quoi ?

– Je veux dire qu'il n'y a rien en dehors du texte.

– Je ne peux pas accepter ça, dit-il, redressant le menton et la fixant droit dans les yeux. Ça voudrait dire que nous n'avons pas de libre arbitre.

– Pas nécessairement, dit Robyn. Une fois que tu as compris qu'il n'y a rien en dehors du texte, tu peux te mettre à l'écrire toi-même."

On frappa à la porte et la tête de Pamela apparut de nouveau.

"C'est ma mère ? dit Robyn.

– Non, c'est pour Mr. Wilcox", dit Pamela.

"Assieds-toi, Vic. Merci d'être venu si vite", dit Stuart Baxter, assis derrière son immense bureau peu encombré qui était teinté, comme tous les éléments muraux, dans cet élégant ton frêne foncé actuellement si prisé des PDG. Comme l'avait déjà remarqué Vic, plus on était haut dans la hiérarchie du conglomérat, plus les bureaux étaient

1. En français dans le texte.

vastes, et moins il y avait de papiers et autres impedimenta à traîner dessus. Il avait constaté, le jour où il était allé le voir dans son appartement en terrasse, que le bureau en bois de rose arrondi du Président du Conseil d'Administration, Sir Richard Littlego, était complètement nu, à part un tampon-buvard en cuir et une plume d'oie à pointe d'argent. Stuart Baxter n'était pas encore parvenu à ce degré extrême de dénuement, mais sa corbeille à correspondance reçue était quasiment vide et il n'y avait qu'une seule feuille de papier dans celle du courrier à expédier. Le bureau de Baxter était au dix-huitième étage de la tour de la Compagnie des Midlands qui en comptait vingt, au centre de Rummidge. La baie vitrée derrière lui était orientée au sud-est et dominait un quartier sinistre de la ville où il n'y avait pas un seul arbre. Les toits gris et luisants de pluie des usines, des entrepôts et des terrasses s'étalaient à l'infini comme les vagues et les creux d'une mer maussade et huileuse.

"Je n'étais pas très loin", dit Vic. Il s'assit dans un fauteuil soi-disant confortable mais dont la ligne basse obligeait son occupant à regarder Stuart Baxter en contre-plongée. Et regarder Baxter, sous quelqu'angle que ce soit, était une chose que Vic n'appréciait guère. C'était un homme élégant et très conscient de l'être. Sa barbe était bien rasée, sa coupe de cheveux impeccable, ses dents blanches et régulières. Il se pavanait toujours dans des chemises de couleurs vives à col blanc au-dessus desquelles son visage grassouillet et lisse luisait d'un rose qui respirait la santé.

"Tu étais à l'université ? dit-il. Je crois savoir que tu y passes pas mal de temps actuellement.

– J'assure le suivi de ce Système de Stage, dit Vic. Dans l'autre sens. Je t'ai envoyé une note à ce propos.

– Oui, je l'ai transmise au Président. Je n'ai pas encore reçu de réponse. Je pensais que c'était seulement une suggestion.

– J'en ai parlé moi-même à Littlego, au dîner-dansant de l'AMR. Il a eu l'air de trouver que c'était une bonne idée, alors j'ai foncé.

– Je regrette que tu ne me l'aies pas dit, Vic. J'aime savoir ce que font mes DG.

– Je prends sur mon temps."

Baxter sourit. "On me dit que c'est une chouette nana, ta stagiaire.

– C'est moi son stagiaire, maintenant, dit Vic.

– Vous avez l'air d'être inséparables. J'ai entendu dire que tu l'avais emmenée avec toi à Francfort."

Vic se releva. "Si tu m'as fait venir ici pour discuter de tous ces papotages de bureau…

– Non, je t'ai fait venir pour une chose infiniment plus importante. Assieds-toi, Vic. Tu veux du café ?

– Non, merci, dit Vic se rasseyant au bord de son fauteuil. De quoi s'agit-il ?" Il ressentit soudain une peur froide au creux du ventre.

"On vend Pringle.

– Vous ne pouvez pas faire ça, dit Vic.

– C'est déjà fait, Vic. La chose sera rendue publique demain. C'est confidentiel d'ici là, bien sûr.

– Mais on a fait du bénéfice le mois dernier.

– Un petit bénéfice. Un tout petit bénéfice, vu le chiffre d'affaires.

– Mais ça va s'améliorer ! La fonderie marche à merveille. Et que faites-vous de la nouvelle soufflerie de noyaux ?

– Foundrax considère que c'est un bon investissement. Tu l'as eue à un bon prix.

– Foundrax ? dit Vic qui avait du mal à retrouver son souffle pour parler.

– Oui, nous vendons au Groupe EFE qui possède Foundrax, comme tu le sais.

– Tu veux dire qu'ils vont fusionner les deux compagnies ?

– Je crois comprendre que oui. Il y aura une certaine rationalisation de leurs activités, bien sûr. Il faut être réaliste, Vic, il y a trop de compagnies dans ton domaine, et elles s'adressent toutes à la même clientèle.

– Pringle est déjà rationalisée, dit Vic. C'est moi qui

l'ai rationalisée. On m'a embauché pour remettre à flot la compagnie. J'avais dit que ça pourrait prendre dix-huit mois. Je l'ai fait en moins d'un an. Et maintenant, tu me dis que vous avez vendu à un concurrent qui était complètement foutu.

– On reconnaît tous que tu as fait un travail fantastique, Vic, dit Baxter. Mais le Conseil d'Administration ne voit pas comment Pringle peut trouver sa place dans notre stratégie à long terme.

– Ce que tu veux dire, dit Vic amèrement, c'est qu'en vendant Pringle maintenant, tu peux faire apparaître un bénéfice pour l'exercice de cette année à la prochaine AG."

Stuart Baxter examinait ses ongles mais ne disait rien.

"Je refuse de travailler sous les ordres de Norman Cole, dit Vic.

– Personne ne te le demande, Vic, dit Baxter.

– Alors comme ça, c'est au revoir et merci, voilà une année de salaire et surtout ne dépense pas tout d'un seul coup.

– On te permet de garder la voiture, dit Baxter.

– Oh, alors, c'est donc ça !

– Je suis sincèrement désolé, Vic. J'ai dit aux gens de chez FFE que s'ils avaient un peu de gingin, ils garderaient Vic Wilcox pour diriger la nouvelle compagnie. Mais je crois comprendre que ça va être Cole.

– Je leur souhaite bien du plaisir avec ce salaud de faux-jeton.

– Pour être franc avec toi, Vic, je crois qu'ils ont été surpris par certaines histoires qui ont circulé sur ton compte.

– Quelles histoires ?

– Par exemple, ces pin-up que tu as fait enlever de l'usine.

– Les syndicats m'ont appuyé.

– Je le sais, mais ça paraît quelque peu... excentrique. Et puis ensuite, le fait que tu passes une journée par semaine à l'université.

– En prenant sur mon temps.

392

– C'est excentrique, ça aussi. Quelqu'un m'a demandé l'autre jour si tu n'étais pas pentecôtiste. Tu n'en es pas un, n'est-ce pas ?

– Non, même pas chrétien", dit Vic en se levant pour partir.

Baxter se leva lui aussi. "Tu ferais peut-être mieux de déménager tes affaires cet après-midi. Tu ne tiens pas à être là, je suppose, quand Cole prendra la relève demain." Il tendit la main par-dessus le bureau. Vic refusa de la serrer, tourna les talons et sortit.

Vic rentra tout doucement chez Pringle – ou plutôt sa voiture l'y ramena comme un cheval à qui on laisse la bride sur le cou et qui suit l'itinéraire qu'il connaît le mieux. La colère et l'anxiété l'oppressaient trop pour qu'il pût se concentrer sur sa conduite. Il n'aurait pas su dire ce qui était le pire pour lui : l'idée que tout ce boulot d'une année n'ait servi à rien, ou l'ironie de voir que Norman Cole allait en profiter, ou encore la perspective de devoir annoncer la nouvelle à Marjorie. Oui, c'était cela finalement le pire. Le camion Bedford jaune qu'il suivait sur la première file de l'autoroute, et sur lequel on lisait l'inscription "TABLES DE BRONZAGE RIVIERA" écrite en grosses lettres orange, évoqua chez lui l'image poignante de sa femme à la maison qui essayait en vain de se faire belle, sans se douter que la foudre venait de s'abattre sur sa vie. Pour commencer, ils allaient devoir annuler leurs vacances d'été à Tenerife. Et s'il n'arrivait pas à trouver un autre boulot d'ici un an, ils seraient peut-être même obligés de vendre la maison et d'aller s'installer dans quelque chose de plus modeste, sans salle de bains contiguë.

Vic quitta l'autoroute à la sortie de Wallsbury Ouest et, toujours derrière le camion jaune, il longea les rues désertes et sinistres qui ne se peuplaient que lors des changements d'équipes ; il passa devant des usines silencieuses où des pancartes À LOUER étaient accrochées aux grilles, puis devant des ateliers aveugles, sur la nouvelle zone industrielle, qui, avec leurs rideaux de fer baissés, ressemblaient à de gigantesques parkings à voitures, et enfin devant le Sauna de Suzanne, avant de s'engager dans l'allée Coney. Le camion allait, semble-t-il, passer devant chez Pringle, mais, à sa grande surprise, il tourna, entra dans le parking de l'usine et s'arrêta juste devant le bâtiment administratif. Brian Everthorpe en descendit, côté passager, et remercia le chauffeur d'un geste de la main tandis que le camion repartait. Voyant Vic sortir de sa voiture, il fit volte-face et s'approcha.

"Salut, Vic. Je croyais que c'était ton jour de formation continue.

– Il est arrivé quelque chose. Qu'as-tu fait de ta voiture ?

– Elle est tombée en panne à l'autre bout de la ville. L'alternateur, je pense. Je l'ai laissée dans un garage et j'ai fait de l'auto-stop jusqu'ici. C'est sérieux ?

– Quoi ?

– Ce qui est arrivé.

– Oui, plutôt.

– Tu as l'air d'être assez secoué, Vic, si je puis me permettre. Comme quelqu'un qui vient de disjoncter."

Vic hésita, tenté un instant de se confier à Brian Everthorpe – non par réflexe de charité pour l'avertir du rachat de la boîte, mais tout simplement pour soulager sa colère, pour communiquer à quelqu'un d'autre son propre état de choc, et pour voir l'effet produit. Et si Everthorpe allait communiquer la nouvelle aux autres – qu'est-ce qui se passerait ? Et après tout, pourquoi se gênerait-il de mettre Stuart Baxter et la Compagnie des Midlands dans l'embarras ? "Viens dans mon bureau une minute", dit-il avec témérité.

Le hall d'accueil était encombré de meubles et de cartons d'emballage. Au beau milieu de tout ce désordre, Shirley, Doreen et Lesley déballaient un long divan beige, arrachant les enveloppes en plastique, criant, tout excitées. En apercevant Vic, les deux réceptionnistes retournèrent précipitamment à leur poste de travail. Shirley, qui était à genoux, se releva et tira sur sa jupe.

"Oh, salut, Vic. Je croyais que vous ne veniez pas aujourd'hui.

– J'ai changé d'avis, dit-il, en regardant autour de lui. Alors, comme ça, le nouveau divan est arrivé ?

– Nous avons pensé qu'on pouvait le déballer. Nous voulions vous faire une petite surprise.

– Il est tellement beau, Monsieur Wilcox, dit Doreen.

– Un superbe tissu, dit Lesley.

– Pas mal, dit-il en tâtant le rembourrage et en se disant : un autre petit bonus pour Norman Cole. Débarrassez-vous de l'ancien, vous voulez bien, Shirley ?" Comme il se dirigeait vers son bureau, toujours suivi d'Everthorpe, il se demanda si les trois femmes allaient survivre à cette fusion. C'était probable – apparemment, on avait toujours besoin de secrétaires et de standardistes. Brian Everthorpe, en revanche, n'y survivrait certainement pas.

Vic ferma la porte de son bureau, fit jurer à Brian Everthorpe de garder le secret et lui annonça la nouvelle.

Brian Everthorpe se contenta de faire : "Hum", et de se caresser les favoris.

"Tu n'as pas l'air très surpris.

– Je le voyais venir.

– Je ne m'y attendais foutrement pas, dit Vic. Il regrettait déjà d'avoir communiqué la nouvelle à Everthorpe. Je ne vais pas rester. Je ne sais pas pour toi, bien sûr.

– Oh, je sais déjà qu'ils ne me garderont pas.

– Tu as l'air plutôt heureux de ça.

– Il y a longtemps que je suis ici. J'ai droit à une belle prime de licenciement.

– N'empêche.

– Et j'ai aussi pris des précautions.

– Quelles précautions ?

– Il y a quelque temps, j'ai investi de l'argent dans une petite entreprise, dit Brian Everthorpe. Elle n'est déjà plus aussi petite aujourd'hui." Il sortit une carte de son portefeuille et la présenta.

Vic regarda la carte. "Tables de Bronzage Riviera ? Mais c'est le camion qui t'a déposé à l'instant.

– Oui. Je me trouvais là-bas quand le moteur est tombé en panne.

– L'entreprise marche bien, comme ça ?

– Merveilleusement bien. Surtout à cette époque de l'année. Tu comprends, il y a toutes ces femmes de Rummidge qui se préparent à passer leurs quinze jours de vacances à Majorque ou à Corfou. Elles ne veulent pas descendre sur la plage le premier jour blanches comme du saindoux, alors elles nous louent une table de bronzage pour se faire bronzer chez elles avant la saison. Ensuite, quand elles reviennent, elles en reprennent une pour garder leur bronzage. On ne cesse de se développer. On a acheté cinquante autres tables la semaine dernière. Elles sont faites à Taiwan, une sacrée affaire pour nous.

– Tu t'occupes de la gestion quotidienne, alors ?

– Je me contente de surveiller. Je leur fais profiter de mon expérience, tu comprends, dit Brian Everthorpe, lissant ses moustaches. Et je me sers de mes contacts pour faire des affaires. Une carte par-ci, une carte par-là."

Vic réprimait sa colère, dans l'espoir d'obtenir des aveux complets d'Everthorpe. "Si je comprends bien, tu t'occupais des intérêts de la compagnie Riviera alors que tu étais censé consacrer toute ton attention à Pringle. Est-ce bien moral ?

– Moral ? Brian Everthorpe éclata de rire. Je t'en prie, Vic. Tu crois que c'est moral ce que la Compagnie des Midlands est en train de nous faire ?

– Il n'y a rien d'immoral à cela. C'est simplement une façon cynique et à court terme de voir les choses, à mon avis. En revanche, tu as travaillé pour toi aux frais de la compagnie. Bon Dieu, pas étonnant si on ne pouvait jamais te trouver quand on avait besoin de toi ! dit-il, ne pouvant s'empêcher d'exploser. J'imagine que tu livrais des tables de bronzage.

– Oh, il m'est arrivé d'en livrer une ou deux en période de pointe – on ne peut pas refuser une vente, tu sais bien. C'est différent quand il s'agit de ton propre argent, Vic. Non, mon rôle se situe à un échelon plus élevé. En fait, ça ne m'étonnerait pas que je finisse un jour par diriger la boîte. Je vais pouvoir acheter une plus grosse part avec ma prime de licenciement.

– Tu ne mérites pas de prime de licenciement, dit Vic. Tu mérites un coup de pied au cul. J'ai bien envie de te dénoncer à Stuart Baxter.

– Pas la peine, dit Brian Everthorpe. C'est un des principaux actionnaires de chez Riviera."

Vic se rendit compte qu'il avait peu d'objets personnels à déménager de son bureau. Un agenda de bureau, un cadre avec une photo de Marjorie et des gosses prise il y a dix ans sur la plage de Torquay, un briquet de table qu'il avait reçu en quittant Rumcol, un ou deux livres de référence, et, dans un placard, un vieux pull et un parapluie pliant qui avait une baleine cassée – il n'y avait rien d'autre. Le tout put tenir aisément dans un sac en plastique de supermarché. Shirley le regarda néanmoins d'un air bizarre lorsqu'il traversa son bureau pour sortir. Peut-être que Brian Everthorpe lui avait déjà dit qu'il partait.

"Vous ressortez ? dit-elle.

– Je rentre chez moi.

– J'ai téléphoné à des commissaires-priseurs, ils vont venir prendre le vieux divan demain.

– J'espère que le nouveau sera aussi résistant que l'ancien, dit Vic en la regardant droit dans les yeux. Ce divan est soumis à rude épreuve."

Shirley devint livide puis rougit jusqu'aux oreilles.

Vic eut un peu honte de lui-même. "Au revoir Shirley, merci de vous en occuper", dit-il, et il quitta son bureau précipitamment.

Il rentra chez lui à toute allure, empruntant d'un bout à l'autre la voie extérieure de l'autoroute et dépassant tous les autres véhicules, tant il avait hâte d'en finir. Marjorie comprit qu'il y avait quelque chose qui n'allait pas dès qu'elle le vit apparaître à la porte de la cuisine. Elle était debout devant l'évier, avec son tablier, en train de gratter des pommes de terre nouvelles. "Tu es rentré de bonne heure", dit-elle, lâchant une pomme de terre qui tomba dans l'eau en faisant plouf. "Qu'est-ce qui se passe ?

– Fais-nous une tasse de thé, et je vais te le dire."

Elle le dévisagea, croisa ses gros doigts humides pour s'empêcher de trembler. "Dis-le-moi tout de suite, Vic.

– D'accord. Pringle vient d'être vendu au Groupe EFE et va fusionner avec Foundrax. On m'a foutu à la porte. A partir de demain."

Marjorie s'approcha de lui et le prit dans ses bras. "Oh, Vic, dit-elle. Je suis désolée pour toi. Après tout ce travail."

Il s'était préparé à une crise de larmes ou même d'hystérie. Mais Marjorie était étonnamment calme, et il se sentit lui-même un peu ému de la voir réagir avec une telle abnégation. Il contempla par-dessus son épaule les surfaces lisses de la cuisine intégrée et toute cette panoplie de gadgets luisants. "Je vais trouver un autre boulot, dit-il. Mais ça peut prendre du temps.

– Bien sûr, mon chéri. Marjorie parlait d'un ton presque enjoué. Tu t'en doutais, non ? Tu savais depuis un certain temps que ça allait arriver. C'est pour ça que tu étais si bizarre."

Vic hésita. Il avait été si affreusement trompé et il était si écœuré d'avoir été trahi qu'il fut tenté un instant de lui dire la vérité. Mais cette manifestation de loyauté méritait pour le moins, pensa-t-il, un petit mensonge charitable. "Oui, dit-il. Je savais que ça devait arriver.

– Tu aurais dû me le dire, dit-elle, renvoyant la tête en arrière et le secouant gentiment. Je me suis tellement inquiétée. Je croyais t'avoir perdu.

– Perdu ?

– Je pensais qu'il y avait peut-être une autre femme."

Il rit et lui donna une petite tape sur les fesses. "Et ce thé, tu nous le fais ?" dit-il. Il se rendit compte alors, quelque peu surpris, qu'il n'avait encore pas songé une seule fois à Robyn Penrose depuis que Stuart Baxter lui avait appris la nouvelle.

"Je vais te le porter au salon. Ton père y est déjà.

– Papa ? Qu'est-ce qu'il fait ici ?

– Il est venu faire une petite visite. Il passe de temps en temps, pour me tenir compagnie. Il savait que j'étais sur les nerfs.

– Ne le lui dis pas, dit Vic.

– D'accord, dit Marjorie. Mais ça va paraître demain dans le journal du soir, n'est-ce pas ?

– C'est vrai", dit Vic.

Ils réveillèrent donc le vieil homme qui somnolait dans un fauteuil, lui donnèrent une tasse de thé très fort pour qu'il reprenne ses esprits puis lui annoncèrent la nouvelle. Il prit la nouvelle extraordinairement bien. Il semblait penser que l'année de salaire qu'allait toucher Vic constituait une petite fortune sur laquelle il allait pouvoir vivre indéfiniment, et Vic n'essaya pas de le détromper – sur le coup, du moins. Les enfants rentrèrent l'un après l'autre, apprirent la nouvelle, et la réunion tourna peu à peu au conseil de famille. Vic expliqua les implications : "Cette maison est tout ce que je possède, et encore il y a de gros remboursements à faire dessus, dit-il. On va devoir se serrer la ceinture jusqu'à ce que j'aie un nouveau boulot. Je regrette, mais il va falloir annuler les vacances.

– Ah, *non* ! gémit Sandra.

– Ne sois pas égoïste, Sandra, dit Marjorie d'un ton sec. Ce n'est pas grand-chose, les vacances !

– Alors, j'irai toute seule avec Cliff, dit Sandra. Je vais travailler chez Tweezers pendant tout l'été et faire des économies.

– Très bien, dit Vic, du moment que tu participes aux frais de la maison."

Sandra renifla. "Et l'université ? J'imagine que tu ne veux plus que j'essaie d'y entrer maintenant.

– Bien sûr que si. Je croyais simplement que tu n'étais pas intéressée.

– J'ai changé d'avis. Mais si on doit t'entendre parler d'argent tout le temps...

– On trouvera l'argent pour ça, ne t'en fais pas. Ce serait plus facile si tu posais ta candidature dans le coin, bien sûr... Il se tourna vers son fils aîné. Raymond, il est temps, je crois, que toi aussi tu donnes un peu de ton allocation chômage à ta mère.

– Je déménage, dit Raymond. On vient de m'offrir un job."

399

Lorsque le petit brouhaha provoqué par cette annonce se fut dissipé, Raymond expliqua que le studio où son groupe avait enregistré sa bande de démonstration lui avait offert un job comme producteur associé. "Ils ont détesté notre musique, mais je les ai sacrément impressionnés avec tout ce que je savais faire en électronique, dit-il. J'ai été boire un coup après avec Sidney, le propriétaire, et il m'a offert le job. Ce n'est qu'une petite entreprise. Sidney vient de débuter, mais la boîte a beaucoup d'avenir. Il y a des dizaines de groupes dans le coin qui cherchent un endroit où se faire enregistrer sans avoir à aller se faire plumer à Londres.

– Dis, papa, pourquoi tu ne lancerais pas toi aussi ta propre entreprise ? dit Gary.

– Ouais, t'avais pas un projet de spectromètre ?" dit Raymond.

Vic regarda ses fils avec méfiance, mais ils ne le taquinaient pas. "C'est une idée, dit-il. Si Tom Rigby est licencié, il consentira peut-être à investir sa prime dans une petite affaire avec moi. Il nous faudrait malgré tout un énorme prêt bancaire, mais c'est quand même une bonne idée.

– Sidney a obtenu un prêt, dit Raymond.

– L'ennui, c'est que je n'ai pratiquement rien à proposer comme garantie. La maison est lourdement hypothéquée. L'entreprise paraîtrait risquée pour une banque. Il faut faire tout un tas de recherches avant de pouvoir produire un prototype.

– Oui, c'est risqué de se lancer tout seul, dit le vieux Mr. Wilcox. Tu ferais mieux de chercher un autre emploi comme celui que tu avais. Rumcol serait sans doute ravi de te reprendre, ou Vanguard.

– Ils ont déjà ce qu'il faut comme directeurs généraux, papa.

– Ça n'a pas besoin d'être un poste de directeur général, mon gars. Inutile de faire le fiérot.

– Tu penses à quoi, à un poste de magasinier, grand-père ? dit Gary.

– Ne sois pas impertinent, Gary, dit Vic. De toute

façon, je ne suis pas sûr de vouloir travailler encore pour une compagnie. J'en ai marre de me crever pour des compagnies et des conglomérats qui n'ont pas plus de sentiments humains qu'un wagon de ferraille.

— Si tu t'établissais à ton compte, Vic, dit Marjorie, je pourrais être ta secrétaire. Ça économiserait de l'argent.

— Et moi je tiendrais les comptes avec mon Atari, dit Gary. On peut en faire une entreprise familiale, comme un petit magasin du quartier pakistanais.

— Tu pourrais faire pire, dit Mr. Wilcox. Ils travaillent dur, les bougres.

— Je serais heureuse de recommencer à travailler, dit Marjorie. Je m'ennuie à la maison toute la journée, maintenant que vous êtes tous grands. Et si c'était notre propre entreprise..."

Vic la regarda d'un air étonné. Elle avait les yeux brillants. Elle souriait. Et ses joues avaient retrouvé leurs petites fossettes.

Lorsque Robyn ouvrit sa porte et entra chez elle ce soir-là, le téléphone sonnait avec insistance comme s'il y avait des heures qu'il sonnait. C'était sa mère.

"Quelque chose qui ne va pas ? dit Robyn.

— Non, une assez bonne nouvelle, j'espère. Il est arrivé une lettre recommandée pour toi d'un cabinet juridique de Melbourne. J'ai signé et je te l'ai fait suivre cet après-midi.

— Qu'est-ce que ça peut bien vouloir dire ?

— Ton oncle Walter est mort récemment, dit Mme Penrose. On l'a su juste après ton retour à Rummidge. Je voulais te le dire, mais j'ai oublié. On avait perdu tout contact avec lui depuis des années, bien sûr. Comme toute la famille, d'ailleurs, je crois. Il était devenu une sorte de reclus depuis qu'il avait vendu son élevage de moutons à cette entreprise minière…

— Maman, en quoi cela peut-il me concerner ? l'interrompit Robyn.

— Eh bien, je crois qu'il a pu te laisser quelque chose dans son testament.

– Pourquoi ? Ce n'était pas véritablement un oncle, n'est-ce pas ?

– Une sorte d'oncle par alliance. Il avait épousé la sœur de ton père, Ethel, qui est morte très jeune d'une piqûre d'abeille. Elle était allergique sans le savoir. Ils n'ont jamais eu d'enfants à eux, et il a toujours eu une petite préférence pour toi depuis le jour où tu l'as obligé à mettre tout son argent dans la boîte pour les enfants infirmes ; tu n'avais que trois ans alors.

– Elle est vraie, cette histoire ? Robyn se rappelait la statuette en plâtre peint représentant un petit garçon en culotte courte, coiffé d'une casquette à visière, et dont une jambe était serrée dans des attelles en fer ; il tendait une boîte avec une fente pour les pièces. Cette statuette, unique à Melbourne, avait été apportée par un petit commerçant venu d'Angleterre. Mais Robyn s'était toujours demandé si l'incident avec son oncle Walter avait bien eu lieu.

– Bien sûr qu'elle est vraie. Sa mère prit un ton offensé, comme un croyant qui doit défendre les saintes écritures. Ce serait quand même bien, tu ne trouves pas, si Walter s'était souvenu de toi dans son testament ?

– Oui, ça tomberait plutôt bien, dit Robyn. Je viens juste de recevoir mes impôts locaux. A propos, maman, je vais probablement partir en Amérique. Robyn parla à sa mère de la proposition de Morris Zapp.

– Eh bien, ma chérie, dit Mme Penrose, je n'aimerais pas te savoir si loin de nous, mais j'imagine que ce ne serait que pour un an ou deux.

– C'est ça le hic, en fait, dit Robyn. Si je pars, il me sera difficile de revenir. Qui peut dire s'il y aura encore des postes à venir chercher en Angleterre ?

– Fais ce que tu estimes devoir faire, ma chérie, dit sa mère. As-tu eu des nouvelles de Charles, ces derniers temps ? demanda-t-elle d'un air triste.

– Non", dit Robyn qui mit alors fin à la conversation.

Le lendemain matin, en descendant, elle trouva deux enveloppes sur son paillasson. L'une était de sa mère et contenait la lettre de Melbourne et l'autre était écrite de la main de Charles. Pour faire durer le plaisir et retarder le moment d'ouvrir le prétendu testament, elle ouvrit d'abord la lettre de Charles. Il disait qu'il s'en tirait bien à la banque malgré les longues heures de travail et qu'il était épuisé à la fin de la journée. Mais Debbie et lui ne s'étaient finalement pas entendus, et il ne vivait plus chez elle.

Je n'avais encore jamais rencontré de personne de ce genre, et j'ai d'abord été fasciné. J'ai pris pour de l'intelligence ce qui n'était que rapidité de pensée. Pour tout te dire, ma chérie, elle est assez stupide. Comme la plupart des courtiers de change, d'ailleurs, d'après ce que j'ai vu ; il faut l'être pour jouer à cette roulette électronique toute la journée. Et ils ne pensent à rien d'autre. Quand tu rentres chez toi après une dure journée de travail à la banque, tu as envie d'avoir une conversation civilisée, et non d'entendre parler d'indicateurs et de pourcentages. Au bout d'un certain temps, je me suis mis à regarder la télévision pour ne pas avoir à l'écouter. Et puis, j'ai décidé d'avoir mon propre logement. Je viens d'acheter une charmante petite maison dans un nouveau lotissement de l'Ile aux Chiens – avec une très lourde hypothèque, inutile de te le dire, mais le prix moyen des logements à Londres augmente de cinquante livres par *jour* en ce moment, alors on ne peut pas y perdre. Je me demandais si tu accepterais de venir passer un week-end. On pourrait aller à un spectacle et visiter des galeries.

Je sais ce que tu vas penser : "Ah, non, on ne va pas recommencer !", et je suis bien d'accord, c'est assez stupide cette façon que nous avons de nous séparer et de nous réconcilier tout le temps, parce qu'apparemment personne d'autre ne fait l'affaire, finalement. Je me demande s'il ne serait pas temps de se résigner à l'inévitable et de se marier. Je ne veux pas dire que nous devrions vivre ensemble, nécessairement – de toute façon, tant que je travaille à Londres et toi à Rummidge, ce n'est pas possible – mais simplement rendre les choses un peu plus définitives entre nous. Et si tu ne trouves pas un autre travail quand ton contrat expirera à Rummidge, il serait peut-être plus agréable pour toi d'être au chômage à Londres qu'à Rummidge. J'ai bon espoir de gagner alors assez pour t'offrir le genre de vie auquel tu es habituée, sinon mieux. Je ne vois pas pourquoi tu ne continuerais pas à faire de la recherche et à publier, rien que pour ton plaisir. Réfléchis. Et viens, je t'en prie, passer un week-end, le plus tôt possible.

Tendrement, Charles

"Hum !" dit Robyn, et elle remit la lettre dans son enveloppe. Elle ouvrit alors la seconde lettre, laquelle l'informait dans un jargon juridique verbeux qu'elle était la seule bénéficiaire du testament de son oncle Walter, et que celui-ci laissait des biens estimés à trois cent mille dollars australiens, une fois les taxes payées. Robyn poussa un grand cri et courut consulter les taux de change dans le *Guardian*. Puis elle téléphona à sa mère.

"Tu avais raison, maman. L'oncle Walter m'a laissé quelque chose dans son testament.

– Combien, ma chérie ?

– Eh bien, dit Robyn, une fois que j'aurai payé les frais d'enregistrement, je crois que je devrais avoir dans les cent soixante-cinq mille huit cent cinquante livres et des poussières."

Mrs. Penrose hurla dans l'écouteur et laissa apparemment tomber le téléphone. Robyn l'entendit crier la nouvelle à son père qui était semble-t-il dans la salle de bains. Puis elle revint en ligne. "Papa te félicite ! Je suis si contente pour toi, ma chérie. Quelle somme !

– Je vais la partager avec vous, bien sûr.

– Ridicule, Robyn, c'est ton argent. C'est à toi que l'oncle Walter l'a laissé.

– Mais c'est une pure folie. Il me connaissait à peine. Ç'aurait dû aller à papa, comme il est le plus proche parent. Ou alors être divisé à égalité entre Basil et moi.

– Basil a déjà trop d'argent comme ça. Et ton père et moi, nous sommes très à l'aise ; mais c'est très généreux de ta part de faire cette offre, ma chérie. Maintenant, tu ne

404

vas plus être obligée d'aller en Amérique.

– Pourquoi cela ? dit Robyn, son exaltation retombant quelque peu.

– Eh bien, tu n'as plus besoin d'y aller. Tu peux vivre sur les intérêts que te rapporteront ces cent soixante-cinq mille livres.

– Oui, je suppose que tu as raison, dit Robyn. Mais je ne suis pas vraiment disposée à abandonner le travail."

La pluie s'est arrêtée pendant la nuit. La matinée est calme et ensoleillée, et le ciel est complètement dégagé – c'est un de ces jours exceptionnels où l'atmosphère de Rummidge semble avoir été nettoyée de toute sa pollution, et où tous les objets se détachent dans leur clarté première. Robyn, vêtue d'une robe de coton boutonnée sur le devant et chaussée de sandales, sort de chez elle et, surprise par l'air chaud et limpide, s'arrête un moment, parcourt la rue du regard et, débordante de joie, respire à pleins poumons, comme si elle se trouvait sur une plage.

Sa petite Renault poussiéreuse et cabossée grince sur ses ressorts lorsqu'elle jette son sac en cuir sur le siège du passager et se met au volant. Le moteur souffle d'un air asthmatique quelques secondes avant de hoqueter et de démarrer. Saisie d'une soudaine fringale d'acheter, elle se dit qu'elle va pouvoir bientôt échanger sa Renault contre une voiture neuve, quelque chose de chic et de puissant. Elle pourrait faire la nique à Basil et acheter une Porsche. Non, pas une Porsche, se dit-elle, se rappelant le sermon de Vic sur les voitures étrangères. Une Lotus, peut-être, sauf qu'il n'est pas facile de grimper dedans avec une jupe. Puis elle se dit, c'est absurde, la Renault suffit amplement à mes besoins, il lui faut seulement une batterie neuve.

Robyn roule lentement et prudemment vers l'Université. Elle est tellement consciente de transporter une cargaison précieuse de bonne fortune qu'elle éprouve une crainte quasi superstitieuse de voir un maniaque du volant déboucher à toute vitesse d'une route adjacente et la réduire en miettes. Mais elle parvient sans encombre jusqu'au campus. En passant devant la maison des Wilcox sur la rue Avondale, et en apercevant une main, celle de Marjorie, peut-être, en train de secouer un chiffon à une fenêtre de l'étage, elle se demande distraitement pourquoi Vic a été rappelé si brusquement de l'université hier, et pourquoi il n'est pas revenu. Elle gare sa voiture sous un tilleul – l'espace est libre parce que les autres conducteurs évitent la gomme gluante qui tombe des branches, mais Robyn aime assez la patine que cette gomme donne à la peinture délavée de sa Renault – et, son sac à la main, elle se dirige vers le bâtiment de la Faculté des Lettres. Le soleil donne un éclat chaud à la brique rouge et fait scintiller les nouvelles feuilles luisantes du lierre. Une vapeur légère monte des pelouses qui commencent à sécher. Robyn marche d'un pas joyeux et souple, balançant son sac (plus léger qu'il n'était en janvier, car les examens sont sur le point de commencer, et son enseignement touche à sa fin), souriant et saluant les collègues et les étudiants qu'elle reconnaît dans le hall, dans les escaliers et sur le palier devant le Département d'Anglais.

Bob Busby, en train d'épingler une circulaire sur le panneau du SES, lui fait signe. "Il y a une Assemblée Générale extraordinaire lundi prochain pour discuter de toutes les implications de la circulaire de la CUF, dit-il. Ça ne se présente pas très bien." Il baisse la voix et lui dit d'un ton confidentiel. "J'ai entendu dire que tu allais nous quitter plus tôt que prévu. Je ne te blâme pas, crois-moi.

– Qui t'a dit ça ? dit Robyn.

– C'est un bruit qui court.

– Eh bien, je te serais reconnaissante de ne pas le répandre davantage", dit Robyn. Elle poursuit son chemin, longe le couloir, quelque peu agacée par la curiosité de Bob Busby et le manque de discrétion de Pamela – car la secrétaire doit être à l'origine de cette rumeur. Robyn prend note, mentalement, en soulignant de deux traits, de ne parler à personne de son héritage dans le Département.

Comme d'habitude, il y a quelqu'un devant sa porte qui attend pour la voir. En s'approchant, elle voit que c'est Vic Wilcox : si elle ne l'a pas reconnu tout de suite, c'est qu'il ne porte pas son habituel costume de travail sombre mais une chemise à manches courtes en jersey et un pantalon léger bien repassé. Il a deux livres dans la main.

"Je ne t'attendais pas, dit-elle, en tournant la clé dans la porte de son bureau. Tu veux rattraper ce que tu as loupé hier ?

– Non, dit-il, la suivant dans le bureau et refermant la porte. Je suis venu te dire que je ne reviendrai plus.

– Oh ! dit-elle. Au fond, ça n'a pas d'importance. Les cours sont pratiquement terminés, maintenant. Ce ne serait pas drôle pour toi de me regarder corriger les copies d'examen. Y aurait-il une crise chez Pringle ?

– J'en ai fini avec Pringle, dit-il. Pringle a été vendu au groupe qui possède Foundrax. C'était cela le coup de téléphone d'hier. Je suis au chômage à compter d'aujourd'hui." Il lève les mains et montre ses habits de sport comme s'ils étaient le signe de sa déchéance.

Lorsqu'il a fini de tout lui raconter en détail, elle dit : "Mais ils ont vraiment le droit de te faire ça ? De te jeter dehors, comme ça, sans préavis ?

– J'en ai bien peur.

– Mais c'est monstrueux.

– Une fois qu'ils ont décidé quelque chose, ils n'y vont pas par quatre chemins. Ils savent que je pourrais bousiller toute la compagnie si je restais une semaine de plus, pour me venger. Je ne me donnerais évidemment pas cette peine.

– Je suis désolée pour toi, Vic. Tu dois te sentir désemparé."

Il hausse les épaules. "On ne gagne pas à tous les coups. Mais, bizarrement, ça n'a pas été tout négatif. Le malheur rapproche les gens dans une famille.

– Marjorie n'est pas trop bouleversée ?

– Marjorie a été fantastique, dit Vic. En fait – il renvoie sa mèche en arrière de la main et détourne la tête d'un geste nerveux – on s'est un peu réconciliés. Je voulais te le dire.

– Je suis ravie, dit Robyn, gentiment. Je suis vraiment ravie de l'apprendre.

– Je voulais seulement mettre les choses au clair, dit-il,

la regardant d'un air un peu craintif. Je crois que j'ai été un peu stupide.

– Ne t'inquiète pas pour ça.

– Je vivais dans un rêve. Cette histoire m'a réveillé. Il fallait que je sois devenu fou pour m'imaginer qu'un tout petit ingénieur, qui n'est plus très jeune, puisse t'intéresser."

Robyn se met à rire.

"Tu es quelqu'un d'exceptionnel, Robyn, dit-il avec solennité. Un jour tu rencontreras un homme digne de t'épouser.

– Je peux me suffire à moi-même, je n'ai pas besoin d'un homme, dit-elle en souriant.

– C'est parce que tu n'as pas encore rencontré l'homme qu'il te faut.

– Il se trouve justement que l'on m'a fait une offre ce matin", dit-elle, d'un ton enjoué.

Vic écarquille des yeux. "Qui ça ?

– Charles.

– Tu vas accepter ?

– Non, dit-elle. Et toi, que vas-tu faire maintenant ? Tu vas chercher un autre travail, j'imagine.

– Non, j'en ai assez de cette foire d'empoigne.

– Tu comptes alors prendre ta retraite ?

– Je ne peux pas me le permettre. Et puis, de toute façon, je serais perdu sans travail.

– Tu pourrais faire une licence d'anglais en suivant des cours du soir." Elle sourit, mi-sérieuse, mi-moqueuse.

– J'ai l'intention de créer ma petite entreprise. Je t'ai parlé un jour de cette idée de spectromètre, tu te souviens ? J'en ai discuté avec Tom Rigby hier soir, et il est partant.

– C'est une excellente idée ! C'est l'occasion ou jamais.

– Reste qu'il faut trouver le capital nécessaire.

– J'ai tout le capital qu'il te faut, dit Robyn. Je vais l'investir dans ton spectromètre. Je serai – comment vous dites ? Un associé passif."

Il rit. "Je parle d'un nombre à six chiffres.

– Moi aussi, dit Robyn, et elle lui raconte son histoire

408

d'héritage. Prends cet argent, dit-elle. Utilise-le. Je n'en veux pas. Je ne veux pas prendre ma retraite, moi non plus. Je préfère aller travailler en Amérique.

– Je ne peux pas prendre tout ça, dit-il. Ça ne serait pas bien.

– Prends cent mille livres, dit-elle. Ça suffit ?

– Ça suffit amplement.

– Bon, c'est réglé alors.

– Tu pourrais tout perdre, tu le sais ?

– Je te fais confiance, Vic. Je t'ai vu à l'œuvre. J'ai été ta stagiaire. Elle sourit.

– Il se peut aussi que tu deviennes millionnaire. Qu'est-ce que tu dirais de ça ?

– Je prends le risque", dit-elle.

Il la regarde, retient son souffle, puis expire profondément. "Que puis-je te dire ?

– Merci, ça suffit.

– Merci, alors. Je vais en parler à Tom Rigby et demander à mon homme de loi de préparer les actes.

– D'accord, dit Robyn. On ne se serre pas la main habituellement dans ces cas-là ?

– Tu ferais mieux de réfléchir jusqu'à demain, dit-il.

– C'est tout réfléchi", dit-elle, prenant sa main et la serrant. On frappe à la porte et Marion Russell apparaît sur le seuil, dans un tee-shirt trop grand portant en grosses lettres l'inscription BRANCHEZ-VOUS. "Oh, excusez-moi, dit-elle. Je reviendrai plus tard.

– Ça ne fait rien, je m'en vais", dit Vic. D'un geste brusque, il remet les livres à Robyn. "Je les ai rapportés. Merci de me les avoir prêtés.

– Oh, parfait, tu es bien sûr de ne plus en avoir besoin ?

– Je n'ai pas fini *Daniel Deronda,* mais de toute façon je n'irai jamais jusqu'au bout, dit-il. J'aimerais bien garder le Tennyson, si tu n'as pas besoin de cet exemplaire. En souvenir.

– Bien sûr", dit Robyn. Elle s'asseoit à son bureau et écrit de son écriture ferme et coulante à l'intérieur de la page de garde : *"A Vic, tendrement, de la part de sa stagiaire"*, et elle le lui rend.

Il jette un coup d'œil sur ce qu'elle a écrit. "Tendrement, dit-il. C'est maintenant que tu me le dis." Il fait une sorte de grimace, ferme le livre, dit au revoir d'un geste de la tête, et sort de la pièce en passant devant Marion qui est toujours là.

Marion approche une chaise tout près du bureau de Robyn, s'asseoit sur le bord, et, penchée en avant, la dévisage d'un air anxieux. "Ce n'est pas vrai, n'est-ce pas, que vous partez en Amérique ?" dit-elle.

Robyn jette son stylo. "Seigneur ! On ne peut donc pas avoir de vie privée ici ? Où as-tu entendu ça ?"

Marion se confond en excuses mais poursuit : "Dans le couloir. Des étudiants sortaient d'un séminaire avec Mr. Sutcliffe... Je les ai entendus causer. Je voulais justement suivre votre cours sur la littérature féminine l'année prochaine.

– Je ne puis discuter de mes projets avec toi, Marion. C'est mon affaire. D'ailleurs, je ne sais pas moi-même ce que je vais faire l'an prochain. Attends, tu verras bien.

– Excusez-moi, c'était un peu cavalier de ma part, seulement, vous comprenez… J'espère que vous n'allez pas partir, Robyn. Vous êtes le meilleur prof du Département, tout le monde le dit. Et il ne restera personne pour enseigner les études féminines.

– Ce sera tout, Marion ?"

La jeune fille soupire et hoche la tête. Elle s'apprête à partir.

"A propos, dit Robyn. Est-ce que ta compagnie Bisougramme livre jusqu'à Londres ?

– Non, pas généralement. Mais il existe le même genre de truc là-bas.

– Je veux envoyer un gorillegramme à quelqu'un à Londres, dit Robyn.

– Je peux vous trouver le nom d'une agence, dit Marion.

– Tu peux ? Merci infiniment. Je veux que le message parvienne dans une banque de la City en plein milieu de la matinée. Comment un homme déguisé en gorille peut-il franchir le bureau d'accueil ?

– Oh, nous nous déguisons toujours dans les toilettes, dit Marion.

– Bon, dit Robyn. Dès que tu pourras, alors, Marion."

Quand Marion a disparu, Robyn sort un bloc-notes 21 x 29,7, se met à composer un petit poème, et sourit toute seule. Bientôt, on frappe de nouveau à la porte et Philip Swallow entre timidement dans le bureau.

"Ah, bonjour, Robyn. Vous avez une minute ? Il s'asseoit sur la chaise laissée libre par Marion Russell. J'ai envoyé la lettre de recommandation en Amérique.

– Vous avez fait vite ! Merci infiniment.

– Ça ne veut pas dire que j'ai hâte de me débarrasser de vous, je vous assure, Robyn. En fait, je me demande comment on va faire sans vous l'an prochain. Beaucoup d'étudiants se sont déjà inscrits à vos cours.

– Vous m'avez bien dit, en janvier dernier, dit Robyn, que si un poste se présentait, je ferais bien de me porter candidate.

– Oui, oui, vous avez tout à fait raison.

– Je ne suis pas particulièrement charmée d'émigrer. Mais je veux un travail.

– Ah, justement, c'était de cela que je voulais vous parler. Ecoutez, j'ai découvert ce que voulait dire le mot 'réassignation'.

– Réassignation ?

– Oui, vous vous souvenez... Je l'ai trouvé dans la dernière édition du dictionnaire. Ça veut dire apparemment qu'on est libre d'utiliser pour autre chose les fonds qui nous ont été attribués sur un chapitre particulier du budget. Nous n'avons jamais eu de réassignation à la Faculté jusqu'ici, mais on va y avoir droit l'an prochain.

– Qu'est-ce que ça veut dire ?

– Ça veut dire que si nous acceptons de réduire certaines activités à la Faculté, nous pouvons redistribuer nos finances autrement. Comme le Département d'Anglais est bourré d'étudiants, et que des départements plus petits de la Faculté sont sur le point de disparaître complètement, il est possible que nous puissions remplacer Rupert finalement, malgré les nouvelles réductions qui viennent d'être décidées.

– Je vois, dit Robyn.

– Ce n'est qu'une possibilité, dit Philip Swallow. Je ne garantis rien. Mais je me demandais si, dans ce cas, vous envisageriez la possibilité de rester ici l'an prochain en attendant de voir ce qui va se passer."

Robyn réfléchit. Philip Swallow l'observe pendant qu'elle réfléchit. Pour éviter son regard fixe et inquiet, Robyn se tourne sur son fauteuil et contemple par la fenêtre le rectangle vert au milieu du campus. Des étudiants, attirés dehors par le soleil et qui se retrouvent déjà en couples ou en petits groupes, étendent leurs vestes ou leurs sacs en plastique par terre pour s'asseoir ou s'allonger sur l'herbe humide. Sur une des pelouses, un jardinier, un jeune Noir en salopette verte, va et vient avec une tondeuse à gazon, en passant avec précaution autour des parterres de fleurs et entre les étudiants allongés. Lorsque ceux-ci se rendent compte qu'ils le gênent, ils se lèvent, prennent toutes leurs affaires et vont se poser comme une bande d'oiseaux sur un autre coin d'herbe. Le jardinier est presque du même âge que les étudiants, mais aucune communication ne s'établit entre eux – pas un mouvement de tête, pas un sourire, pas une parole, ni même un regard, ne sont échangés. Il n'y a pourtant aucune arrogance de la part des étudiants, aucune rancœur de la part du jeune jardinier, seulement un refus spontané et réciproque d'établir tout contact. Malgré cette proximité physique, ils habitent des mondes séparés. Voilà une façon bien britannique de traiter les différences de classe et de race. Se rappelant sa vision utopique d'un campus envahi par les travailleurs de chez Pringle, Robyn sourit tristement en elle-même. On a encore du chemin à faire.

"D'accord, dit-elle, se retournant vers Philip Swallow. Je reste."

Rivages poche / Bibliothèque étrangère

Achevé d'imprimer en janvier 2001
sur les presses de l'Imprimerie Maury-Eurolivres
45300 Manchecourt
pour le compte
des Éditions Payot & Rivages
106, bd Saint-Germain - 75006 Paris

19ᵉ édition

Dépôt légal : mai 1991